코로나19 바이러스
"친환경 99.9% 항균잉크 인쇄"
전격 도입

항균잉크란?

언제 끝날지 모를 코로나19 바이러스
99.9% 항균잉크(V-CLEAN99)를 도입하여 「**안심도서**」로
독자분들의 건강과 안전을 위해 노력하겠습니다.

Clean Zone

본 도서는 항균잉크로 인쇄하였습니다.

항균 ✛
99.9%
안심도서

항균잉크(V-CLEAN99)의 특징

◉ 바이러스, 박테리아, 곰팡이 등에 항균효과가 있는 산화아연을 적용

◉ 산화아연은 한국의 식약처와 미국의 FDA에서 식품첨가물로 인증받아 **강력한 항균력**을 구현하는 소재

◉ 황색포도상구균과 대장균에 대한 테스트를 완료하여 **99.9%의 강력한 항균효과** 확인

◉ 잉크 내 중금속, 잔류성 오염물질 등 **유해 물질 저감**

TEST REPORT

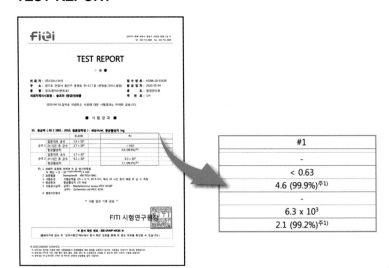

#1
-
< 0.63
4.6 (99.9%)주1)
6.3 x 10³
2.1 (99.2%)주1)

Clean Zone

SD에듀
(주)시대고시기획

소방설비기사 필기

㈜ 필기

소방관계법규

SD에듀
㈜시대고시기획

PREFACE

머리글

본 교재는 소방설비기사 자격증 취득을 위한 1차 필기시험 대비 수험서로서 기본이론과 중요이론 그리고 5년 동안에 출제된 기사 과년도 문제를 쉽고 빠르게 자격증 취득을 돕기 위해 모두 장별로 분류하고 수록하였으며 이에 해설과 풀이를 통해 본 교재를 가지고 공부하시는 분들이 다른 유형의 문제도 풀 수 있도록 하였습니다.

현재 기출문제는 예전과 달리 동일한 문제가 반복적으로 출제되는 게 아니라 조금씩 변화를 주며 출제되고 있는 상황이라 이에 맞게 내용에 충실하게 교재를 준비하였습니다.

본 교재는 중요부분의 이론은 내용설명을 충실히 하였고, 가끔 출제는 되나 그 내용이 중요하지 않은 부분은 간단하게 암기할 수 있도록 만들었습니다.

끝으로 본 교재로 필기시험을 준비하시는 수험생 여러분들에게 깊은 감사를 드리며 전원 합격하시기를 기원하겠습니다.

오 · 탈자 및 오답이 발견될 경우 연락을 주시면 수정하여 보다 나은 수험서가 되도록 노력하겠습니다.

편저자 씀

소방설비기사

개요

건물이 점차 대형화, 고층화, 밀집화 되어감에 따라 화재 발생 시 진화보다는 화재의 예방과 초기진압에 중점을 둠으로써 국민의 생명, 신체 및 재산을 보호하는 방법이 더 효과적인 방법이다. 이에 따라 소방설비에 대한 전문인력을 양성하기 위하여 자격제도를 제정하게 되었다.

진로 및 전망

산업구조의 대형화 및 다양화로 소방대상물(건축물·시설물)이 고층·심층화되고, 고압가스나 위험물을 이용한 에너지 소비량의 증가 등으로 재해 발생 위험요소가 많아지면서 소방과 관련한 인력수요가 늘고 있다. 소방설비 관련 주요 업무 중 하나인 화재관련 건수와 그로 인한 재산피해액도 당연히 증가할 수밖에 없어 소방관련 인력에 대한 수요는 증가할 것으로 전망된다. 소방공사, 대한주택공사, 전기공사 등 정부투자기관, 각종 건설회사, 소방전문업체 및 학계, 연구소 등으로 진출할 수 있다.

시험일정

구 분	필기원서접수 (인터넷)	필기시험	필기합격 (예정자)발표	실기원서접수	실기시험	최종 합격자 발표
제1회	1.24~1.27	3.5	3.23	4.4~4.7	5.7~5.20	1차 : 6.3, 2차 : 6.17
제2회	3.28~3.31	4.24	5.18	6.20~6.23	7.24~8.5	1차 : 8.19, 2차 : 9.2
제4회	8.16~8.19	9.14~10.3	10.13	10.25~10.28	11.19~12.2	1차 : 12.16, 2차 : 12.30

※ 상기 시험일정은 시행처의 사정에 따라 변경될 수 있으니, www.q-net.or.kr에서 확인하시기 바랍니다.

시험요강

① 시행처 : 한국산업인력공단(www.q-net.or.kr)
② 관련 학과 : 대학 및 전문대학의 소방학, 건축설비공학, 기계설비학, 가스냉동학, 공조냉동학 관련 학과
③ 시험과목
   ㉠ 필기 : 소방원론, 소방전기일반, 소방관계법규, 소방전기시설의 구조 및 원리
   ㉡ 실기 : 소방전기시설 설계 및 시공실무
④ 검정방법
   ㉠ 필기 : 객관식 4지 택일형 과목당 20문항(과목당 30분)
   ㉡ 실기 : 필답형(3시간, 100점)
⑤ 합격기준
   ㉠ 필기 : 100점을 만점으로 하여 과목당 40점 이상, 전과목 평균 60점 이상
   ㉡ 실기 : 100점을 만점으로 하여 60점 이상

출제기준

필기과목명	주요항목	세부항목	세세항목
소방관계법규	소방기본법	소방기본법, 시행령, 시행규칙	• 소방기본법 • 소방기본법 시행령 • 소방기본법 시행규칙 • 소방기본법령에 관한 기타 관련 사항

	화재예방,
	소방시설 설치 ·
	유지 및 안전관리에
	관한 법률
		화재예방,
		소방시설 설치 ·
		유지 및 안전관리에
		관한 법률,
		시행령,
		시행규칙
			• 화재예방, 소방시설 설치 · 유지 및 안전관리에 관한 법률
			• 화재예방, 소방시설 설치 · 유지 및 안전관리에 관한 법률
			  시행령
			• 화재예방, 소방시설 설치 · 유지 및 안전관리에 관한 법률
			  시행규칙
			• 화재예방, 소방시설 설치 · 유지 및 안전관리에 관한 법령
			  기타 관련 사항

	소방시설공사업법	소방시설공사업법, 시행령, 시행규칙	• 소방시설공사업법 • 소방시설공사업법 시행령 • 소방시설공사업법 시행규칙 • 소방시설공사업 법령에 관한 기타 관련 사항
	위험물안전관리법	위험물안전관리법, 시행령, 시행규칙	• 위험물안전관리법 • 위험물안전관리법 시행령 • 위험물안전관리법 시행규칙 • 위험물안전관리법령에 관한 기타 관련 사항

이 책의 구성과 특징

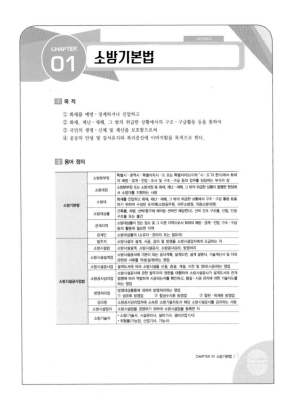

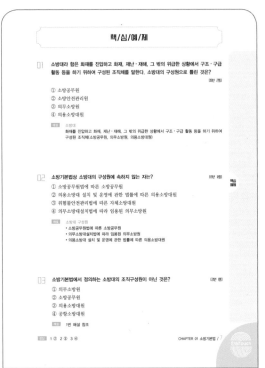

핵심이론

필수적으로 학습해야 하는 중요한 이론들을 각 과목별로 분류하여 수록하였습니다. 두꺼운 기본서의 복잡한 이론은 이제 그만! 시험에 꼭 나오는 이론을 중심으로 효과적으로 공부하십시오.

핵심예제

기출문제들의 키워드를 철저하게 분석하여 한눈에 출제이론을 파악할 수 있도록 하였고 자주 출제되는 문제를 추려낸 뒤 핵심예제로 수록하여 반복학습을 유도하였습니다.

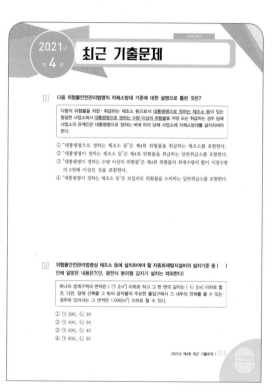

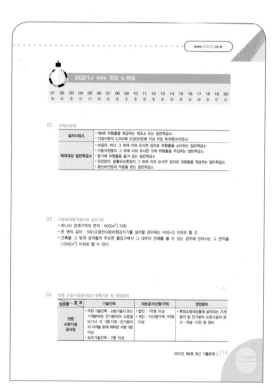

최근 기출문제

최근에 출제된 기출문제를 수록하여 가장 최신의 출제경향을 파악하고 새롭게 출제된 문제의 유형을 파악하여 합격에 한 걸음 더 가까이 다가갈 수 있도록 구성하였습니다.

정답 및 해설

가장 최근에 시행된 기출문제의 명쾌하고 상세한 해설을 수록하여 놓친 부분을 다시 한 번 확인할 수 있도록 하였습니다.

목차

CHAPTER 01 소방기본법 3

CHAPTER 02 화재예방, 소방시설 설치·유지 및 안전관리에 관한 법률 47

CHAPTER 03 소방시설공사업법 123

CHAPTER 04 위험물안전관리법 154

부 록 2021년 4회 기출문제 213

Engineer Fire Protection System

소방설비기사(필기) 기본서 시리즈

소방관계법규

Engineer Fire Protection System

소방설비기사(필기) 기본서 시리즈

소방관계법규

CHAPTER 01   소방기본법

CHAPTER 02   화재예방, 소방시설 설치 · 유지 및 안전관리에 관한 법률

CHAPTER 03   소방시설공사업법

CHAPTER 04   위험물안전관리법

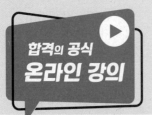

합격의 공식
온라인 강의

잠깐!

혼자 공부하기 힘드시다면 방법이 있습니다.
시대에듀의 동영상강의를 이용하시면 됩니다.
www.sdedu.co.kr ➔ 회원가입(로그인) ➔ 강의 살펴보기

CHAPTER 01 소방기본법

1 목 적

① 화재를 예방·경계하거나 진압하고
② 화재, 재난·재해, 그 밖의 위급한 상황에서의 구조·구급활동 등을 통하여
③ 국민의 생명·신체 및 재산을 보호함으로써
④ 공공의 안녕 및 질서유지와 복리증진에 이바지함을 목적으로 한다.

2 용어 정의

소방기본법	소방본부장	특별시·광역시·특별자치시·도 또는 특별자치도(이하 "시·도"라 한다)에서 화재의 예방·경계·진압·조사 및 구조·구급 등의 업무를 담당하는 부서의 장
	소방대장	소방본부장 또는 소방서장 등 화재, 재난·재해, 그 밖의 위급한 상황이 발행한 현장에서 소방대를 지휘하는 사람
	소방대	화재를 진압하고 화재, 재난·재해, 그 밖의 위급한 상황에서 구조·구급 활동 등을 하기 위하여 구성된 조직체(소방공무원, 의무소방원, 의용소방대원)
	소방대상물	건축물, 차량, 선박(항구에 매어둔 선박만 해당한다), 선박 건조 구조물, 산림, 인공구조물 또는 물건
	관계지역	소방대상물이 있는 장소 및 그 이웃 지역으로서 화재의 예방·경계·진압, 구조·구급 등의 활동에 필요한 지역
	관계인	소방대상물의 (소유자·관리자 또는 점유자)
소방시설공사업법	발주자	소방시설의 설계, 시공, 감리 및 방염을 소방시설업자에게 도급하는 자
	소방시설업	소방시설설계, 소방시설공사, 소방공사감리, 방염처리
	소방시설설계업	소방시설공사에 기본이 되는 공사계획, 설계도면, 설계 설명서, 기술계산서 및 이와 관련된 서류를 작성(설계)하는 영업
	소방시설공사업	설계도서에 따라 소방시설을 신설, 증설, 개설, 이전 및 정비(시공)하는 영업
	소방공사감리업	소방시설공사에 관한 발주자의 권한을 대행하여 소방시설공사가 설계도서와 관계 법령에 따라 적법하게 시공되는지를 확인하고, 품질·시공 관리에 대한 기술지도를 하는 영업
	방염처리업	방염대상물품에 대하여 방염처리하는 영업 ① 섬유류 방염업　　② 합성수지류 방염업　　③ 합판·목재류 방염업
	감리원	소방공사감리업자에 소속된 소방기술자로서 해당 소방시설공사를 감리하는 사람
	소방시설업자	소방시설업을 경영하기 위하여 소방시설업을 등록한 자
	소방기술자	• 소방(기술사, 시설관리사, 설비기사, 설비산업기사) • 위험물(기능장, 산업기사, 기능사)

화재예방, 소방시설 설치·유지 및 안전관리에 관한 법률(소방시설법)	소방시설	소화설비, 경보설비, 피난구조설비, 소화용수설비, 소화활동설비, 그 밖의 소화활동설비로서 대통령령으로 정하는 것
	소방시설 등	소방시설과 비상구(非常口), 방화문 및 방화셔터
	특정소방대상물	소방시설을 설치하여야 하는 소방대상물로서 대통령령으로 정하는 것
	소방용품	소방시설 등을 구성하거나 소방용으로 사용되는 제품 또는 기기로서 대통령령으로 정하는 것
	무창층(無窓層)	지상층 중 개구부의 면적의 합계가 해당 층의 바닥면적의 30분의 1 이하가 되는 층 • 크기 : 지름 50[cm] 이상의 원이 내접 • 해당 층의 바닥면으로부터 개구부 밑 부분까지의 높이가 1.2[m] 이내일 것 • 도로 또는 차량이 진입할 수 있는 빈터를 향할 것 • 화재 시 건축물로부터 쉽게 피난할 수 있도록 창살이나 그 밖의 장애물이 설치되지 아니할 것 • 내부 또는 외부에서 쉽게 부수거나 열 수 있을 것
	피난층	곧바로 지상으로 갈 수 있는 출입구가 있는 층
위험물안전관리법	위험물	인화성 또는 발화성 등의 성질을 가지는 것으로서 대통령령이 정하는 물품
	지정수량	위험물의 종류별로 위험성을 고려하여 대통령령이 정하는 수량(제조소 등의 설치허가 등에 있어서 최저의 기준이 되는 수량)
	제조소	위험물을 제조할 목적으로 지정수량 이상의 위험물을 취급하기 위하여 허가받은 장소
	제조소 등	제조소·저장소 및 취급소
	저장소	지정수량 이상의 위험물을 저장하기 위한 대통령령으로 정하는 장소
	취급소	지정수량 이상의 위험물을 제조 외의 목적으로 취급하기 위하여 대통령령으로 정하는 장소
	주유취급소	고정된 주유설비에 의하여 자동차·항공기 또는 선박 등의 연료탱크에 직접 주유하기 위하여 위험물을 취급하는 장소
	판매취급소	점포에서 위험물을 용기에 담아 판매하기 위하여 지정수량의 40배 이하의 위험물을 취급하는 장소
	이송취급소	배관 및 이에 부속된 설비에 의하여 위험물을 이송하는 장소
	일반취급소	주유취급소, 판매취급소, 이송취급소 외의 장소

3 책임자

대통령령	• 소방기관의 설치에 필요한 사항 • 소방장비 등에 대한 국고보조의 대상사업의 범위와 기존보조율 • 위험물 또는 물건의 보관기관 및 기관경과 후 처리 등 • 화재예방을 위하여 불을 사용할 때 지켜야하는 사항(보일러, 난로, 건조설비, 가스·전기시설, 그 밖의 화재 발생 우려가 있는 설비) • 화재 발생 시 불길이 빠르게 번지는 특수가연물의 저장 및 취급 기준(고무, 면화, 석탄, 목탄)

행정안전부령	• 119종합상황실의 설치와 운영에 필요한 사항 • 소방박물관의 설립과 운영에 필요한 사항 • 소방업무에 필요한 소방력(인력, 장비)에 관한 기준 • 소방활동장비 및 설비의 종류 및 규격 • 소방용수시설 설치 기준 • 소방교육 · 훈련의 종류 및 대상자의 필요한 사항 • 소방대원의 교육 · 훈련의 종류 및 대상자, 그 밖에 교육 · 훈련 실시에 필요한 사항 • 소방신호의 종류와 방법 • 화재 조사의 방법, 운영, 조사자의 자격 등 화재조사에 관한 필요사항
시 · 도지사	• 소방본부장, 서장 지휘권자 • 소방업무에 대한 책임 • 소방체험관의 설립 · 운영권자 • 소방체험관의 설립 · 운영에 관한 사항 : 시 · 도의 조례 • 관할 구역의 소방력을 확충하기 위하여 필요한 계획의 수립 · 시행권자 • 소방용수 시설의 설치, 유지, 관리 • 화재경계지구 지정권자 • 불을 사용하는 설비의 세부관리기준(시 · 도 조례)
소방청장	• 119종합상황실 설치 · 운영권자 • 소방박물관의 설립 · 운영권자 • 소방용수시설 및 지리조사 실시권자 • 소방활동(소방교육훈련) • 소방안전교육사 실시권자 • 화재의 원인 및 피해조사권자 • 화재경계지구의 지정 요청
소방본부장	• 119종합상황실 설치 · 운영권자 • 소방용수시설 및 지리조사 실시권자 • 화재예방조치권자 • 화재경계지구 안의 소방특별조사 • 화재경계지구의 소방훈련과 교육 실시권자 • 소방활동(소방교육훈련) • 소방활동의 종사 명령자 • 소방활동구역의 강제처분, 피난명령 • 화재의 원인 및 피해조사권자
소방서장	• 119종합상황실 설치 · 운영권자 • 화재예방조치권자 • 화재경계지구 안의 소방특별조사 • 화재경계지구의 소방훈련과 교육 실시권자 • 소방활동(소방교육훈련) • 소방활동의 종사 명령자 • 소방활동구역의 강제처분, 피난명령 • 화재의 원인 및 피해조사권자
소방대장	• 소방활동구역의 설정 및 출입제한권자 • 소방활동의 종사 명령자 • 소방활동구역의 강제처분, 피난명령

※ 실시권자 정리

소방청장	소방본부장	소방서장	소방대장
소방력의 동원요청			
• 소방활동 • 소방지원활동 • 생활안전활동 • 소방교육·훈련 • 화재의 원인 및 피해조사 • 수사기관에 체포된 사람에 대한 조사 • 종합상황실의 설치·운영			
	• 소방업무의 응원 • 화재의 예방조치 • 화재에 관한 위험경보		
	• 소방활동 종사명령 • 강제처분 • 피난명령 • 위험시설 등에 대한 긴급조치		

※ 의용소방대 설치권자 : 시·도지사, 소방서장(경비 부담자 : 시·도지사)

01 소방대라 함은 화재를 진압하고 화재, 재난·재해, 그 밖의 위급한 상황에서 구조·구급 활동 등을 하기 위하여 구성된 조직체를 말한다. 소방대의 구성원으로 틀린 것은?

[19년 2회]

① 소방공무원
② 소방안전관리원
③ 의무소방원
④ 의용소방대원

> **해설** **소방대**
> 화재를 진압하고 화재, 재난·재해, 그 밖의 위급한 상황에서 구조·구급 활동 등을 하기 위하여 구성된 조직체(소방공무원, 의무소방원, 의용소방대원)

02 소방기본법상 소방대의 구성원에 속하지 않는 자는?

[19년 4회]

① 소방공무원법에 따른 소방공무원
② 의용소방대 설치 및 운영에 관한 법률에 따른 의용소방대원
③ 위험물안전관리법에 따른 자체소방대원
④ 의무소방대설치법에 따라 임용된 의무소방원

> **해설** **소방대 구성원**
> • 소방공무원법에 따른 소방공무원
> • 의무소방대설치법에 따라 임용된 의무소방원
> • 의용소방대 설치 및 운영에 관한 법률에 따른 의용소방대원

03 소방기본법에서 정의하는 소방대의 조직구성원이 아닌 것은?

[21년 1회]

① 의무소방원
② 소방공무원
③ 의용소방대원
④ 공항소방대원

> **해설** 1번 해설 참조

04 소방기본법에서 정의하는 소방대상물에 해당하지 않는 것은? [21년 1회]

① 산 림

② 차 량

③ 건축물

④ 항해 중인 선박

> 해설　소방대상물
> 건축물, 차량, 선박(항구 안에 매어둔 선박), 선박건조구조물, 산림 그 밖의 인공구조물 또는 물건

05 소방기본법의 정의상 소방대상물의 관계인이 아닌 자는? [21년 2회]

① 감리자

② 관리자

③ 점유자

④ 소유자

> 해설　관계인
> 소방대상물의 소유자, 관리자, 점유자

06 소방기본법상 보일러, 난로, 건조설비, 가스 · 전기시설, 그 밖에 화재 발생 우려가 있는 설비 또는 기구 등의 위치 · 구조 및 관리와 화재 예방을 위하여 불을 사용할 때 지켜야 하는 사항은 무엇으로 정하는가? [19년 1회]

① 총리령

② 대통령령

③ 시 · 도의 조례

④ 행정안전부령

> 해설　대통령령
> • 소방기관의 설치에 필요한 사항
> • 소방장비 등에 대한 국고보조의 대상사업의 범위와 기존보조율
> • 위험물 또는 물건의 보관기관 및 기관경과 후 처리 등
> • 화재예방을 위하여 불을 사용할 때 지켜야하는 사항(보일러, 난로, 건조설비, 가스 · 전기시설, 그 밖의 화재 발생 우려가 있는 설비)
> • 화재 발생 시 불길이 빠르게 번지는 특수가연물의 저장 및 취급 기준(고무, 면화, 석탄, 목탄)

07 소방기본법상 화재 현장에서의 피난 등을 체험할 수 있는 소방체험관의 설립·운영권자는?

[19년 2회]

① 시·도지사
② 행정안전부장관
③ 소방본부장 또는 소방서장
④ 소방청장

해설 시·도지사
• 소방본부장, 서장 지휘권자
• 소방업무에 대한 책임
• 소방체험관의 설립·운영권자
• 소방체험관의 설립·운영에 관한 사항 : 시·도의 조례
• 관할 구역의 소방력을 확충하기 위하여 필요한 계획의 수립·시행권자
• 소방용수 시설의 설치, 유지, 관리
• 화재경계지구 지정권자
• 불을 사용하는 설비의 세부관리기준(시·도 조례)

핵심
예제

08 소방기본법에 따른 소방력의 기준에 따라 관할구역의 소방력을 확충하기 위하여 필요한 계획을 수립하여 시행하여야 하는 자는?

[18년 4회]

① 소방서장
② 소방본부장
③ 시·도지사
④ 행정안전부장관

해설 7번 해설 참조

09 소방기본법상 화재경계지구의 지정권자는?

[20년 4회]

① 소방서장
② 시·도지사
③ 소방본부장
④ 행정안전부장관

해설 7번 해설 참조

10 소방기본법상 시·도지사가 화재경계지구로 지정할 필요가 있는 지역을 화재경계지구로 지정하지 아니하는 경우 해당 시·도지사에게 해당 지역의 화재경계지구 지정을 요청할 수 있는 자는? [18년 1회]

① 행정안전부장관   ② 소방청장

③ 소방본부장   ④ 소방서장

해설 **소방청장**
- 119종합상황실 설치·운영권자
- 소방박물관의 설립·운영권자
- 소방용수시설 및 지리조사 실시권자
- 소방활동(소방교육훈련)
- 소방안전교육사 실시권자
- 화재의 원인 및 피해조사권자
- 화재경계지구의 지정 요청

11 소방기본법상 소방활동구역의 설정권자로 옳은 것은? [18년 2회]

① 소방본부장   ② 소방서장

③ 소방대장   ④ 시·도지사

해설 **소방대장**
- 소방활동구역의 설정 및 출입제한권자
- 소방활동의 종사 명령자
- 소방활동구역의 강제처분, 피난명령

12 소방기본법상 소방대장의 권한이 아닌 것은? [20년 3회]

① 화재 현장에 대통령령으로 정하는 사람 외에는 그 구역에 출입하는 것을 제한할 수 있다.

② 화재 진압 등 소방활동을 위하여 필요할 때에는 소방용수 외에 댐·저수지 등의 물을 사용할 수 있다.

③ 국민의 안전의식을 높이기 위하여 소방박물관 및 소방체험관을 설립하여 운영할 수 있다.

④ 불이 번지는 것을 막기 위하여 필요할 때에는 불이 번질 우려가 있는 소방대상물 및 토지를 일시적으로 사용할 수 있다.

해설 11번 해설 참조

     10 ②   11 ③   12 ③   **정답**

핵심
예제

13 **소방기본법상 소방대장의 권한이 아닌 것은?** [17년 2회]

① 화재가 발생하였을 때에는 화재의 원인 및 피해 등에 대한 조사

② 화재, 재난·재해, 그 밖의 위급한 상황이 발생한 현장에 소방활동구역을 정하여 소방활동에 필요한 사람으로서 대통령령으로 정하는 사람 외에는 그 구역에 출입하는 것을 제한

③ 사람을 구출하거나 불이 번지는 것을 막기 위하여 필요할 때에는 화재가 발생하거나 불이 번질 우려가 있는 소방대상물 및 토지를 일시적으로 사용하거나 그 사용의 제한 또는 소방활동에 필요한 처분

④ 화재 진압 등 소방활동을 위하여 필요할 때에는 소방용수 외에 댐·저수지 또는 수영장 등의 물을 사용하거나 수도의 개폐장치 등을 조작

해설

소방청장	소방본부장	소방서장	소방대장
소방력의 동원요청			
• 소방활동 • 소방지원활동 • 생활안전활동 • 소방교육·훈련 • 화재의 원인 및 피해조사 • 수사기관에 체포된 사람에 대한 조사 • 종합상황실의 설치·운영			
	• 소방업무의 응원 • 화재의 예방조치 • 화재에 관한 위험경보		
	• 소방활동 종사명령 • 강제처분 • 피난명령 • 위험시설 등에 대한 긴급조치		

핵심
예제

14 소방기본법상 명령권자가 소방본부장, 소방서장 또는 소방대장에게 있는 사항은? [19년 1회]

① 소방활동을 할 때에 긴급한 경우에는 이웃한 소방본부장 또는 소방서장에게 소방업무의 응원을 요청할 수 있다.

② 화재, 재난·재해, 그 밖의 위급한 상황이 발생한 현장에서 소방활동을 위하여 필요할 때에는 그 관할구역에 사는 사람 또는 그 현장에 있는 사람으로 하여금 사람을 구출하는 일 또는 불을 끄거나 불이 번지지 아니하도록 하는 일을 하게 할 수 있다.

③ 수사기관이 방화 또는 실화의 혐의가 있어서 이미 피의자를 체포하였거나 증거물을 압수하였을 때에 화재조사를 위하여 필요한 경우에는 수사에 지장을 주지 아니하는 범위에서 그 피의자 또는 압수된 증거물에 대한 조사를 할 수 있다.

④ 화재, 재난·재해, 그 밖의 위급한 상황이 발생하였을 때에는 소방대를 현장에 신속하게 출동시켜 화재진압과 인명구조·구급 등 소방에 필요한 활동(소방활동)을 하게 하여야 한다.

해설 13번 해설 참조

15 소방기본법에 따라 화재 등 그 밖의 위급한 상황이 발생한 현장에서 소방활동을 위하여 필요한 때에는 그 관할구역에 사는 사람 또는 그 현장에 있는 사람으로 하여금 사람을 구출하는 일 또는 불을 끄는 등의 일을 하도록 명령할 수 있는 권한이 없는 사람은? [20년 1·2회]

① 소방서장

② 소방대장

③ 시·도지사

④ 소방본부장

해설 13번 해설 참조

16 소방기본법상 소방본부장, 소방서장 또는 소방대장의 권한이 아닌 것은? [18년 2회, 20년 11회]

① 화재, 재난·재해, 그 밖의 위급한 상황이 발생한 현장에서 소방활동을 위하여 필요할 때에는 그 관할구역에 사는 사람 또는 그 현장에 있는 사람으로 하여금 사람을 구출하는 일 또는 불을 끄거나 불이 번지지 아니하도록 하는 일을 하게 할 수 있다.

② 소방활동을 할 때에 긴급한 경우에는 이웃한 소방본부장 또는 소방서장에게 소방업무의 응원을 요청할 수 있다.

③ 사람을 구출하거나 불이 번지는 것을 막기 위하여 필요할 때에는 화재가 발생하거나 불이 번질 우려가 있는 소방대상물 및 토지를 일시적으로 사용하거나 그 사용의 제한 또는 소방활동에 필요한 처분을 할 수 있다.

④ 소방활동을 위하여 긴급하게 출동할 때에는 소방자동차의 통행과 소방활동에 방해가 되는 주차 또는 정차된 차량 및 물건 등을 제거하거나 이동시킬 수 있다.

해설 13번 해설 참조

핵심
예제

17 국민의 안전의식과 화재에 대한 경각심을 높이고 안전문화를 정착시키기 위한 소방의 날은 몇 월 며칠인가? [20년 3회]

① 1월 19일

② 10월 9일

③ 11월 9일

④ 12월 19일

해설 소방의 날 : 11월 9일

4 계획, 운영, 시행 등

(1) 소방업무에 관한 종합계획 : 국가가 5년마다 수립·시행(시행권자 : 소방청장)

(2) 119종합상황실

보고체계	소방서 종합상황실 → 소방본부 종합상황실 → 소방청 종합상황실
운영체제	24시간
종합상황실 실장의 보고발생 사유	• 다음 각 목의 1에 해당하는 화재 　− 사망자가 5인 이상 발생하거나 사상자가 10인 이상 발생한 화재 　− 이재민이 100인 이상 발생한 화재 　− 재산피해액이 50억원 이상 발생한 화재 　− 관공서·학교·정부미도정공장·문화재·지하철 또는 지하구의 화재 　− 관광호텔, 층수가 11층 이상인 건축물, 지하상가, 시장, 백화점, 지정수량의 3,000배 이상의 위험물의 제조소·저장소·취급소, 층수가 5층 이상이거나 객실이 30실 이상인 숙박시설, 층수가 5층 이상이거나 병상이 30개 이상인 종합병원·정신병원·한방병원·요양소, 연면적 15,000[m²] 이상인 공장 또는 화재경계지구에서 발생한 화재 　− 철도차량, 항구에 매어둔 총 톤수가 1,000[t] 이상인 선박, 항공기, 발전소 또는 변전소에서 발생한 화재 　− 가스 및 화약류의 폭발에 의한 화재 　− 다중이용업소의 화재 • 통제단장의 현장지휘가 필요한 재난상황 • 언론에 보도된 재난상황 • 그 밖에 소방청장이 정하는 재난상황

(3) 소방장비 등에 대한 국고보조

① 국가는 소방장비의 구입 등 시·도의 소방업무에 필요한 경비의 일부를 보조한다.

② 국고보조대상

　㉠ 소방활동장비와 설비의 구입 및 설치

　　• 소방자동차

　　• 소방헬리콥터 및 소방정

　　• 소방전용통신설비 및 전산설비

　　• 그 밖의 방열복 또는 방화복 등 소방활동에 필요한 소방장비

　㉡ 소방관서용 청사의 건축

　　※ 소방의(소방복장)는 국고보조대상이 아니다.

(4) 소방용수시설의 설치 및 관리

소방용수시설의 종류	소화전, 급수탑, 저수조	
소방용수시설 설치기준	① 공통기준(수평거리) 　소방대상물의 수평거리 　㉠ 주거지역, 상업지역, 공업지역 : 100[m] 이하 　㉡ 그 밖의 지역 : 140[m] 이하 ② 소방용수시설별 설치기준 　㉠ 소화전의 설치기준 : 상수도와 연결하여 지하식 또는 지상식의 구조로 하고 소화전의 연결금속구 구경은 65[mm]로 할 것 　㉡ 급수탑 설치기준 　　– 급수배관의 구경 : 100[mm] 이상 　　– 개폐밸브의 설치 : 지상에서 1.5[m] 이상 1.7[m] 이하 　㉢ 저수조 설치기준 　　– 지면으로부터의 낙차가 4.5[m] 이하일 것 　　– 흡수 부분의 수심이 0.5[m] 이상일 것 　　– 소방펌프자동차가 쉽게 접근할 수 있을 것 　　– 흡수에 지장이 없도록 토사, 쓰레기 등을 제거할 수 있는 설비를 갖출 것 　　– 흡수관의 투입구가 사각형의 경우에는 한 변의 길이가 60[cm] 이상, 원형의 경우에는 지름이 60[cm] 이상일 것 　　– 저수조에 물을 공급하는 방법은 상수도에 연결하여 자동으로 급수되는 구조일 것	
소방용수시설 또는 비상소화장치의 사용금지	• 정당한 사유 없이 소방용수시설 또는 비상소화장치를 사용하는 행위 • 정당한 사유 없이 손상・파괴, 철거 또는 그 밖의 방법으로 소방용수시설 또는 비상소화장치의 효용을 해치는 행위 • 소방용수시설 또는 비상소화장치의 정당한 사용을 방해하는 행위	
소방용수시설 및 지리조사	조사횟수	월 1회 이상
	결과보관	2년간
	조사내용	• 소방용수시설에 대한 조사 • 소방대상물에 인접한 도로의 폭・교통상황, 도로주변의 토지의 고저・건축물의 개황 그 밖의 소방활동에 필요한 지리에 대한 조사
	소방용수시설 설치, 유지, 관리	시・도지사
	소화전 설치	일반수도사업자는 관할 소방서장과 사전협의를 거친 후 소화전을 설치하여야 하며, 설치 사실을 관할 소방서장에게 통지하고, 그 소화전을 유지・관리하여야 한다.
비상소화장치	설치대상지역	• 화재경계지구 • 시・도지사가 필요하다고 인정하는 지역
	구 성	• 비상소화장치함 • 소화전 • 소방호스 • 관 창

5 소방업무의 응원

소방본부장이나 소방서장은 소방활동을 할 때에 긴급한 경우에는 이웃한 소방본부장 또는 소방서장에게 소방업무의 응원(應援)을 요청할 수 있으며 소방업무의 응원요청을 받은 소방본부장 또는 소방서장은 정당한 사유 없이 그 요청을 거절하여서는 아니 된다. 또한 소방업무의 응원을 위하여 파견된 소방대원은 응원을 요청한 소방본부장 또는 소방서장의 지휘에 따라야 한다.

소방업무의 상호응원협정사항

- 소방활동에 관한 사항
  - 화재의 경계·진압 활동
  - 구조·구급 업무의 지원
  - 화재조사활동
- 응원출동대상지역 및 규모
- 소요경비의 부담에 관한 사항
  - 출동대원의 수당·식사 및 피복의 수선
  - 소방장비 및 기구의 정비와 연료의 보급
  - 그 밖의 경비
- 응원출동의 요청방법
- 응원출동훈련 및 평가

---

6 화재의 예방조치

불장난, 모닥불, 흡연, 화기(火氣) 취급, 풍등 등 소형 열기구 날리기, 그 밖에 화재예방상 위험하다고 인정되는 행위의 금지 또는 제한, 타고 남은 불 또는 화기(火氣)가 있을 우려가 있는 재의 처리, 함부로 버려두거나 그냥 둔 위험물 그 밖에 불에 탈 수 있는 물건을 옮기거나 치우게 하는 등의 조치 등을 말하며 소방본부장이나 소방서장은 그 위험물 또는 물건의 소유자·관리자 또는 점유자의 주소와 성명을 알 수 없어서 필요한 명령을 할 수 없을 때에는 소속 공무원으로 하여금 그 위험물 또는 물건을 옮기거나 치우게 할 수 있다.

위험물 또는 물건을 보관하는 경우 게시판에 공고 기간	14일
게시판에 공고 기간 종료일 다음날부터 보관 기간	7일
매각되거나 폐기된 위험물 또는 물건의 소유자가 보상을 요구 시 보상권자	소방본부장 또는 소방서장

7 불을 사용하는 설비 등의 관리

보일러 등의 위치·구조 및 관리와 화재예방을 위하여 불의 사용에 있어서 지켜야 하는 사항

종 류	내 용
보일러	• 가연성 벽·바닥 또는 천장과 접촉하는 증기기관 또는 연통의 부분은 규조토·석면 등 난연성 단열재로 덮어씌워야 한다. • 경유·등유 등 액체연료를 사용하는 경우에는 다음 사항을 지켜야 한다. – 연료탱크는 보일러 본체로부터 수평거리 1[m] 이상의 간격을 두어 설치할 것 – 연료탱크에는 화재 등 긴급상황이 발생하는 경우 연료를 차단할 수 있는 개폐밸브를 연료탱크로부터 0.5[m] 이내에 설치할 것 • 기체연료를 사용하는 경우에는 다음에 의한다. – 보일러를 설치하는 장소에는 환기구를 설치하는 등 가연성 가스가 머무르지 아니하도록 할 것 – 화재 등 긴급 시 연료를 차단할 수 있는 개폐밸브를 연료용기 등으로부터 0.5[m] 이내에 설치할 것 – 보일러가 설치된 장소에는 가스누설경보기를 설치할 것 • 보일러와 벽·천장 사이의 거리는 0.6[m] 이상 되도록 하여야 한다.
난 로	• 연통은 천장으로부터 0.6[m] 이상 떨어지고, 건물 밖으로 0.6[m] 이상 나오게 설치하여야 한다. • 가연성 벽·바닥 또는 천장과 접촉하는 연통의 부분은 규조토·석면 등 난연성 단열재로 덮어씌워야 한다.
건조설비	• 건조설비와 벽·천장 사이의 거리는 0.5[m] 이상 되도록 하여야 한다. • 건조물품이 열원과 직접 접촉하지 아니하도록 하여야 한다. • 실내에 설치하는 경우에 벽·천장 또는 바닥은 불연재료로 하여야 한다.
음식조리를 위하여 설치하는 설비	일반음식점에서 조리를 위하여 불을 사용하는 설비를 설치하는 경우 지켜야 할 사항 • 주방설비에 부속된 배출덕트(공기배출통로)는 0.5[mm] 이상의 아연도금강판 또는 이와 동등 이상의 내식성 불연재료로 설치할 것 • 주방시설에는 동물 또는 식물의 기름을 제거할 수 있는 필터 등을 설치할 것 • 열을 발생하는 조리기구는 반자 또는 선반으로부터 0.6[m] 이상 떨어지게 할 것 • 열을 발생하는 조리기구로부터 0.15[m] 이내의 거리에 있는 가연성 주요구조부는 석면판 또는 단열성이 있는 불연재료로 덮어씌울 것
수소가스를 넣는 기구	• 수소가스 : 용량의 90[%] 이상 • 띄우는 각도 : 45° 이하, 바람의 초속 7[m/s] 이상 시 띄우기 금지
불꽃을 사용하는 용접·용단기구	• 용접 또는 용단 작업자로부터 반경 5[m] 이내 소화기 • 용접 또는 용단 작업장 주변 반경 10[m] 이내(가연물이 없을 것. 다만, 방지포 등으로 방호조치를 하는 경우 제외)
노·화덕 설비	• 노 또는 화덕의 주위 : 0.1[m] 이상의 턱 • 시간당 열량이 30만[kcal] 이상인 노를 설치하는 경우 – 주요구조부 : 불연재료 – 창문과 출입구 : 갑종방화물 또는 을종방화문 – 노 주위 : 1[m] 이상의 공간확보

핵/심/예/제

01 소방기본법령상 소방본부의 종합상황실 실장이 소방청의 종합상황실에 서면·모사전송 또는 컴퓨터통신 등으로 보고하여야 하는 화재의 기준에 해당되지 않는 것은? [19년 1회]

① 항구에 매어둔 총 톤수가 1,000[t] 이상인 선박에 발생한 화재

② 연면적 15,000[m²] 이상인 공장 또는 화재경계지구에서 발생한 화재

③ 지정수량의 1,000배 이상의 위험물의 제조소·저장소·취급소에서 발생한 화재

④ 층수가 5층 이상이거나 병상이 30개 이상인 종합병원·정신병원·한방병원·요양소에서 발생한 화재

> **해설** 종합상황실 실장의 보고발생 사유
> • 다음 각 목의 1에 해당하는 화재
>   - 사망자가 5인 이상 발생하거나 사상자가 10인 이상 발생한 화재
>   - 이재민이 100인 이상 발생한 화재
>   - 재산피해액이 50억원 이상 발생한 화재
>   - 관공서·학교·정부미도정공장·문화재·지하철 또는 지하구의 화재
>   - 관광호텔, 층수가 11층 이상인 건축물, 지하상가, 시장, 백화점, 지정수량의 3,000배 이상의 위험물의 제조소·저장소·취급소, 층수가 5층 이상이거나 객실이 30실 이상인 숙박시설, 층수가 5층 이상이거나 병상이 30개 이상인 종합병원·정신병원·한방병원·요양소, 연면적 15,000[m²] 이상인 공장 또는 화재경계지구에서 발생한 화재
>   - 철도차량, 항구에 매어둔 총 톤수가 1,000[t] 이상인 선박, 항공기, 발전소 또는 변전소에서 발생한 화재
>   - 가스 및 화약류의 폭발에 의한 화재
>   - 다중이용업소의 화재
> • 통제단장의 현장지휘가 필요한 재난상황
> • 언론에 보도된 재난상황
> • 그 밖에 소방청장이 정하는 재난상황

02 소방기본법령상 소방서 종합상황실의 실장이 서면·모사전송 또는 컴퓨터통신 등으로 소방본부의 종합상황실에 지체 없이 보고하여야 하는 기준으로 틀린 것은? [17년 2회]

① 사망자가 5인 이상 발생하거나 사상자가 10인 이상 발생한 화재

② 층수가 11층 이상인 건축물에서 발생한 화재

③ 이재민이 50인 이상 발생한 화재

④ 재산피해액이 50억원 이상 발생한 화재

> **해설** 1번 해설 참조

03 소방기본법령상 국고보조 대상사업의 범위 중 소방활동장비와 설비에 해당하지 않는 것은?

[19년 1회]

① 소방자동차
② 소방헬리콥터 및 소방정
③ 소화용수설비 및 피난구조설비
④ 방화복 등 소방활동에 필요한 소방장비

해설 **국고보조대상**
- 소방활동장비와 설비의 구입 및 설치
  - 소방자동차
  - 소방헬리콥터 및 소방정
  - 소방전용통신설비 및 전산설비
  - 그 밖의 방열복 또는 방화복 등 소방활동에 필요한 소방장비
- 소방관서용 청사의 건축
  ※ 소방의(소방복장)는 국고보조대상이 아니다.

04 소방기본법령에 따라 주거지역·상업지역 및 공업지역에 소방용수시설을 설치하는 경우 소방대상물과의 수평거리를 몇 [m] 이하가 되도록 해야 하는가?

[20년 1·2회]

① 50
② 100
③ 150
④ 200

해설 **소방대상물의 수평거리**
- 주거지역, 상업지역, 공업지역 : 100[m] 이하
- 그 밖의 지역 : 140[m] 이하

정답 3 ③ 4 ②

05 소방용수시설 중 소화전과 급수탑의 설치기준으로 틀린 것은? [19년 1회]

① 급수탑 급수배관의 구경은 100[mm] 이상으로 할 것

② 소화전은 상수도와 연결하여 지하식 또는 지상식의 구조로 할 것

③ 소방용호스와 연결하는 소화전의 연결금속구의 구경은 65[mm]로 할 것

④ 급수탑의 개폐밸브는 지상에서 1.5[m] 이상 1.8[m] 이하의 위치에 설치할 것

> **해설** 소방용수시설별 설치기준
> • 소화전의 설치기준 : 상수도와 연결하여 지하식 또는 지상식의 구조로 하고 소화전의 연결금속구 구경은 65[mm]로 할 것
> • 급수탑 설치기준
>   − 급수배관의 구경 : 100[mm] 이상
>   − 개폐밸브의 설치 : 지상에서 1.5[m] 이상 1.7[m] 이하
> • 저수조 설치기준
>   − 지면으로부터의 낙차가 4.5[m] 이하일 것
>   − 흡수 부분의 수심이 0.5[m] 이상일 것
>   − 소방펌프자동차가 쉽게 접근할 수 있을 것
>   − 흡수에 지장이 없도록 토사, 쓰레기 등을 제거할 수 있는 설비를 갖출 것
>   − 흡수관의 투입구가 사각형의 경우에는 한 변의 길이가 60[cm] 이상, 원형의 경우에는 지름이 60[cm] 이상일 것
>   − 저수조에 물을 공급하는 방법은 상수도에 연결하여 자동으로 급수되는 구조일 것

핵심
예제

06 소방기본법령상 소방용수시설의 설치기준 중 급수탑의 급수배관의 구경은 최소 몇 [mm] 이상이어야 하는가? [21년 1회]

① 100

② 150

③ 200

④ 250

> **해설** 5번 해설 참조

07 소방기본법령에 따른 소방용수시설 급수탑 개폐밸브의 설치기준으로 맞는 것은?

[20년 1·2회]

① 지상에서 1.0[m] 이상 1.5[m] 이하
② 지상에서 1.2[m] 이상 1.8[m] 이하
③ 지상에서 1.5[m] 이상 1.7[m] 이하
④ 지상에서 1.5[m] 이상 2.0[m] 이하

해설 5번 해설 참조

08 소방기본법령상 저수조의 설치기준으로 틀린 것은?

[21년 1회]

① 지면으로부터의 낙차가 4.5[m] 이상일 것
② 흡수부분의 수심이 0.5[m] 이상일 것
③ 흡수에 지장이 없도록 토사 및 쓰레기 등을 제거할 수 있는 설비를 갖출 것
④ 흡수관의 투입구가 사각형의 경우에는 한 변의 길이가 60[cm] 이상, 원형의 경우에는 지름이 60[cm] 이상일 것

해설 5번 해설 참조

핵심
예제

09 소방기본법령상 소방용수시설별 설치기준 중 옳은 것은?

[18년 1회]

① 저수조는 지면으로부터의 낙차가 4.5[m] 이상일 것
② 소화전은 상수도와 연결하여 지하식 또는 지상식의 구조로 하고, 소방용호스와 연결하는 소화전의 연결금속구의 구경은 50[mm]로 할 것
③ 저수조 흡수관의 투입구가 사각형의 경우에는 한 변의 길이가 60[cm] 이상일 것
④ 급수탑 급수배관의 구경은 65[mm] 이상으로 하고, 개폐밸브는 지상에서 0.8[m] 이상 1.5[m] 이하의 위치에 설치하도록 할 것

해설 5번 해설 참조

안심Touch

10 **소방기본법령상 소방용수시설별 설치기준 중 틀린 것은?** [18년 2회]

① 급수탑 개폐밸브는 지상에서 1.5[m] 이상 1.7[m] 이하의 위치에 설치하도록 할 것

② 소화전은 상수도와 연결하여 지하식 또는 지상식의 구조로 하고, 소방용호스와 연결하는 소화전의 연결금속구의 구경은 100[mm]로 할 것

③ 저수조 흡수관의 투입구가 사각형의 경우에는 한 변의 길이가 60[cm] 이상, 원형의 경우에는 지름이 60[cm] 이상일 것

④ 저수조는 지면으로부터의 낙차가 4.5[m] 이하일 것

> **해설** 5번 해설 참조

11 **소방기본법령상 소방용수시설에 대한 설명으로 틀린 것은?** [17년 2회]

① 시·도지사는 소방활동에 필요한 소방용수시설을 설치하고 유지·관리하여야 한다.

② 수도법의 규정에 따라 설치된 소화전은 시·도지사가 유지·관리하여야 한다.

③ 소방본부장 또는 소방서장은 원활한 소방활동을 위하여 소방용수시설에 대한 조사를 월 1회 이상 실시하여야 한다.

④ 소방용수시설 조사의 결과는 2년간 보관하여야 한다.

> **해설** **소방용수시설 및 지리조사**

조사횟수	월 1회 이상
결과보관	2년간
조사내용	• 소방용수시설에 대한 조사 • 소방대상물에 인접한 도로의 폭·교통상황, 도로주변의 토지의 고저·건축물의 개황 그 밖의 소방활동에 필요한 지리에 대한 조사
소방용수시설 설치, 유지, 관리	시·도지사
소화전 설치	일반수도사업자는 관할 소방서장과 사전협의를 거친 후 소화전을 설치하여야 하며, 설치 사실을 관할 소방서장에게 통지하고, 그 소화전을 유지·관리하여야 한다.

12 소방기본법령상 인접하고 있는 시·도 간 소방업무의 상호응원협정을 체결하고자 할 때, 포함되어야 하는 사항으로 틀린 것은? [19년 2회]

① 소방교육·훈련의 종류에 관한 사항
② 화재의 경계·진압활동에 관한 사항
③ 출동대원의 수당·식사 및 피복의 수선의 소요경비의 부담에 관한 사항
④ 화재조사활동에 관한 사항

해설 **소방업무의 상호응원협정사항**
• 소방활동에 관한 사항
  − 화재의 경계·진압 활동
  − 구조·구급 업무의 지원
  − 화재조사활동
• 응원출동대상지역 및 규모
• 소요경비의 부담에 관한 사항
  − 출동대원의 수당·식사 및 피복의 수선
  − 소방장비 및 기구의 정비와 연료의 보급
  − 그 밖의 경비
• 응원출동의 요청방법
• 응원출동훈련 및 평가

핵심
예제

13 소방기본법령상 소방업무 상호응원협정 체결 시 포함되어야 하는 사항이 아닌 것은? [20년 1·2회]

① 응원출동의 요청방법
② 응원출동훈련 및 평가
③ 응원출동대상지역 및 규모
④ 응원출동 시 현장지휘에 관한 사항

해설 12번 해설 참조

14 소방기본법상 소방업무의 응원에 대한 설명 중 틀린 것은? [18년 1회]

① 소방본부장이나 소방서장은 소방활동을 할 때에 긴급한 경우에는 이웃한 소방본부장 또는 소방서장에게 소방업무의 응원을 요청할 수 있다.

② 소방업무의 응원 요청을 받은 소방본부장 또는 소방서장은 정당한 사유 없이 그 요청을 거절하여서는 아니 된다.

③ 소방업무의 응원을 위하여 파견된 소방대원은 응원을 요청한 소방본부장 또는 소방서장의 지휘에 따라야 한다.

④ 시·도지사는 소방업무의 응원을 요청하는 경우를 대비하여 출동 대상지역 및 규모와 필요한 경비의 부담 등에 관하여 필요한 사항을 대통령령으로 정하는 바에 따라 이웃하는 시·도지사와 협의하여 미리 규약으로 정하여야 한다.

해설 소방본부장이나 소방서장은 소방활동을 할 때에 긴급한 경우에는 이웃한 소방본부장 또는 소방서장에게 소방업무의 응원(應援)을 요청할 수 있으며 소방업무의 응원요청을 받은 소방본부장 또는 소방서장은 정당한 사유 없이 그 요청을 거절하여서는 아니 된다. 또한 소방업무의 응원을 위하여 파견된 소방대원은 응원을 요청한 소방본부장 또는 소방서장의 지휘에 따라야 한다.

핵심
예제

15 화재의 예방조치 등과 관련하여 불장난, 모닥불, 흡연, 화기(火氣) 취급, 그 밖에 화재예방상 위험하다고 인정되는 행위의 금지 또는 제한의 명령을 할 수 있는 자는? [17년 4회, 21년 2회]

① 시·도지사

② 국무총리

③ 소방청장

④ 소방본부장

해설 불장난, 모닥불, 흡연, 화기(火氣) 취급, 풍등 등 소형 열기구 날리기, 그 밖에 화재예방상 위험하다고 인정되는 행위의 금지 또는 제한, 타고 남은 불 또는 화기(火氣)가 있을 우려가 있는 재의 처리, 함부로 버려두거나 그냥 둔 위험물 그 밖에 불에 탈 수 있는 물건을 옮기거나 치우게 하는 등의 조치 등을 말하며 소방본부장이나 소방서장은 그 위험물 또는 물건의 소유자·관리자 또는 점유자의 주소와 성명을 알 수 없어서 필요한 명령을 할 수 없을 때에는 소속 공무원으로 하여금 그 위험물 또는 물건을 옮기거나 치우게 할 수 있다.

16 소방기본법령상 위험물 또는 물건의 보관기간은 소방본부 또는 소방서의 게시판에 공고하는 기간의 종료일 다음날부터 며칠로 하는가? [18년 2회, 19년 2회]

① 3

② 4

③ 5

④ 7

해설

위험물 또는 물건을 보관하는 경우 게시판에 공고 기간	14일
게시판에 공고 기간 종료일 다음날부터 보관 기간	7일
매각되거나 폐기된 위험물 또는 물건의 소유자가 보상을 요구 시 보상권자	소방본부장 또는 소방서장

핵심
예제

17 소방기본법령상 일반음식점에서 조리를 위하여 불을 사용하는 설비를 설치하는 경우 지켜야 하는 사항 중 다음 (　) 안에 알맞은 것은? [18년 1회]

• 주방설비에 부속된 배출덕트(공기배출통로)는 (　㉠　)[mm] 이상의 아연도금강판 또는 이와 동등 이상의 내식성 불연재료로 설치할 것
• 열을 발생하는 조리기구로부터 (　㉡　)[m] 이내의 거리에 있는 가연성 주요구조부는 석면판 또는 단열성이 있는 불연재료로 덮어 씌울 것

① ㉠ 0.5, ㉡ 0.15

② ㉠ 0.5, ㉡ 0.6

③ ㉠ 0.6, ㉡ 0.15

④ ㉠ 0.6, ㉡ 0.5

해설 **음식조리를 위하여 설치하는 설비**
일반음식점에서 조리를 위하여 불을 사용하는 설비를 설치하는 경우 지켜야 할 사항
• 주방설비에 부속된 배출덕트(공기배출통로)는 0.5[mm] 이상의 아연도금강판 또는 이와 동등 이상의 내식성 불연재료로 설치할 것
• 주방시설에는 동물 또는 식물의 기름을 제거할 수 있는 필터 등을 설치할 것
• 열을 발생하는 조리기구는 반자 또는 선반으로부터 0.6[m] 이상 떨어지게 할 것
• 열을 발생하는 조리기구로부터 0.15[m] 이내의 거리에 있는 가연성 주요구조부는 석면판 또는 단열성이 있는 불연재료로 덮어씌울 것

18 소방기본법령에 따른 용접 또는 용단 작업장에서 불꽃을 사용하는 용접·용단기구 사용에 있어서 작업자로부터 반경 몇 [m] 이내에 소화기를 갖추어야 하는가?(단, 산업안전보건법에 따른 안전조치의 적용을 받는 사업장의 경우는 제외한다) [18년 4회]

① 1   ② 3

③ 5   ④ 7

해설 불꽃을 사용하는 용접·용단기구
- 용접 또는 용단 작업자로부터 반경 5[m] 이내 소화기
- 용접 또는 용단 작업장 주변 반경 10[m] 이내(가연물이 없을 것. 다만, 방지포 등으로 방호조치를 하는 경우 제외)

핵심
예제

19 소방기본법령상 불꽃을 사용하는 용접·용단기구의 용접 또는 용단 작업장에서 지켜야 하는 사항 중 다음 (   ) 안에 알맞은 것은? [20년 1·2회]

- 용접 또는 용단 작업자로부터 반경 (㉠)[m] 이내에 소화기를 갖추어 둘 것
- 용접 또는 용단 작업장 주변 반경 (㉡)[m] 이내에는 가연물을 쌓아두거나 놓아두지 말 것. 다만, 가연물의 제거가 곤란하여 방지포 등으로 방호조치를 한 경우는 제외한다.

① ㉠ 3, ㉡ 5

② ㉠ 5, ㉡ 3

③ ㉠ 5, ㉡ 10

④ ㉠ 10, ㉡ 5

해설 18번 해설 참조

8 화재경계지구

화재가 발생할 우려가 높거나 화재가 발생하는 경우 그로 인하여 피해가 클 것으로 예상되는 지역

지정지역	• 시장지역 • 공장·창고가 밀집한 지역 • 목조건물이 밀집한 지역 • 위험물의 저장 및 처리 시설이 밀집한 지역 • 석유화학제품을 생산하는 공장이 있는 지역 • 산업단지 • 소방시설·소방용수시설 또는 소방출동로가 없는 지역
소방특별조사 내용	소방대상물의 위치, 구조, 설비
소방특별조사 횟수	연 1회 이상
소방훈련과 교육	연 1회 이상
소방훈련과 교육 시 관계인에게 통보	훈련 및 교육 10일 전까지 통보

9 특수가연물의 저장 및 취급의 기준

품명 및 지정수량	품 명		수 량
	면화류		200[kg] 이상
	나무껍질 및 대팻밥		400[kg] 이상
	넝마 및 종이부스러기		1,000[kg] 이상
	사류(絲類)		1,000[kg] 이상
	볏짚류		1,000[kg] 이상
	가연성 고체류		3,000[kg] 이상
	석탄·목탄류		10,000[kg] 이상
	가연성 액체류		2[m^3] 이상
	목재가공품 및 나무부스러기		10[m^3] 이상
	합성수지류	발포시킨 것	20[m^3] 이상
		그 밖의 것	3,000[kg] 이상
가연성 고체류	① 인화점이 섭씨 40도 이상 100도 미만인 것 ② 인화점이 섭씨 100도 이상 200도 미만이고, 연소열량이 1[g]당 8[kcal] 이상인 것 ③ 인화점이 섭씨 200도 이상이고 연소열량이 1[g]당 8[kcal] 이상인 것으로서 융점이 100도 미만인 것 ④ 1기압과 섭씨 20도 초과 40도 이하에서 액상인 것으로서 인화점이 섭씨 70도 이상 섭씨 200도 미만이거나 ② 또는 ③에 해당하는 것		
장소의 표지내용	품명, 최대수량, 화기취급 금지표지		
특수가연물을 쌓아 저장하는 경우	• 품명별로 구분하여 쌓을 것 • 쌓는 높이 : 10[m] 이하 • 쌓는 부분의 바닥면적 : 50[m^2](석탄, 목탄류 : 200[m^2] 이하. 단, 살수설비를 설치하거나 대형소화기 설치 시에는 쌓는 높이 15[m] 이하, 쌓는 부분의 바닥면적은 200[m^2](석탄, 목탄류의 경우에는 300[m^2]) 이하 • 쌓는 부분의 바닥면적 사이는 1[m] 이상이 되도록 할 것(석탄·목탄류를 발전용으로 저장하는 경우 제외)		

10 소방활동, 소방활동 등

(1) 소방활동

소방청장, 소방본부장 또는 소방서장은 화재, 재난·재해, 그 밖의 위급한 상황이 발생하였을 때에는 소방대를 신속하게 현장에 출동시켜 화재진압과 인명구조·구급 등 소방에 필요한 활동을 하게 되며 누구든지 정당한 사유 없이 출동한 소방대의 화재진압 및 인명구조·구급 등 소방활동을 방해하여서는 아니 된다.

① 시·도지사는 규정에 따라 소방활동에 종사한 사람이 그로 인하여 사망하거나 부상을 입은 경우에는 보상하여야 하며 명령에 따라 소방활동에 종사한 사람은 시·도지사로부터 소방활동의 비용을 지급받을 수 있다.

② 소방활동에 비용을 지급받을 수 없는 사람

　㉠ 소방대상물에 화재, 재난·재해 그 밖의 위급한 상황이 발생한 경우 그 관계인

　㉡ 고의 또는 과실로 인하여 화재 또는 구조·구급활동이 필요한 상황을 발생시킨 사람

　㉢ 화재 또는 구조·구급현장에서 물건을 가져간 사람

③ 소방활동구역의 출입자

　㉠ 소방활동구역 안에 있는 소방대상물의 소유자, 관리자, 점유자

　㉡ 전기, 가스, 수도, 통신, 교통의 업무에 종사하는 자로서 원활한 소방활동을 위하여 필요한 자

　㉢ 의사·간호사 그 밖의 구조·구급업무에 종사하는 자

　㉣ 취재인력 등 보도업무에 종사하는 자

　㉤ 수사업무에 종사하는 자

　㉥ 그 밖에 소방대장이 소방활동을 위하여 출입을 허가한 자

(2) 소방활동 등

관계인의 소방활동	관계인은 소방대상물에 화재, 재난·재해, 그 밖의 위급한 상황이 발생한 경우에는 소방대가 현장에 도착할 때까지 경보를 울리거나 대피를 유도하는 등의 방법으로 사람을 구출하는 조치 또는 불을 끄거나 불이 번지지 아니하도록 필요한 조치를 하여야 한다.
소방자동차의 우선통행	모든 차와 사람은 소방자동차(지휘를 위한 자동차 및 구조·구급차를 포함)가 화재 진압 및 구조·구급활동을 위하여 출동을 할 때에는 이를 방해하여서는 아니 되며 소방자동차가 화재진압 및 구조·구급활동을 위하여 출동하거나 훈련을 위하여 필요한 때에는 사이렌을 사용할 수 있다.
소방대의 긴급통행	소방대는 화재, 재난·재해 그 밖의 위급한 상황이 발생한 현장에 신속하게 출동하기 위하여 긴급할 때에는 일반적인 통행에 쓰이지 아니하는 도로·빈터 또는 물 위로 통행할 수 있다.
소방용수시설의 사용금지	• 정당한 사유 없이 소방용수시설 또는 비상소화장치를 사용하는 행위 또는 손상·파괴, 철거 또는 그 밖의 방법으로 소방용수시설 또는 비상소화장치의 효용(效用)을 해치는 행위 • 소방용수시설 또는 비상소화장치의 정당한 사용을 방해하는 행위

11 소방교육·훈련

소방교육·훈련	대 상	• 어린이집의 영유아 • 유치원의 유아 • 학교의 학생
	훈련실시	연 1회 이상
소방대원의 교육 및 훈련	화재진압훈련	화재진압업무를 담당하는 소방공무원과 화재 등 현장활동의 보조임무를 수행하는 의무소방원 및 의용소방대원
	인명구조훈련	구조업무를 담당하는 소방공무원과 화재 등 현장활동의 보조임무를 수행하는 의무소방원 및 의용소방대원
	응급처치훈련	구급업무를 담당하는 소방공무원, 의무소방원 및 의용소방대원
	인명대피훈련	소방공무원, 의무소방원, 의용소방대원
	현장지휘훈련	소방위·소방경·소방령, 소방정
	훈련실시	2년마다 1회 이상
	교육·훈련기간	2주 이상

12 소방신호

화재예방, 소방활동 또는 소방훈련을 위하여 사용하는 신호

[소방신호의 종류와 방법]

신호종류	발령 시기	신호방법의 종류(타종, 사이렌, 통풍대, 기, 게시판)	
		타종신호	사이렌신호
경계신호	화재예방상 필요하다고 인정되거나 화재위험 경보 시 발령	1타와 연 2타를 반복	5초 간격을 두고 30초씩 3회
발화신호	화재가 발생할 때 발령	난 타	5초 간격을 두고 5초씩 3회
해제신호	소화활동이 필요 없다고 인정할 때 발령	상당한 간격을 두고 1타씩 반복	1분간 1회
훈련신호	훈련상 필요하다고 인정할 때 발령	연 3타 반복	10초 간격을 두고 1분씩 3회

13 소방안전교육사

시험의 시행	2년마다 1회 시행(소방청장이 횟수 증감)
안전교육사의 업무	소방안전교육의 기획·진행·분석·평가 및 교수업무를 수행
공 고	시험 90일 전
소방안전교육사의 응시자격	• 소방공무원으로 다음의 어느 하나에 해당하는 사람 – 소방공무원으로 3년 이상 근무 경력자 – 중앙소방학교 또는 지방소방학교에서 2주 이상의 소방안전교육사 관련 전문교육과정을 이수한 자 • 유아교육법, 초·중등교육법에 따라 교원의 자격을 취득한 사람 • 어린이집의 원장 또는 보육교사의 자격을 취득한 사람(보육교사 자격을 취득한 사람은 보육교사 자격을 취득한 후 3년 이상의 보육업무 경력이 있는 자 • 다음의 어느 하나에 해당하는 기관에서 소방안전교육 관련 교과목(응급구조학과, 교육학과 또는 소방 관련 학과에 개설된 전공과목을 말한다)을 총 6학점 이상 이수한 사람 – 고등교육법 제2조 제1호부터 제6호까지의 규정의 어느 하나에 해당하는 학교 – 학점인정 등에 관한 법률 제3조에 따라 학습과정의 평가인정을 받은 교육훈련기관 • 기술사 자격을 취득한 사람 • 소방시설관리사 자격을 취득한 사람 • 안전관리 분야의 기사 자격을 취득한 후 안전관리 분야에 1년 이상 종사한 사람 • 안전관리 분야의 산업기사 자격을 취득한 후 안전관리 분야에 3년 이상 종사한 사람 • 간호사 면허를 취득한 후 간호업무 분야에 1년 이상 종사한 사람 • 1급 응급구조사 자격을 취득한 후 응급의료업무 분야에 1년 이상 종사한 사람 • 2급 응급구조사 자격을 취득한 후 응급의료업무 분야에 3년 이상 종사한 사람 • 화재예방, 소방시설 설치·유지 및 안전관리에 관한 법률 시행령 – 특급 소방안전관리대상물의 선임자격에 해당하는 사람 – 1급 소방안전관리대상물의 선임자격을 갖춘 후 소방안전관리대상물의 소방안전관리에 관한 실무경력이 1년 이상 있는 사람 – 2급 소방안전관리대상물의 선임자격을 갖춘 후 소방안전관리대상물의 소방안전관리에 관한 실무경력이 3년 이상 있는 사람 • 의용소방대 설치 및 운영에 관한 법률 제3조에 따라 의용소방대원으로 임명된 후 5년 이상 의용소방대 활동을 한 경력이 있는 사람 • 위험물 중 직무분야의 기능장 자격을 취득한 사람
결격사유	• 피성년후견인 • 금고 이상의 실형을 선고 받고 그 집행이 끝나거나(집행이 끝난 것으로 보는 경우를 포함) 집행이 면제된 날부터 2년이 지나지 아니한 사람 • 금고 이상의 형의 집행유예를 선고받고 그 유예기간 중에 있는 사람 • 법원의 판결 또는 다른 법률에 따라 자격이 정지되거나 상실된 사람
시험위원	• 소방 관련 학과, 교육학과 또는 응급구조학과 박사학위 취득자 • 소방 관련 학과, 교육학과 또는 응급구조학과에서 조교수 이상으로 2년 이상 재직한 자 • 소방위 또는 지방소방위 이상의 소방공무원 • 소방안전교육사 자격을 취득한 자

배치기준	배치대상	배치 기준(명 이상)
	소방청	2
	소방본부	2
	소방서	1
	한국소방안전원	본원 2 시·도지부 1
	한국소방산업기술원	2

핵/심/예/제

01 화재경계지구로 지정할 수 있는 대상이 아닌 것은? [19년 4회]

① 시장지역
② 소방출동로가 있는 지역
③ 공장·창고가 밀집한 지역
④ 목조건물이 밀집한 지역

해설 화재경계지구

지정지역	• 시장지역 • 공장·창고가 밀집한 지역 • 목조건물이 밀집한 지역 • 위험물의 저장 및 처리 시설이 밀집한 지역 • 석유화학제품을 생산하는 공장이 있는 지역 • 산업단지 • 소방시설·소방용수시설 또는 소방출동로가 없는 지역
소방특별조사 내용	소방대상물의 위치, 구조, 설비
소방특별조사 횟수	연 1회 이상
소방훈련과 교육	연 1회 이상
소방훈련과 교육 시 관계인에게 통보	훈련 및 교육 10일 전까지 통보

핵심
예제

02 소방기본법상 화재경계지구의 지정대상이 아닌 것은?(단, 소방청장·소방본부장 또는 소방서장이 화재경계지구로 지정할 필요가 있다고 인정하는 지역은 제외한다) [20년 4회]

① 시장지역
② 농촌지역
③ 목조건물이 밀집한 지역
④ 공장·창고가 밀집한 지역

해설 1번 해설 참조

03 소방본부장 또는 소방서장은 화재경계지구 안의 관계인에 대하여 소방상 필요한 훈련 및 교육은 연 몇 회 이상 실시할 수 있는가? [19년 4회]

① 1   ② 2

③ 3   ④ 4

해설   1번 해설 참조

04 소방기본법령상 소방본부장 또는 소방서장은 소방상 필요한 훈련 및 교육을 실시하고자 하는 때에는 화재경계지구 안의 관계인에게 훈련 또는 교육 며칠 전까지 그 사실을 통보하여야 하는가? [19년 1회]

① 5   ② 7

③ 10   ④ 14

해설   1번 해설 참조

05 소방기본법령에 따른 화재경계지구의 관리 기준 중 다음 ( ) 안에 알맞은 것은? [18년 4회]

> • 소방본부장 또는 소방서장은 화재경계지구 안의 소방대상물의 위치·구조 및 설비 등에 대한 소방특별조사를 (㉠)회 이상 실시하여야 한다.
> • 소방본부장 또는 소방서장은 소방상 필요한 훈련 및 교육을 실시하고자 하는 때에는 화재경계 기구 안의 관계인에게 훈련 또는 교육 (㉡)일 전까지 그 사실을 통보하여야 한다.

① ㉠ 월 1, ㉡ 7

② ㉠ 월 1, ㉡ 10

③ ㉠ 연 1, ㉡ 7

④ ㉠ 연 1, ㉡ 10

해설   1번 해설 참조

       3 ①   4 ③   5 ④   정답

06 소방기본법령에 따른 특수가연물의 기준 중 다음 (　) 안에 알맞은 것은? [21년 2회]

품 명	수 량
나무껍질 및 대팻밥	(㉠)[kg] 이상
면화류	(㉡)[kg] 이상

① ㉠ 200, ㉡ 400
② ㉠ 200, ㉡ 1,000
③ ㉠ 400, ㉡ 200
④ ㉠ 400, ㉡ 1,000

해설 특수가연물 종류 및 지정수량

품 명		수 량
면화류		200[kg] 이상
나무껍질 및 대팻밥		400[kg] 이상
넝마 및 종이부스러기		1,000[kg] 이상
사류(絲類)		1,000[kg] 이상
볏짚류		1,000[kg] 이상
가연성 고체류		3,000[kg] 이상
석탄·목탄류		10,000[kg] 이상
가연성 액체류		2[m³] 이상
목재가공품 및 나무부스러기		10[m³] 이상
합성수지류	발포시킨 것	20[m³] 이상
	그 밖의 것	3,000[kg] 이상

핵심
예제

07 다음 중 소방기본법령상 특수가연물에 해당하는 품명별 기준수량으로 틀린 것은? [20년 3회]

① 사류 1,000[kg] 이상
② 면화류 200[kg] 이상
③ 나무껍질 및 대팻밥 400[kg] 이상
④ 넝마 및 종이부스러기 500[kg] 이상

해설 6번 해설 참조

08 소방기본법령상 특수가연물의 품명별 수량 기준으로 틀린 것은? [18년 1회]

① 합성수지류(발포시킨 것) : 20[m^3] 이상

② 가연성 액체류 : 2[m^3] 이상

③ 넝마 및 종이 부스러기 : 400[kg] 이상

④ 볏짚류 : 1,000[kg] 이상

해설 6번 해설 참조

09 소방기본법령상 특수가연물의 품명과 지정수량 기준의 연결이 틀린 것은? [20년 4회]

① 사류 – 1,000[kg] 이상

② 볏짚류 – 3,000[kg] 이상

③ 석탄·목탄류 – 10,000[kg] 이상

④ 합성수지류 중 발포시킨 것 – 20[m^3] 이상

해설 6번 해설 참조

핵심
예제

10 소방기본법령상 특수가연물의 저장 및 취급의 기준 중 다음 (   ) 안에 알맞은 것은?(단, 석탄·목탄류를 발전용으로 저장하는 경우는 제외한다) [18년 1회]

> 살수설비를 설치하거나, 방사능력 범위에 해당 특수가연물이 포함되도록 대형수동식소화기를 설치하는 경우에는 쌓는 높이를 (㉠)[m] 이하, 석탄·목탄류의 경우에는 쌓는 부분의 바닥면적을 (㉡)[m^2] 이하로 할 수 있다.

① ㉠ 10, ㉡ 30   ② ㉠ 10, ㉡ 50

③ ㉠ 15, ㉡ 100   ④ ㉠ 15, ㉡ 200

해설 특수가연물을 쌓아 저장하는 경우
• 품명별로 구분하여 쌓을 것
• 쌓는 높이 : 10[m] 이하
• 쌓는 부분의 바닥면적 : 50[m^2](석탄, 목탄류 : 200[m^2] 이하. 단, 살수설비를 설치하거나 대형소화기 설치 시에는 쌓는 높이 15[m] 이하, 쌓는 부분의 바닥면적은 200[m^2](석탄, 목탄류의 경우에는 300[m^2]) 이하
• 쌓는 부분의 바닥면적 사이는 1[m] 이상이 되도록 할 것(석탄·목탄류를 발전용으로 저장하는 경우 제외)

11 소방기본법령상 특수가연물의 저장 및 취급기준이 아닌 것은?(단, 석탄·목탄류를 발전용으로 저장하는 경우는 제외) [21년 2회]

① 품명별로 구분하여 쌓는다.
② 쌓는 높이를 20[m] 이하가 되도록 한다.
③ 쌓는 부분의 바닥면적 사이는 1[m] 이상이 되도록 한다.
④ 특수가연물을 저장 또는 취급하는 장소에는 품명·최대수량 및 화기취급의 금지표지를 설치해야 한다.

해설 10번 해설 참조

12 소방기본법령상 특수가연물의 저장 및 취급 기준 중 석탄·목탄류를 발전용 외의 것으로 저장하는 경우 쌓는 부분의 바닥면적은 몇 [m²] 이하인가?(단, 살수설비를 설치하거나 방사능력 범위에 해당 특수가연물이 포함되도록 대형소화기를 설치하는 경우이다) [19년 1회]

① 200   ② 250
③ 300   ④ 350

해설 10번 해설 참조

13 소방기본법령상 소방활동구역의 출입자에 해당되지 않는 자는? [19년 2회]

① 소방활동구역 안에 있는 소방대상물의 소유자·관리자 또는 점유자
② 전기·가스·수도·통신·교통의 업무에 종사하는 사람으로서 원활한 소방활동을 위하여 필요한 사람
③ 화재건물과 관련 있는 부동산업자
④ 취재인력 등 보도업무에 종사하는 사람

해설 **소방활동구역의 출입자**
- 소방활동구역 안에 있는 소방대상물의 소유자, 관리자, 점유자
- 전기, 가스, 수도, 통신, 교통의 업무에 종사하는 자로서 원활한 소방활동을 위하여 필요한 자
- 의사·간호사 그 밖의 구조·구급업무에 종사하는 자
- 취재인력 등 보도업무에 종사하는 자
- 수사업무에 종사하는 자
- 그 밖에 소방대장이 소방활동을 위하여 출입을 허가한 자

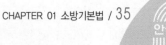

14 소방기본법령상 소방대장은 화재, 재난·재해 그 밖의 위급한 상황이 발생한 현장에 소방활동구역을 정하여 소방활동에 필요한 자로서 대통령령으로 정하는 사람 외에는 그 구역에의 출입을 제한할 수 있다. 다음 중 소방활동구역에 출입할 수 없는 사람은? [21년 2회]

① 소방활동구역 안에 있는 소방대상물의 소유자·관리자 또는 점유자
② 전기·가스·수도·통신·교통의 업무에 종사하는 사람으로서 원활한 소방활동을 위하여 필요한 사람
③ 시·도지사가 소방활동을 위하여 출입을 허가한 사람
④ 의사·간호사 그 밖의 구조·구급업무에 종사하는 사람

해설 13번 해설·참조

15 소방기본법령에 따른 소방대원에게 실시할 교육·훈련 횟수 및 기간의 기준 중 다음 ( ) 안에 알맞은 것은? [18년 4회]

횟 수	기 간
(㉠)년마다 1회	(㉡)주 이상

① ㉠ 2, ㉡ 2
② ㉠ 2, ㉡ 4
③ ㉠ 1, ㉡ 2
④ ㉠ 1, ㉡ 4

해설 소방대원의 교육 및 훈련

화재진압훈련	화재진압업무를 담당하는 소방공무원과 화재 등 현장활동의 보조임무를 수행하는 의무소방원 및 의용소방대원
인명구조훈련	구조업무를 담당하는 소방공무원과 화재 등 현장활동의 보조임무를 수행하는 의무소방원 및 의용소방대원
응급처치훈련	구급업무를 담당하는 소방공무원, 의무소방원 및 의용소방대원
인명대피훈련	소방공무원, 의무소방원, 의용소방대원
현장지휘훈련	소방위·소방경·소방령, 소방정
훈련실시	2년마다 1회 이상
교육·훈련기간	2주 이상

핵심
예제

16 소방기본법령상 소방신호의 방법으로 틀린 것은? [21년 1회]

① 타종에 의한 훈련신호는 연 3타 반복
② 사이렌에 의한 발화신호는 5초 간격을 두고 10초씩 3회
③ 타종에 의한 해제신호는 상당한 간격을 두고 1타씩 반복
④ 사이렌에 의한 경계신호는 5초 간격을 두고 30초씩 3회

해설 소방신호

신호종류	발령 시기	신호방법의 종류(타종, 사이렌, 통풍대, 기, 게시판)	
		타종신호	사이렌신호
경계신호	화재예방상 필요하다고 인정되거나 화재위험 경보 시 발령	1타와 연 2타를 반복	5초 간격을 두고 30초씩 3회
발화신호	화재가 발생할 때 발령	난 타	5초 간격을 두고 5초씩 3회
해제신호	소화활동이 필요 없다고 인정할 때 발령	상당한 간격을 두고 1타씩 반복	1분간 1회
훈련신호	훈련상 필요하다고 인정할 때 발령	연 3타 반복	10초 간격을 두고 1분씩 3회

17 소방기본법령상 소방안전교육사의 배치대상별 배치기준으로 틀린 것은? [20년 4회]

① 소방청 : 2명 이상 배치
② 소방서 : 1명 이상 배치
③ 소방본부 : 2명 이상 배치
④ 한국소방안전원(본원) : 1명 이상 배치

해설 소방안전교육사의 배치대상별 배치기준

배치대상	배치 기준(명 이상)
소방청	2
소방본부	2
소방서	1
한국소방안전원	본원 2 시 · 도지부 1
한국소방산업기술원	2

14 소방지원활동 및 생활안전활동(지정권자 : 소방청장 · 소방본부장 또는 소방서장)

소방지원활동	생활안전활동
• 산불에 대한 예방 · 진압 등 지원활동 • 자연재해에 따른 급수 · 배수 및 제설 등 지원활동 • 집회 · 공연 등 각종 행사 시 사고에 대비한 근접대기 등 지원활동 • 화재, 재난 · 재해로 인한 피해복구 지원활동 • 그 밖에 행정안전부령으로 정하는 활동 　– 군 · 경찰 등 유관기관에서 실시하는 훈련지원 활동 　– 소방시설 오작동 신고에 따른 조치활동 　– 방송제작 또는 촬영 관련 지원활동	• 붕괴, 낙하 등이 우려되는 고드름, 나무, 위험 구조물 등의 제거활동 • 위해동물, 벌 등의 포획 및 퇴치 활동 • 끼임, 고립 등에 따른 위험제거 및 구출 활동 • 단전사고 시 비상전원 또는 조명의 공급 • 그 밖에 방치하면 급박해질 우려가 있는 위험을 예방하기 위한 활동

15 한국소방안전원

정관에 기재하여야 하는 사항	대통령령
정관 변경 시	소방청장의 인가
업무 감독	소방청장
업 무	• 소방기술과 안전관리에 관한 교육 및 조사연구 • 소방기술과 안전관리에 관한 각종 간행물 발간 • 화재예방과 안전관리의식 고취를 위한 대국민 홍보 • 소방업무에 관하여 행정기관이 위탁하는 업무 • 소방안전에 관한 국제 협력 • 그 밖에 회원에 대한 기술지원 등 정관으로 정하는 사항

16 화재의 조사

① 화재조사는 관계공무원이 화재사실을 인지하는 즉시 장비를 활용하여 실시되어야 하며 화재조사를 하는 관계공무원은 그 권한을 표시하는 증표를 지니고 이를 관계인에게 내보여야 한다.

② 소방공무원과 경찰공무원은 화재조사를 할 때에 서로 협력하여야 한다.

③ 소방청장, 소방본부장 또는 소방서장은 화재조사를 하기 위하여 필요하면 관계인에게 보고 또는 자료제출을 명하거나 관계공무원으로 하여금 화재의 원인과 피해의 상황을 조사하거나 관계인에게 질문하게 할 수 있으며 화재조사를 하는 관계공무원은 관계인의 정당한 업무를 방해하거나 화재조사를 수행하면서 알게 된 비밀을 다른 사람에게 누설하여서는 아니 된다.

(1) 화재조사의 종류 및 범위

구 분	종 류	조사범위
화재원인조사	발화원인조사	화재가 발생한 과정, 화재가 발생한 지점 및 불이 붙기 시작한 물질
	발견·통보 및 초기 소화상황조사	화재의 발견·통보 및 초기소화 등 일련의 과정
	연소상황조사	화재의 연소경로 및 확대원인 등의 상황
	피난상황조사	피난경로, 피난상의 장애요인 등의 상황
	소방시설 등 조사	소방시설의 사용 또는 작동 등의 상황
화재피해조사	인명피해조사	• 소방활동 중 발생한 사망자 및 부상자 • 그 밖에 화재로 인한 사망자 및 부상자
	재산피해조사	• 열에 의한 탄화, 용융, 파손 등의 피해 • 소화활동 중 사용된 물로 인한 피해 • 그 밖에 연기, 물품반출, 화재로 인한 폭발 등에 의한 피해

(2) 화재조사를 실시할 수 있는 사람

① 화재조사에 관한 시험에 합격한 자가 없는 경우에는 소방공무원 중 국가기술자격법에 따른 건축·위험물·전기·안전관리(가스·소방·소방설비·전기안전·화재감식평가 종목에 한한다) 분야 산업기사 이상의 자격을 취득한 자 또는 소방공무원으로서 화재조사 분야에서 1년 이상 근무한 사람

② 소방교육기관(소방학교 및 시·도에서 설치·운영하는 소방교육대)에서 8주 이상 화재조사에 관한 전문교육을 이수한 사람

③ 국립과학수사연구원 또는 외국의 화재조사 관련 기관에서 8주 이상 화재조사에 관한 전문교육을 이수한 사람

※ 소방청장은 화재조사에 관한 시험에 합격한 자에게 2년마다 전문보수교육을 실시

17 벌칙(벌금 및 과태료 부과)

구 분	내 용
5년 이하의 징역 또는 5,000만원 이하의 벌금	• 제16조 제2항을 위반하여 다음의 어느 하나에 해당하는 행위를 한 사람 – 위력(威力)을 사용하여 출동한 소방대의 화재진압·인명구조 또는 구급활동을 방해하는 행위 – 소방대가 화재진압·인명구조 또는 구급활동을 위하여 현장에 출동하거나 현장에 출입하는 것을 고의로 방해하는 행위 – 출동한 소방대원에게 폭행 또는 협박을 행사하여 화재진압·인명구조 또는 구급활동을 방해하는 행위 – 출동한 소방대의 소방장비를 파손하거나 그 효용을 해하여 화재진압·인명구조 또는 구급활동을 방해하는 행위 • 소방자동차의 출동을 방해한 사람 • 사람을 구출하는 일 또는 불을 끄거나 불이 번지지 아니하도록 하는 일을 방해한 사람 • 정당한 사유 없이 소방용수시설 또는 비상소화장치를 사용하거나 소방용수시설 또는 비상소화장치의 효용을 해치거나 그 정당한 사용을 방해한 사람

구 분	내 용
3년 이하의 징역 또는 3,000만원 이하의 벌금	소방본부장, 소방서장 또는 소방대장이 사람을 구출하거나 불이 번지는 것을 막기 위하여 필요할 때 화재가 발생하거나 불이 번질 우려가 있는 소방대상물 및 토지를 일시적으로 사용하거나 그 사용의 제한 또는 소방활동에 필요한 처분(강제처분)을 하고자 할 때 이에 따른 처분을 방해한 자 또는 정당한 사유 없이 그 처분을 따르지 아니한 자
300만원 이하의 벌금	• 토지처분, 차량 또는 물건 이동, 제거의 규정에 따른 처분을 방해한 사람 또는 정당한 사유 없이 그 처분에 따르지 아니한 자 • 관계인의 정당한 업무를 방해하거나 화재조사를 수행하면서 알게 된 비밀을 다른 사람에게 누설한 자
200만원 이하의 벌금	• 정당한 사유 없이 화재의 예방조치 명령(정당한 사유 없이 불장난, 모닥불, 흡연, 화기취급, 풍등 등 연날리기의 행위)에 따르지 아니하거나 이를 방해한 자 • 정당한 사유 없이 (관계인)관계공무원의 출입 또는 조사를 거부·방해 또는 기피한 자
100만원 이하의 벌금	• 화재경계지구 안의 소방대상물에 대한 소방특별조사를 거부·방해 또는 기피한 자 • 정당한 사유 없이 소방대의 생활안전활동을 방해한 자 • 정당한 사유 없이 소방대가 현장에 도착할 때까지 사람을 구출하는 조치 또는 불을 끄거나 불이 번지지 아니하도록 하는 조치를 하지 아니한 사람 • 피난명령을 위반한 자 • 정당한 사유 없이 물의 사용이나 수도의 개폐장치의 사용 또는 조작을 하지 못하게 하거나 방해한 자 • 가스, 전기, 유류, 차단 등 필요한 조치를 정당한 사유 없이 방해한 자
500만원 이하의 과태료	• 화재 또는 구조·구급이 필요한 상황을 거짓으로 알린 사람
200만원 이하의 과태료	• 소방용수시설, 소화기구 및 설비 등의 설치 명령을 위반한 자 • 불을 사용할 때 지켜야 하는 사항 및 특수가연물의 저장 및 취급 기준을 위반한 자 • 한국119청소년단 또는 이와 유사한 명칭을 사용한 자 • 소방자동차의 출동에 지장을 준 자 • 허락 없이 소방활동구역을 출입한 사람 • 명령을 위반하여 보고 또는 자료제출을 하지 아니하거나 거짓으로 보고 또는 자료제출을 한 자 • 한국소방안전원 또는 이와 유사한 명칭을 사용한 자
100만원 이하의 과태료	전용구역에 차를 주차하거나 전용구역에의 진입을 가로막는 등의 방해행위를 한 자 (시·도지사, 소방본부장 또는 소방서장이 부과, 징수)
20만원 이하의 과태료	다음 지역에서 화재로 오인할 우려가 있는 불을 피우거나, 연막소독을 실시하는 사람이 소방본부장이나 소방서장에게 신고하지 아니하여 소방자동차를 출동하게 한 자 • 시장지역 • 공장·창고가 밀집한 지역 • 목조건물이 밀집한 지역 • 위험물의 저장 및 처리시설이 밀집한 지역 • 석유화학제품을 생산하는 공장이 있는 지역 • 그 밖에 시·도의 조례가 정하는 지역 또는 장소(소방본부장 또는 소방서장이 부과, 징수)

핵/심/예/제

01 다음 중 한국소방안전원의 업무에 해당하지 않는 것은? [19년 4회]

① 소방용 기계·기구의 형식승인

② 소방업무에 관하여 행정기관이 위탁하는 업무

③ 화재예방과 안전관리의식 고취를 위한 대국민 홍보

④ 소방기술과 안전관리에 관한 교육, 조사·연구 및 각종 간행물 발간

> **해설** 한국소방안전원의 업무
> • 소방기술과 안전관리에 관한 교육 및 조사연구
> • 소방기술과 안전관리에 관한 각종 간행물 발간
> • 화재예방과 안전관리의식 고취를 위한 대국민 홍보
> • 소방업무에 관하여 행정기관이 위탁하는 업무
> • 소방안전에 관한 국제 협력
> • 그 밖에 회원에 대한 기술지원 등 정관으로 정하는 사항

02 소방기본법령상 화재가 발생하였을 때 화재의 원인 및 피해 등에 대한 조사를 하여야 하는 자는? [20년 3회]

① 시·도지사 또는 소방본부장

② 소방청장·소방본부장 또는 소방서장

③ 시·도지사·소방서장 또는 소방파출소장

④ 행정안전부장관·소방본부장 또는 소방파출소장

> **해설** 소방청장, 소방본부장 또는 소방서장은 화재조사를 하기 위하여 필요하면 관계인에게 보고 또는 자료제출을 명하거나 관계공무원으로 하여금 화재의 원인과 피해의 상황을 조사하거나 관계인에게 질문하게할 수 있으며 화재조사를 하는 관계공무원은 관계인의 정당한 업무를 방해하거나 화재조사를 수행하면서 알게 된 비밀을 다른 사람에게 누설하여서는 아니 된다.

03 소방기본법령상 화재조사의 종류 중 화재원인조사에 해당하지 않는 것은? [19년 4회, 21년 1회]

① 발화원인조사
② 인명피해조사
③ 연소상황조사
④ 소방시설 등 조사

해설 **화재조사의 종류 및 범위**

구 분	종 류	조사범위
화재원인조사	발화원인조사	화재가 발생한 과정, 화재가 발생한 지점 및 불이 붙기 시작한 물질
	발견·통보 및 초기 소화상황조사	화재의 발견·통보 및 초기소화 등 일련의 과정
	연소상황조사	화재의 연소경로 및 확대원인 등의 상황
	피난상황조사	피난경로, 피난상의 장애요인 등의 상황
	소방시설 등 조사	소방시설의 사용 또는 작동 등의 상황
화재피해조사	인명피해조사	• 소방활동 중 발생한 사망자 및 부상자 • 그 밖에 화재로 인한 사망자 및 부상자
	재산피해조사	• 열에 의한 탄화, 용융, 파손 등의 피해 • 소화활동 중 사용된 물로 인한 피해 • 그 밖에 연기, 물품반출, 화재로 인한 폭발 등에 의한 피해

04 소방기본법령상 화재피해조사 중 재산피해조사의 조사범위에 해당하지 않는 것은?

[20년 3회]

① 소화활동 중 사용된 물로 인한 피해
② 열에 의한 탄화, 용융, 파손 등의 피해
③ 소방활동 중 발생한 사망자 및 부상자
④ 연기, 물품반출, 화재로 인한 폭발 등에 의한 피해

해설 3번 해설 참조

05 소방기본법령상 출동한 소방대원에게 폭행 또는 협박을 행사하여 화재진압·인명구조 또는 구급활동을 방해한 사람에 대한 벌칙 기준은? [21년 2회]

① 500만원 이하의 과태료
② 1년 이하의 징역 또는 1,000만원 이하의 벌금
③ 3년 이하의 징역 또는 3,000만원 이하의 벌금
④ 5년 이하의 징역 또는 5,000만원 이하의 벌금

해설 5년 이하의 징역 또는 5,000만원 이하의 벌금
- 제16조 제2항을 위반하여 다음의 어느 하나에 해당하는 행위를 한 사람
  - 위력(威力)을 사용하여 출동한 소방대의 화재진압·인명구조 또는 구급활동을 방해하는 행위
  - 소방대가 화재진압·인명구조 또는 구급활동을 위하여 현장에 출동하거나 현장에 출입하는 것을 고의로 방해하는 행위
  - 출동한 소방대원에게 폭행 또는 협박을 행사하여 화재진압·인명구조 또는 구급활동을 방해하는 행위
  - 출동한 소방대의 소방장비를 파손하거나 그 효용을 해하여 화재진압·인명구조 또는 구급활동을 방해하는 행위
- 소방자동차의 출동을 방해한 사람
- 사람을 구출하는 일 또는 불을 끄거나 불이 번지지 아니하도록 하는 일을 방해한 사람
- 정당한 사유 없이 소방용수시설 또는 비상소화장치를 사용하거나 소방용수시설 또는 비상소화장치의 효용을 해치거나 그 정당한 사용을 방해한 사람

06 출동한 소방대의 화재진압 및 인명구조·구급 등 소방활동 방해에 따른 벌칙이 5년 이하의 징역 또는 5,000만원 이하의 벌금에 처하는 행위가 아닌 것은? [17년 1회]

① 위력을 사용하여 출동한 소방대의 구급활동을 방해하는 행위
② 화재진압을 마치고 소방서로 복귀 중인 소방자동차의 통행을 고의로 방해하는 행위
③ 출동한 소방대원에게 협박을 행사하여 구급활동을 방해하는 행위
④ 출동한 소방대의 소방장비를 파손하거나 그 효용을 해하여 구급활동을 방해하는 행위

해설 5번 해설 참조

핵심
예제

안심Touch

07 소방기본법에 따른 벌칙의 기준이 다른 것은?   [18년 4회]

① 정당한 사유 없이 불장난, 모닥불, 흡연, 화기 취급, 풍등 등 소형 열기구 날리기, 그 밖에 화재예방상 위험하다고 인정되는 행위의 금지 또는 제한에 따른 명령에 따르지 아니하거나 이를 방해한 사람

② 소방활동 종사 명령에 따른 사람을 구출하는 일 또는 불을 끄거나 불이 번지지 아니하도록 하는 일을 방해한 사람

③ 정당한 사유 없이 소방용수시설 또는 비상소화장치를 사용하거나 소방용수시설 또는 비상소화장치의 효용을 해치거나 그 정당한 사용을 방해한 사람

④ 출동한 소방대의 소방장비를 파손하거나 그 효용을 해하여 화재진압·인명구조 또는 구급활동을 방해하는 행위를 한 사람

> **해설** 200만원 이하의 벌금
> • 정당한 사유 없이 화재의 예방조치 명령(정당한 사유 없이 불장난, 모닥불, 흡연, 화기취급, 풍등 등 연날리기의 행위)에 따르지 아니하거나 이를 방해한 자
> • 정당한 사유 없이 (관계인)관계공무원의 출입 또는 조사를 거부·방해 또는 기피한 자

핵심 예제

08 소방기본법령상 정당한 사유 없이 화재의 예방조치에 관한 명령에 따르지 아니한 경우에 대한 벌칙은?   [20년 1·2회]

① 100만원 이하의 벌금

② 200만원 이하의 벌금

③ 300만원 이하의 벌금

④ 500만원 이하의 벌금

> **해설** 7번 해설 참조

09 소방기본법상 관계인의 소방활동을 위반하여 정당한 사유 없이 소방대가 현장에 도착할 때까지 사람을 구출하는 조치 또는 불을 끄거나 불이 번지지 아니하도록 하는 조치를 하지 아니한 자에 대한 벌칙 기준으로 옳은 것은? [17년 2회]

① 100만원 이하의 벌금
② 200만원 이하의 벌금
③ 300만원 이하의 벌금
④ 400만원 이하의 벌금

해설 100만원 이하의 벌금
- 화재경계지구 안의 소방대상물에 대한 소방특별조사를 거부·방해 또는 기피한 자
- 정당한 사유 없이 소방대의 생활안전활동을 방해한 자
- 정당한 사유 없이 소방대가 현장에 도착할 때까지 사람을 구출하는 조치 또는 불을 끄거나 불이 번지지 아니하도록 하는 조치를 하지 아니한 사람
- 피난명령을 위반한 자
- 정당한 사유 없이 물의 사용이나 수도의 개폐장치의 사용 또는 조작을 하지 못하게 하거나 방해한 자
- 가스, 전기, 유류, 차단 등 필요한 조치를 정당한 사유 없이 방해한 자

핵심
예제

10 소방기본법령상 시장지역에서 화재로 오인할 만한 우려가 있는 불을 피우거나 연막소독을 하려는 자가 신고를 하지 아니하여 소방자동차를 출동하게 한 자에 대한 과태료 부과·징수 권자는? [17년 2회, 20년 3회]

① 국무총리
② 시·도지사
③ 행정안전부 장관
④ 소방본부장 또는 소방서장

해설 20만원 이하의 과태료
다음 지역에서 화재로 오인할 우려가 있는 불을 피우거나, 연막소독을 실시하는 사람이 소방본부장이나 소방서장에게 신고하지 아니하여 소방자동차를 출동하게 한 자
- 시장지역
- 공장·창고가 밀집한 지역
- 목조건물이 밀집한 지역
- 위험물의 저장 및 처리시설이 밀집한 지역
- 석유화학제품을 생산하는 공장이 있는 지역
- 그 밖에 시·도의 조례가 정하는 지역 또는 장소(소방본부장 또는 소방서장이 부과, 징수)

안심Touch

11 시장지역에서 화재로 오인할 만한 우려가 있는 불을 피우거나 연막소독을 하려는 자가 소방본부장 또는 소방서장에게 신고를 하지 아니하여 소방자동차를 출동하게 한 자에 대한 과태료 부과금액 기준으로 옳은 것은?
[17년 1회]

① 20만원 이하
② 50만원 이하
③ 100만원 이하
④ 200만원 이하

해설 10번 해설 참조

12 소방기본법령상 특수가연물의 저장 및 취급 기준을 2회 위반한 경우 과태료 부과기준은?
[20년 4회]

① 50만원
② 100만원
③ 150만원
④ 200만원

해설 과태료 부과기준

위반사항	근거 법조문	과태료 금액(만원)			
		1회	2회	3회	4회 이상
법 제15조 제2항에 따른 특수가연물의 저장 및 취급의 기준을 위반한 경우	법 제56조 제1항	20	50	100	100

CHAPTER 02 화재예방, 소방시설 설치·유지 및 안전관리에 관한 법률

1 목 적

화재와 재난·재해, 그 밖의 위급한 상황으로부터 국민의 생명·신체 및 재산을 보호하기 위하여 화재의 예방 및 안전관리에 관한 국가와 지방자치단체의 책무와 소방시설 등의 설치·유지 및 소방대상물의 안전관리에 관하여 필요한 사항을 정함으로써 공공의 안전과 복리 증진에 이바지함을 목적으로 한다.

2 용어 정의

(1) 소방시설 : 소화설비·경보설비·피난구조설비·소화용수설비, 그 밖의 소화활동설비로서 대통령령으로 정하는 것을 말한다.

(2) 소화설비 : 물 또는 그 밖의 소화약제를 사용하여 소화하는 기계·기구 또는 설비 등을 말한다.

① 소화기구(소화기, 간이소화용구, 자동확산소화기)
② 자동소화장치
③ 옥내소화전설비
④ 스프링클러설비 등
⑤ 물분무 등 소화설비
⑥ 옥외소화전설비

(3) 특정소방대상물 : 소방시설을 설치하여야 하는 소방대상물로서 대통령령으로 정하는 것을 말한다.

(4) 피난구조설비 : 화재가 발생할 경우 피난하기 위하여 사용하는 기구 또는 설비 등을 말한다.

① 피난기구 : 피난사다리, 구조대, 완강기, 그 밖에 소방청장이 정하여 고시하는 화재안전기준으로 정하는 것
② 인명구조기구(방열복, 방화복, 공기호흡기, 인공소생기)
③ 유도등(피난유도선, 피난구유도등, 통로유도등, 객석유도등, 유도표지)
④ 비상조명등 및 휴대용비상조명등

(5) 소화용수설비 : 화재를 진압하는 데 필요한 물을 공급하거나 저장하는 설비를 말한다.

① 상수도소화용수설비
② 소화수조·저수조, 그 밖의 소화용수설비

(6) 소방용품 : 소방시설 등을 구성하거나 소방용으로 사용되는 제품 또는 기기로서 대통령령으로 정하는 것을 말한다.

(7) 소화활동설비 : 화재를 진압하거나 인명구조활동을 위하여 사용하는 설비를 말한다.

① 제연설비
② 연결송수관설비
③ 연결살수설비
④ 비상콘센트설비
⑤ 무선통신보조설비
⑥ 연소방지설비

(8) 무창층 : 지상층 중 다음 요건을 갖춘 개구부 면적의 합계가 해당 층의 바닥면적의 1/30 이하가 되는 층

① 크기는 지름 50[cm] 이상의 원이 내접할 수 있는 크기일 것
② 해당 층의 바닥면으로부터 개구부 밑부분까지의 높이가 1.2[m] 이내일 것
③ 도로 또는 차량이 진입할 수 있는 빈터를 향할 것
④ 화재 시 건축물로부터 쉽게 피난할 수 있도록 창살이나 그 밖의 장애물이 설치되지 아니할 것
⑤ 내부 또는 외부에서 쉽게 부수거나 열 수 있을 것
    ※ 피난층 : 곧바로 지상으로 갈 수 있는 출입구가 있는 층

(9) 비상구 : 가로 75[cm] 이상, 세로 150[cm] 이상의 출입구

3 특정소방대상물

분류	대상	바닥면적 합계
공동주택	• 아파트 등 : 주택으로 쓰이는 층수가 5층 이상인 주택 • 기숙사	
근린생활시설	슈퍼마켓과 일용품(식품, 잡화, 의류, 완구, 서적, 건축자재, 의약품, 의료기기 등) 등의 소매점으로서 같은 건축물	1,000[m²] 미만
	의약품 판매소, 의료기기 판매소 및 자동차영업소	1,000[m²] 미만
	금융업소, 사무소, 부동산중개사무소, 결혼상담소 등 소개업소, 출판사, 서점	500[m²] 미만
	제조소, 수리점	500[m²] 미만
	청소년게임제공업 및 일반게임제공업의 시설, 인터넷컴퓨터게임시설제공업의 시설 및 복합유통게임제공업의 시설	500[m²] 미만
	탁구장, 테니스장, 체육도장, 체력단련장, 에어로빅장, 볼링장, 당구장, 실내낚시터, 가상체험 체육시설업, 물놀이형 시설	500[m²] 미만
	공연장(극장, 영화상영관, 연예장, 음악당, 서커스장, 비디오감상실업의 시설, 비디오물소극장업의 시설) 또는 종교집회장[교회, 성당, 사찰, 기도원, 수도원, 수녀원, 제실(祭室), 사당]	300[m²] 미만
	휴게음식점, 제과점, 일반음식점, 기원(棋院), 노래연습장 및 단란주점(바닥면적의 합계가 150[m²] 미만인 것만 해당)	
	이용원, 미용원, 목욕장 및 세탁소	
	의원, 치과의원, 한의원, 침술원, 접골원(接骨院), 조산원, 산후조리원 및 안마원(안마시술소를 포함)	
	사진관, 표구점, 학원(바닥면적의 합계가 500[m²] 미만인 것만 해당, 자동차학원 및 무도학원은 제외), 독서실, 고시원(다중이용업 중 고시원업의 시설로서 독립된 주거의 형태를 갖추지 않은 것으로서 같은 건축물에 해당 용도로 쓰는 바닥면적의 합계가 500[m²] 미만인 것), 장의사, 동물병원, 총포판매사	
문화 및 집회시설	공연장으로서 근린생활시설에 해당하지 않는 것	300[m²] 이상
	관람장 : 경마장, 경륜장, 경정장, 자동차 경기장, 그 밖에 이와 비슷한 것과 체육관 및 운동장	관람석의 바닥면적의 합계가 1,000[m²] 이상인 것
	집회장 : 예식장, 공회당, 회의장, 마권 장외 발매소, 마권 전화투표소 및 그 밖에 이와 비슷한 것으로서 근린생활시설에 해당하지 않는 것	
	• 전시장 : 박물관, 미술관, 과학관, 문화관, 체험관, 기념관, 산업전시장, 박람회장 • 동·식물원 : 동물원, 식물원, 수족관 및 그 밖에 이와 비슷한 것	
업무시설	일반업무시설 : 금융업소, 사무소, 신문사, 오피스텔 및 그 밖에 이와 비슷한 것으로서 근린생활시설에 해당하지 않는 것	500[m²] 이상
	주민자치센터(동사무소), 경찰서, 지구대, 파출소, 소방서, 119안전센터, 우체국, 보건소, 공공도서관, 국민건강보험공단, 그 밖에 이와 유사한 용도로 사용되는 것	
	마을회관, 마을공동작업소, 마을공동구판장, 그 밖에 이와 유사한 용도로 사용되는 것	
	변전소, 양수장, 정수장, 대피소, 공중화장실, 그 밖에 이와 유사한 용도로 사용되는 것	
	공공업무시설 : 국가 또는 지방자치단체의 청사와 외국공관의 건축물로서 근린생활시설에 해당하지 않는 것	

안심Touch

분 류	대 상	바닥면적 합계
의료시설	• 병원 : 종합병원, 병원, 치과병원, 한방병원, 요양병원 • 격리병원 : 전염병원, 마약진료소, 그 밖에 이와 비슷한 것 • 정신의료기관 • 장애인 의료재활시설	
위락시설	단란주점으로서 근린생활시설에 해당하지 않는 것	150[m²] 이상
	• 유흥주점, 그 밖에 이와 비슷한 것 • 유원시설업(遊園施設業)의 시설, 그 밖에 이와 비슷한 시설(근린생활시설에 해당하는 것은 제외) • 무도장 및 무도학원 • 카지노영업소	

항공기 및 자동차 관련 시설	• 항공기 격납고
	• 차고, 주차용 건축물, 철골 조립식 주차시설(바닥면이 조립식이 아닌 것을 포함한다) 및 기계장치에 의한 주차시설
	• 세차장
	• 폐차장
	• 자동차 검사장
	• 자동차 매매장
	• 자동차 정비공장
	• 운전학원·정비학원
	• 다음의 건축물을 제외한 건축물의 내부(필로티와 건축물 지하를 포함)에 설치된 주차장
	  – 단독주택
	  – 공동주택 중 50세대 미만인 연립주택 또는 50세대 미만인 다세대주택 차고 및 주차장	

관광 휴게시설	• 야외음악당 • 야외극장 • 어린이회관 • 관망탑 • 휴게소 • 공원·유원지 또는 관광지에 부수되는 건축물	
지하가	• 지하상가 • 터널 : 차량(궤도차량용은 제외한다) 등의 통행을 목적으로 지하, 해저 또는 산을 뚫어서 만든 것	
지하구	• 전력·통신용의 전선이나 가스·냉난방용의 배관 또는 이와 비슷한 것을 집합수용하기 위하여 설치한 지하 인공구조물로서 사람이 점검 또는 보수를 하기 위하여 출입이 가능한 것 중 다음의 어느 하나에 해당하는 것 ① 전력 또는 통신사업용 지하 인공구조물로서 전력구(케이블 접속부가 없는 경우에는 제외한다) 또는 통신구 방식으로 설치된 것 ② ① 외의 지하 인공구조물로서 폭이 1.8[m] 이상이고 높이가 2[m] 이상이며 길이가 50[m] 이상인 것 • 공동구	

분 류	대 상	바닥면적 합계
교육연구시설	• 학 교 　– 초등학교, 중학교, 고등학교, 특수학교 : 교사, 체육관, 급식시설, 합숙소 　　※ 병설유치원은 노유자시설에 해당한다. 　– 대학, 대학교 : 교사 및 합숙소 • 교육원(연수원) • 직업훈련소 • 학원(근린생활시설에 해당하는 것과 자동차운전학원·정비학원 및 무도학원은 　제외) • 연구소(연구소에 준하는 시험소와 계량계측소를 포함) • 도서관	
숙박시설	일반형·생활형 숙박시설, 고시원(근린생활시설에 해당하지 않는 것을 말한다)	
방송통신시설	• 방송국(방송프로그램 제작시설 및 송신·수신·중계시설을 포함한다) • 전신전화국 • 촬영소 • 통신용 시설	
운수시설	• 여객자동차터미널 • 철도 및 도시철도 시설(정비창 등 관련 시설을 포함한다) • 공항시설(항공관제탑을 포함한다) • 항만시설 및 종합여객시설	
수련시설	• 생활권 수련시설 : 청소년수련관, 청소년문화의 집, 청소년특화시설 • 자연권 수련시설 : 청소년수련원, 청소년야영장 • 유스호스텔	

01 화재예방, 소방시설 설치·유지 및 안전관리에 관한 법령상 소방시설이 아닌 것은?

[20년 4회]

① 소화설비
② 경보설비
③ 방화설비
④ 소화활동설비

> **해설** **소방시설**
> 소화설비·경보설비·피난구조설비·소화용수설비, 그 밖의 소화활동설비로서 대통령령으로 정하는 것을 말한다.

02 화재예방, 소방시설 설치·유지 및 안전관리에 관한 법령상 소화설비를 구성하는 제품 또는 기기에 해당하지 않는 것은?

[21년 2회]

① 가스누설경보기
② 소방호스
③ 스프링클러헤드
④ 분말자동소화장치

> **해설** **소화설비**
> 물 또는 그 밖의 소화약제를 사용하여 소화하는 기계·기구 또는 설비 등을 말한다.
> • 소화기구(소화기, 간이소화용구, 자동확산소화기)
> • 자동소화장치
> • 옥내소화전설비
> • 스프링클러설비 등
> • 물분무 등 소화설비
> • 옥외소화전설비

03 화재예방, 소방시설 설치·유지 및 안전관리에 관한 법령상 용어의 정의 중 다음 (　　) 안에 알맞은 것은?

[18년 1회]

> 특정소방대상물이란 소방시설을 설치하여야 하는 소방대상물로서 (　　)으로 정하는 것을 말한다.

① 행정안전부령
② 국토교통부령
③ 고용노동부령
④ 대통령령

> **해설** **특정소방대상물**
> 소방시설을 설치하여야 하는 소방대상물로서 대통령령으로 정하는 것을 말한다.

04 화재예방, 소방시설 설치 · 유지 및 안전관리에 관한 법령상 특정소방대상물 중 오피스텔은 어느 시설에 해당하는가?　　　　　　　　　　　　　　　　　　　　　　　[19년 2회]

① 숙박시설
② 일반업무시설
③ 공동주택
④ 근린생활시설

> 해설　**일반업무시설**
> 금융업소, 사무소, 신문사, 오피스텔 및 그 밖에 이와 비슷한 것으로서 근린생활시설에 해당하지
> 않는 것

05 화재예방, 소방시설 설치 · 유지 및 안전관리에 관한 법령상 특정소방대상물로서 숙박시설 에 해당되지 않는 것은?　　　　　　　　　　　　　　　　　　　　　　　　　[20년 4회]

① 오피스텔
② 일반형 숙박시설
③ 생활형 숙박시설
④ 근린생활시설에 해당하지 않는 고시원

> 해설　**숙박시설**
> 일반형 · 생활형 숙박시설, 고시원(근린생활시설에 해당하지 않는 것을 말한다)

06 화재예방, 소방시설 설치 · 유지 및 안전관리에 관한 법령에 따른 특정소방대상물 중 의료시 설에 해당하지 않는 것은?　　　　　　　　　　　　　　　　　　　　　　　[18년 4회]

① 요양병원
② 마약진료소
③ 한방병원
④ 노인의료복지시설

> 해설　**노인의료복지시설 : 노유자시설**
> **의료시설**
> • 병원 : 종합병원, 병원, 치과병원, 한방병원, 요양병원
> • 격리병원 : 전염병원, 마약진료소, 그 밖에 이와 비슷한 것
> • 정신의료기관
> • 장애인 의료재활시설

07 항공기 격납고는 특정소방대상물 중 어느 시설에 해당하는가? [19년 4회]

① 위험물 저장 및 처리 시설　　② 항공기 및 자동차 관련 시설

③ 창고시설　　④ 업무시설

해설　**항공기 및 자동차 관련 시설**
- 항공기 격납고
- 차고, 주차용 건축물, 철골 조립식 주차시설(바닥면이 조립식이 아닌 것을 포함한다) 및 기계장치에 의한 주차시설
- 세차장
- 폐차장
- 자동차 검사장
- 자동차 매매장
- 자동차 정비공장
- 운전학원·정비학원
- 다음의 건축물을 제외한 건축물의 내부(필로티와 건축물 지하를 포함)에 설치된 주차장
  - 단독주택
  - 공동주택 중 50세대 미만인 연립주택 또는 50세대 미만인 다세대주택 차고 및 주차장

08 화재예방, 소방시설 설치·유지 및 안전관리에 관한 법령상 소방안전 특별관리시설물의 대상 기준 중 틀린 것은? [18년 1회]

① 수련시설

② 항만시설

③ 전력용 및 통신용 지하구

④ 지정문화재인 시설(시설이 아닌 지정문화재를 보호하거나 소장하고 있는 시설을 포함)

해설　**소방안전 특별관리시설물**
- 공항시설
- 철도시설
- 도시철도시설
- 항만시설
- 지정문화재인 시설(시설이 아닌 지정문화재를 보호하거나 소장하고 있는 시설을 포함한다)
- 산업기술단지
- 산업단지
- 초고층 건축물 및 지하연계 복합건축물
- 영화상영관 중 수용인원 1,000명 이상인 영화상영관
- 전력용 및 통신용 지하구
- 석유비축시설
- 천연가스 인수기지 및 공급망
- 전통시장으로서 대통령령으로 정하는 전통시장
- 그 밖에 대통령령으로 정하는 시설물

09 화재예방, 소방시설 설치 · 유지 및 안전관리에 관한 법령상 둘 이상의 특정소방대상물이 내화구조로 된 연결통로가 벽이 없는 구조로서 그 길이가 몇 [m] 이하인 경우 하나의 소방대상물로 보는가?

[19년 2회]

① 6
② 9
③ 10
④ 12

해설 둘 이상의 특정소방대상물이 내화구조로 된 연결통로가 벽이 없는 구조로서 그 길이가 6[m] 이하인 경우 하나의 소방대상물로 본다.

10 행정안전부령으로 정하는 연소 우려가 있는 구조에 대한 기준 중 다음 (   ) 안에 알맞은 것은?

[17년 4회]

건축물대장의 건축물 현황도에 표시된 대지경계선 안에 2 이상의 건축물이 있는 경우로서 각각의 건축물이 다른 건축물의 외벽으로부터 수평거리가 1층의 경우에는 (㉠)[m] 이하, 2층 이상의 층의 경우에는 (㉡)[m] 이하이고 개구부가 다른 건축물을 향하여 설치된 구조를 말한다.

① ㉠ 3, ㉡ 5
② ㉠ 5, ㉡ 8
③ ㉠ 6, ㉡ 8
④ ㉠ 6, ㉡ 10

해설 행정안전부령으로 정하는 연소 우려가 있는 구조
• 건축물대장의 건축물 현황도에 표시된 대지경계선 안에 둘 이상의 건축물이 있는 경우
• 각각의 건축물이 다른 건축물의 외벽으로부터 수평거리가 1층의 경우에는 6[m] 이하, 2층 이상의 층의 경우에는 10[m] 이하인 경우
• 개구부가 다른 건축물을 향하여 설치되어 있는 경우

4 소방특별조사

조사권자	소방청장, 소방본부장 또는 소방서장
특별조사를 하는 경우	• 관계인이 이 법 또는 다른 법령에 따라 실시하는 소방시설 등, 방화시설, 피난시설 등에 대한 자체점검 등이 불성실하거나 불완전하다고 인정되는 경우 • 화재경계지구에 대한 소방특별조사 등 다른 법률에서 소방특별조사를 실시하도록 한 경우 • 국가적 행사 등 주요 행사가 개최되는 장소 및 그 주변의 관계 지역에 대하여 소방안전관리 실태를 점검할 필요가 있는 경우 • 화재가 자주 발생하였거나 발생할 우려가 뚜렷한 곳에 대한 점검이 필요한 경우 • 재난예측정보, 기상예보 등을 분석한 결과 소방대상물에 화재, 재난·재해의 발생 위험이 높다고 판단되는 경우 • 화재, 재난·재해, 그 밖의 긴급한 상황이 발생할 경우 인명 또는 재산 피해의 우려가 현저하다고 판단되는 경우
소방특별조사의 항목	• 특정소방대상물 또는 공공기관의 소방안전관리 업무 수행에 관한 사항 • 소방계획서의 이행에 관한 사항 • 소방시설 등의 자체점검 및 정기적 점검 등에 관한 사항 • 화재의 예방조치 등에 관한 사항 • 불을 사용하는 설비 등의 관리와 특수가연물의 저장·취급에 관한 사항 • 다중이용업소의 안전관리에 관한 사항 • 제5조(위험물의 저장 및 취급의 제한), 제6조(위험물시설의 설치 및 변경), 제14조(위험물시설의 유지·관리), 제15조(위험물안전관리자), 제18조(정기점검 및 정기검사)에 따른 안전관리에 관한 사항
특별조사의 제한	• 개인의 주거에 대하여는 관계인의 승낙이 있거나 화재발생의 우려가 뚜렷하여 긴급한 필요가 있는 때에 한정 • 관계인의 승낙 없이 해가 뜨기 전이나 해가 진 뒤에 할 수 없다.
관계인의 승낙 없이 해가 뜨기 전이나 해가 진 뒤에 할 수 있는 경우	• 화재, 재난·재해가 발생한 우려가 뚜렷하여 긴급하게 조사할 필요가 있는 경우 • 소방특별조사의 실시를 사전에 통지하면 조사목적을 달성할 수 없다고 인정되는 경우
소방청장, 소방본부장 또는 소방서장	• 소방특별조사의 대상 선정, 소방특별조사 연기신청(조사 시작 3일 전까지) • 소방특별조사 결과에 따른 조치명령
소방청장	중앙소방특별조사단 편성·운영
소방특별조사 시 관계인에게 서면통보	7일 전(소방청장, 소방본부장 또는 소방서장은 소방특별조사를 하려면 7일 전에 관계인에게 조사대상, 조사기간 및 조사사유 등을 서면으로 알려야 한다)
서면통보 제외	• 화재, 재난·재해가 발생할 우려가 뚜렷하여 긴급하게 조사할 필요가 있는 경우 • 소방특별조사의 실시를 통지하면 조사목적을 달성할 수 없다고 인정되는 경우
소방특별조사의 방법	• 관계인에게 필요한 보고를 하도록 하거나 자료의 제출명령 • 소방대상물의 위치·구조·설비 또는 관리 상황을 조사 • 소방대상물의 위치·구조·설비 또는 관리 상황에 대하여 관계인에게 질문
시·도지사	소방특별조사 결과에 따른 조치명령에 따른 손실보상
소방특별조사의 연기사유	• 태풍, 홍수 등 재난이 발생하여 소방대상물을 관리하기가 매우 어려운 경우 • 관계인이 질병, 장기출장 등으로 소방특별조사에 참여할 수 없는 경우 • 권한 있는 기관에 자체점검기록부, 교육·훈련일지 등 소방특별조사에 필요한 장부·서류 등이 압수되거나 영치(領置)되어 있는 경우

증표의 제시 및 비밀유지 의무 등		• 소방특별조사 업무를 수행하는 관계 공무원 및 관계 전문가는 그 권한 또는 자격을 표시하는 증표를 지니고 이를 관계인에게 내보여야 한다. • 소방특별조사 업무를 수행하는 관계 공무원 및 관계 전문가는 관계인의 정당한 업무를 방해하여 서는 아니 되며, 조사업무를 수행하면서 취득한 자료나 알게 된 비밀을 다른 자에게 제공 또는 누설하거나 목적 외의 용도로 사용하여서는 아니 된다.
소방특별조사 결과에 따른	조치명령	• 조치명령권자 : 소방청장, 소방본부장 또는 소방서장 • 조치명령의 내용 : 소방대상물의 위치·구조·설비 또는 관리의 상황
	조치명령 시기	화재나 재난·재해 예방을 위하여 보완될 필요가 있거나 화재가 발생하면 인명 또는 재산의 피해가 클 것으로 예상되는 때
	조치사항	• 소방특별조사 조치명령 • 개수명령 • 이전명령 • 제거명령 • 사용의 금지 또는 제한명령, 사용폐쇄 • 공사의 정지 또는 중지명령
소방특별조사대상 선정위원회 위원의 자격		소방특별조사대상 선정위원회 위원의 자격 • 과장급 직위 이상의 소방공무원 • 소방기술사 • 소방시설관리사 • 소방 관련 석사 학위 이상을 취득한 사람 • 소방 관련 법인 또는 단체에서 소방 관련 업무에 5년 이상 종사한 사람 • 소방공무원 교육기관, 대학 또는 연구소에서 소방과 관련한 교육 또는 연구에 5년 이상 종사한 사람

5 건축허가 등의 동의

건축허가 등의 동의권자	소방본부장 또는 소방서장
건축허가 등의 동의 내용	건축물의 신축, 증축, 개축, 재축, 이전, 용도변경 또는 대수선의 허가·협의 및 사용승인
건축허가 등의 동의대상물의 범위	① 연면적이 400[m²] 이상인 건축물. 다만, 다음 각 목의 어느 하나에 해당하는 시설은 해당 목에서 정한 기준 이상인 건축물로 한다. 　㉠ 학교시설 : 100[m²] 　㉡ 노유자시설 및 수련시설 : 200[m²] 　㉢ 정신의료기관(입원실이 없는 정신건강의학과 의원은 제외) : 300[m²] 　㉣ 장애인 의료재활시설(의료재활시설) : 300[m²] ② 6층 이상의 건축물 ③ 차고·주차장 또는 주차용도로 사용되는 시설로서 다음의 어느 하나에 해당하는 것 　㉠ 차고·주차장으로 사용되는 바닥면적이 200[m²] 이상인 층이 있는 건축물이나 주차시설 　㉡ 승강기 등 기계장치에 의한 주차시설로서 자동차 20대 이상을 주차할 수 있는 시설 ④ 항공기 격납고, 관망탑, 항공관제탑, 방송용 송수신탑 ⑤ 지하층 또는 무창층이 있는 건축물로서 바닥면적이 150[m²](공연장의 경우에는 100[m²]) 이상인 층이 있는 것 ⑥ 특정소방대상물 중 조산원, 산후조리원, 위험물 저장 및 처리 시설, 발전시설 중 전기저장시설, 지하구

건축허가 등의
동의대상물의 범위
	⑦ ①에 해당하지 않는 노유자시설 중 다음 각 목의 어느 하나에 해당하는 시설
	  ⑦ 노인 관련 시설 중 다음의 어느 하나에 해당하는 시설
	    • 노인주거복지시설 · 노인의료복지시설 및 재가노인복지시설
	    • 학대피해노인 전용쉼터
	  ⓛ 아동복지시설(아동상담소, 아동전용시설 및 지역아동센터는 제외)
	  ⓒ 장애인 거주시설
	  ⓔ 정신질환자 관련 시설(공동생활가정을 제외한 재활훈련시설과 종합시설 중 24시간 주거를
	    제공하지 아니하는 시설은 제외)
	  ⓜ 노숙인 관련 시설 중 노숙인자활시설, 노숙인재활시설 및 노숙인요양시설
	  ⓗ 결핵환자나 한센인이 24시간 생활하는 노유자시설
	⑧ 요양병원(정신의료기관 중 정신병원과 의료재활시설은 제외)
	※ 제 외
	  • 소화기구, 누전경보기, 피난기구, 방열복 또는 방화복, 공기호흡기, 인공소생기, 유도등,
	    유도표지가 화재안전기준에 적합한 경우 그 특정소방대상물
	  • 건축물의 증축 또는 용도변경으로 인하여 해당 특정소방대상물에 추가로 소방시설 등이
	    설치되지 아니하는 경우 그 특정소방대상물
	  • 성능위주설계를 한 특정소방대상물

건축허가 등의 동의여부
회신기간
	① 일반대상물 : 접수한 날부터 5일 이내
	② 특급소방안전관리대상물 : 10일 이내
	  ⑦ 50층 이상(지하층은 제외)이거나 지상으로부터 높이가 200[m] 이상인 아파트
	  ⓛ 30층 이상(지하층을 포함)이거나 지상으로부터 높이 120[m] 이상인 특정소방대상물(아파트
	    는 제외)
	  ⓒ ⓛ에 해당하지 아니하는 특정소방대상물로서 연면적이 20만[m^2] 이상인 특정소방대상물(아
	    파트는 제외)

건축허가 등의 취소 시 통보기한	7일 이내

건축허가 등의 동의 신청
시 첨부서류
	• 건축허가신청서 및 건축허가서 또는 건축 · 대수선 · 용도변경신고서 등 건축허가 등을 확인할
	  수 있는 서류의 사본
	• 다음 각 목의 설계도서
	  – 건축물의 단면도 및 주단면 상세도(내장재료를 명시한 것에 한한다)
	  – 소방시설(기계 · 전기분야의 시설을 말한다)의 층별 평면도 및 층별 계통도(시설별 계산서를
	    포함한다)
	  – 창호도
	• 소방시설 설치계획표
	• 임시소방시설 설치계획서(설치 시기 · 위치 · 종류 · 방법 등 임시소방시설의 설치와 관련한 세부
	  사항을 포함한다)
	• 소방시설설계업등록증과 소방시설을 설계한 기술인력자의 기술자격증 사본
	• 소방시설설계 계약서 사본 1부

6 소방시설 기준

임시소방시설	임시소방시설의 종류	• 소화기 • 간이소화장치 : 물을 방사하여 화재를 진화할 수 있는 장치 • 비상경보장치 : 화재 발생 시 주변에 작업자에게 화재사실을 알릴 수 있는 장치 • 간이피난유도선 : 화재 발생 시 피난구 방향을 안내할 수 있는 장치

	임시소방시설을 설치하여야 하는 공사의 종류와 규모	• 소화기 : 건축허가 등의 동의를 받아야 하는 작업현장
		• 간이소화장치 : 다음의 어느 하나에 해당하는 공사 작업현장
		  – 연면적 3,000[m²] 이상
		  – 지하층, 무창층 또는 4층 이상의 층. 이 경우 해당 층의 바닥면적이 600[m²] 이상인 경우만 해당
		• 비상경보장치 : 다음의 어느 하나에 해당하는 공사 작업현장
		  – 연면적 400[m²] 이상
		  – 지하층 또는 무창층. 이 경우 해당 층의 바닥면적이 150[m²] 이상인 경우만 해당
		• 간이피난유도선 : 바닥면적이 150[m²] 이상인 지하층 또는 무창층의 작업현장

	임시소방시설과 기능 및 성능이 유사한 소방시설로서 임시소방시설을 설치한 것으로 보는 소방시설	• 간이소화장치를 설치한 것으로 보는 소방시설 : 옥내소화전 또는 소방청장이 정하여 고시하는 기준에 맞는 소화기 • 비상경보장치를 설치한 것으로 보는 소방시설 : 비상방송설비 또는 자동화재탐지설비 • 간이피난유도선을 설치한 것으로 보는 소방시설 : 피난유도선, 피난구유도등, 통로유도등 또는 비상조명등

소방시설기준 적용 특례	강화된 기준 적용대상	• 다음 소방시설 중 대통령령으로 정하는 것
		  – 소화기구
		  – 비상경보설비
		  – 자동화재속보설비
		  – 피난구조설비
		• 다음 각 목의 지하구에 설치하여야 하는 소방시설
		  – 공동구
		  – 전력 또는 통신사업용 지하구
		• 노유자(老幼者)시설, 의료시설
		
		표: 노유자시설에 설치하여야 하는 소방시설 : • 간이스프링클러설비 • 자동화재탐지설비 • 단독경보형감지기 / 의료시설에 설치하여야 하는 소방시설 : • 스프링클러설비 • 간이스프링클러설비 • 자동화재탐지설비 • 자동화재속보설비

	용도변경(특정소방대상물 전체에 대하여 용도변경 전에 해당 특정소방대상물에 적용되던 소방시설의 설치에 관한 대통령령 또는 화재안전기준을 적용하는 경우)	• 특정소방대상물의 구조·설비가 화재연소 확대 요인이 적어지거나 피난 또는 화재진압활동이 쉬워지도록 변경되는 경우 • 문화 및 집회시설 중 공연장·집회장·관람장, 판매시설, 운수시설, 창고시설 중 물류터미널이 불특정 다수인이 이용하는 것이 아닌 일정한 근무자가 이용하는 용도로 변경되는 경우 • 용도변경으로 인하여 천장·바닥·벽 등에 고정되어 있는 가연성 물질의 양이 줄어드는 경우 • 다중이용업소, 문화 및 집회시설, 종교시설, 판매시설, 운수시설, 의료시설, 노유자시설, 수련시설, 운동시설, 숙박시설, 위락시설, 창고시설 중 물류터미널, 위험물 저장 및 처리 시설 중 가스시설, 장례식장이 각각 이 호에 규정된 시설 외의 용도로 변경되는 경우

01 화재예방, 소방시설 설치 · 유지 및 안전관리에 관한 법령상 소방청장, 소방본부장 또는 소방서장은 관할구역에 있는 소방대상물에 대하여 소방특별조사를 실시할 수 있다. 소방특별조사 대상과 거리가 먼 것은?(단, 개인 주거에 대하여는 관계인의 승낙을 득한 경우이다)

[19년 11회]

① 화재경계지구에 대한 소방특별조사 등 다른 법률에서 소방특별조사를 실시하도록 한 경우
② 관계인이 법령에 따라 실시하는 소방시설 등, 방화시설, 피난시설 등에 대한 자체점검 등이 불성실하거나 불완전하다고 인정되는 경우
③ 화재가 발생할 우려는 없으나 소방대상물의 정기점검이 필요한 경우
④ 국가적 행사 등 주요행사가 개최되는 장소에 대하여 소방안전관리 실태를 점검할 필요가 있는 경우

> **해설** **소방특별조사를 하는 경우**
> • 관계인이 이 법 또는 다른 법령에 따라 실시하는 소방시설 등, 방화시설, 피난시설 등에 대한 자체점검 등이 불성실하거나 불완전하다고 인정되는 경우
> • 화재경계지구에 대한 소방특별조사 등 다른 법률에서 소방특별조사를 실시하도록 한 경우
> • 국가적 행사 등 주요 행사가 개최되는 장소 및 그 주변의 관계 지역에 대하여 소방안전관리 실태를 점검할 필요가 있는 경우
> • 화재가 자주 발생하였거나 발생할 우려가 뚜렷한 곳에 대한 점검이 필요한 경우
> • 재난예측정보, 기상예보 등을 분석한 결과 소방대상물에 화재, 재난 · 재해의 발생 위험이 높다고 판단되는 경우
> • 화재, 재난 · 재해, 그 밖의 긴급한 상황이 발생할 경우 인명 또는 재산 피해의 우려가 현저하다고 판단되는 경우

02 화재예방, 소방시설 설치 · 유지 및 안전관리에 관한 법률상 특정소방대상물에 소방시설이 화재안전기준에 따라 설치 또는 유지 · 관리 되어 있지 아니할 때 해당 특정소방대상물의 관계인에게 필요한 조치를 명할 수 있는 자는?

[18년 2회]

① 소방본부장
② 소방청장
③ 시 · 도지사
④ 행정안전부장관

> **해설** 특정소방대상물의 관계인에게 필요한 조치를 명할 수 있는 자 : 소방본부장, 소방서장

1 ③ 2 ① 정답

03 소방특별조사의 연기를 신청하려는 자는 소방특별조사 시작 며칠 전까지 소방청장, 소방본부장 또는 소방서장에게 소방특별조사 연기신청서에 증명서류를 첨부하여 제출해야 하는가?(단, 천재지변 및 그 밖에 대통령령으로 정하는 사유로 소방특별조사를 받기 곤란한 경우이다) [17년 1회]

① 3   ② 5

③ 7   ④ 10

> **해설** 소방특별조사 시작 3일 전까지 소방특별조사 연기신청서(전자문서로 된 신청서를 포함)에 소방특별조사를 받기가 곤란함을 증명할 수 있는 서류(전자문서로 된 서류를 포함)를 첨부하여 소방청장, 소방본부장 또는 소방서장에게 제출하여야 한다.

04 화재예방, 소방시설 설치·유지 및 안전관리에 관한 법령상 소방특별조사위원회의 위원에 해당하지 아니하는 사람은? [19년 1회]

① 소방기술사

② 소방시설관리사

③ 소방 관련 분야의 석사학위 이상을 취득한 사람

④ 소방 관련 법인 또는 단체에서 소방 관련 업무에 3년 이상 종사한 사람

> **해설** **소방특별조사대상 선정위원회 위원의 자격**
> • 과장급 직위 이상의 소방공무원
> • 소방기술사
> • 소방시설관리사
> • 소방 관련 석사 학위 이상을 취득한 사람
> • 소방 관련 법인 또는 단체에서 소방 관련 업무에 5년 이상 종사한 사람
> • 소방공무원 교육기관, 대학 또는 연구소에서 소방과 관련한 교육 또는 연구에 5년 이상 종사한 사람

05 소방특별조사 결과에 따른 조치명령으로 손실을 입어 손실을 보상하는 경우 그 손실을 입은 자는 누구와 손실보상을 협의하여야 하는가? [19년 1회]

① 소방서장   ② 시·도지사

③ 소방본부장   ④ 행정안전부장관

> **해설** 시·도지사는 소방특별조사 결과에 따른 조치명령으로 인하여 손실을 입은 자가 있는 경우에는 대통령령으로 정하는 바에 따라 보상하여야 한다.

06 화재예방, 소방시설 설치·유지 및 안전관리에 관한 법령상 소방대상물의 개수·이전·제거, 사용의 금지 또는 제한, 사용폐쇄, 공사의 정지 또는 중지, 그 밖의 필요한 조치로 인하여 손실을 받은 자가 손실보상청구서에 첨부하여야 하는 서류로 틀린 것은? [19년 4회]

① 손실보상합의서

② 손실을 증명할 수 있는 사진

③ 손실을 증명할 수 있는 증빙자료

④ 소방대상물의 관계인임을 증명할 수 있는 서류(건축물대장은 제외)

> **해설**　손실을 받은 자가 손실보상을 청구하고자 하는 때에는 손실보상청구서(전자문서로 된 청구서를 포함한다)에 다음의 서류(전자문서를 포함한다)를 첨부하여 시·도지사에게 제출하여야 한다.
> • 소방대상물의 관계인임을 증명할 수 있는 서류(건축대장은 제외)
> • 손실을 증명할 수 있는 사진 그 밖의 증빙자료

07 소방특별조사 결과 소방대상물의 위치·구조·설비 또는 관리의 상황이 화재나 재난·재해 예방을 위하여 보완될 필요가 있거나 화재가 발생하면 인명 또는 재산의 피해가 클 것으로 예상되는 때에 관계인에게 그 소방대상물의 개수·이전·제거, 사용의 금지 또는 제한, 사용폐쇄, 공사의 정지 또는 중지, 그 밖의 필요한 조치를 명할 수 있는 자로 틀린 것은? [19년 2회]

① 시·도지사

② 소방서장

③ 소방청장

④ 소방본부장

> **해설**

소방특별조사 결과에 따른	조치명령	• 조치명령권자 : 소방청장, 소방본부장 또는 소방서장 • 조치명령의 내용 : 소방대상물의 위치·구조·설비 또는 관리의 상황
	조치명령 시기	화재나 재난·재해 예방을 위하여 보완될 필요가 있거나 화재가 발생하면 인명 또는 재산의 피해가 클 것으로 예상되는 때
	조치사항	• 소방특별조사 조치명령 • 개수명령 • 이전명령 • 제거명령 • 사용의 금지 또는 제한명령, 사용폐쇄 • 공사의 정지 또는 중지명령

08 화재가 발생하는 경우 인명 또는 재산의 피해가 클 것으로 예상되는 때 소방대상물의 개수·이전·제거, 사용금지 등의 필요한 조치를 명할 수 있는 자는? [19년 1회]

① 시·도지사
② 의용소방대장
③ 기초자치단체장
④ 소방본부장 또는 소방서장

해설 7번 해설 참조

09 화재예방, 소방시설 설치·유치 및 안전관리에 관한 법령상 소방특별조사 결과 소방대상물의 위치 상황이 화재예방을 위하여 보완될 필요가 있을 것으로 예상되는 때에 소방대상물의 개수·이전·제거, 그 밖의 필요한 조치를 관계인에게 명령할 수 있는 사람은? [20년 3회]

① 소방서장
② 경찰청장
③ 시·도지사
④ 해당구청장

해설 7번 해설 참조

핵심
예제

10 소방청장, 소방본부장 또는 소방서장이 소방특별조사 조치명령서를 해당 소방대상물의 관계인에게 발급하는 경우가 아닌 것은? [17년 1회]

① 소방대상물의 신축
② 소방대상물의 개수
③ 소방대상물의 이전
④ 소방대상물의 제거

해설 7번 해설 참조

11 화재예방, 소방시설 설치·유지 및 안전관리에 관한 법령상 건축허가 등의 동의대상물의
범위 기준 중 틀린 것은?   [21년 1회]

① 건축 등을 하려는 학교시설 : 연면적 $200[m^2]$ 이상
② 노유자시설 : 연면적 $200[m^2]$ 이상
③ 정신의료기관(입원실이 없는 정신건강의학과 의원은 제외) : 연면적 $300[m^2]$ 이상
④ 장애인 의료재활시설 : 연면적 $300[m^2]$ 이상

해설 건축허가 등의 동의대상물의 범위
① 연면적이 $400[m^2]$ 이상인 건축물. 다만, 다음 각 목의 어느 하나에 해당하는 시설은 해당 목에서
정한 기준 이상인 건축물로 한다.
  ㉠ 학교시설 : $100[m^2]$
  ㉡ 노유자시설 및 수련시설 : $200[m^2]$
  ㉢ 정신의료기관(입원실이 없는 정신건강의학과 의원은 제외) : $300[m^2]$
  ㉣ 장애인 의료재활시설(의료재활시설) : $300[m^2]$
② 6층 이상의 건축물
③ 차고·주차장 또는 주차용도로 사용되는 시설로서 다음의 어느 하나에 해당하는 것
  ㉠ 차고·주차장으로 사용되는 바닥면적이 $200[m^2]$ 이상인 층이 있는 건축물이나 주차시설
  ㉡ 승강기 등 기계장치에 의한 주차시설로서 자동차 20대 이상을 주차할 수 있는 시설
④ 항공기 격납고, 관망탑, 항공관제탑, 방송용 송수신탑
⑤ 지하층 또는 무창층이 있는 건축물로서 바닥면적이 $150[m^2]$(공연장의 경우에는 $100[m^2]$) 이상인
층이 있는 것
⑥ 특정소방대상물 중 조산원, 산후조리원, 위험물 저장 및 처리 시설, 발전시설 중 전기저장시설,
지하구
⑦ ①에 해당하지 않는 노유자시설 중 다음 각 목의 어느 하나에 해당하는 시설
  ㉠ 노인 관련 시설 중 다음의 어느 하나에 해당하는 시설
    • 노인주거복지시설·노인의료복지시설 및 재가노인복지시설
    • 학대피해노인 전용쉼터
  ㉡ 아동복지시설(아동상담소, 아동전용시설 및 지역아동센터는 제외)
  ㉢ 장애인 거주시설
  ㉣ 정신질환자 관련 시설(공동생활가정을 제외한 재활훈련시설과 종합시설 중 24시간 주거를 제공
하지 아니하는 시설은 제외)
  ㉤ 노숙인 관련 시설 중 노숙인자활시설, 노숙인재활시설 및 노숙인요양시설
  ㉥ 결핵환자나 한센인이 24시간 생활하는 노유자시설
⑧ 요양병원(정신의료기관 중 정신병원과 의료재활시설은 제외)
  ※ 제 외
    • 소화기구, 누전경보기, 피난기구, 방열복 또는 방화복, 공기호흡기, 인공소생기, 유도등, 유도
표지가 화재안전기준에 적합한 경우 그 특정소방대상물
    • 건축물의 증축 또는 용도변경으로 인하여 해당 특정소방대상물에 추가로 소방시설 등이 설치
되지 아니하는 경우 그 특정소방대상물
    • 성능위주설계를 한 특정소방대상물

12 화재예방, 소방시설 설치 · 유지 및 안전관리에 관한 법령상 건축허가 등의 동의대상물의
범위로 틀린 것은? [21년 2회]

① 항공기 격납고
② 방송용 송 · 수신탑
③ 연면적 400[m²] 이상인 건축물
④ 지하층 또는 무창층이 있는 건축물로서 바닥면적이 50[m²] 이상인 층이 있는 것

해설 11번 해설 참조

13 화재예방, 소방시설 설치 · 유지 및 안전관리에 관한 법률상 건축허가 등의 동의대상물이
아닌 것은? [20년 1 · 2회]

① 항공기 격납고
② 연면적이 300[m²]인 공연장
③ 바닥면적이 300[m²]인 차고
④ 연면적이 300[m²]인 노유자시설

해설 11번 해설 참조

14 건축허가 등을 함에 있어서 미리 소방본부장 또는 소방서장의 동의를 받아야 하는 건축물
등의 범위기준이 아닌 것은? [17년 4회]

① 노유자시설 및 수련시설로서 연면적 100[m²] 이상인 건축물
② 지하층 또는 무창층이 있는 건축물로서 바닥면적이 150[m²] 이상인 층이 있는 것
③ 차고 · 주차장으로 사용되는 바닥면적이 200[m²] 이상인 층이 있는 건축물이나 주차시설
④ 장애인 의료재활시설로서 연면적 300[m²] 이상인 건축물

해설 11번 해설 참조

15 소방본부장 또는 소방서장은 건축허가 등의 동의요구 서류를 접수한 날부터 최대 며칠 이내에 건축허가 등의 동의여부를 회신하여야 하는가?(단, 허가 신청 건축물은 지상으로부터 높이가 200[m]인 아파트이다)   [19년 2회]

① 5일

② 7일

③ 10일

④ 15일

> 해설 건축허가 등의 동의여부 회신시간
> ① 일반대상물 : 접수한 날부터 5일 이내
> ② 특급소방안전관리대상물 : 10일 이내
>   ㉠ 50층 이상(지하층은 제외)이거나 지상으로부터 높이가 200[m] 이상인 아파트
>   ㉡ 30층 이상(지하층을 포함)이거나 지상으로부터 높이 120[m] 이상인 특정소방대상물(아파트는 제외)
>   ㉢ ㉡에 해당하지 아니하는 특정소방대상물로서 연면적이 20만[m²] 이상인 특정소방대상물(아파트는 제외)

**핵심
예제**

16 화재예방, 소방시설 설치·유지 및 안전관리에 관한 법령상 건축허가 등의 동의를 요구한 기관이 그 건축허가 등을 취소하였을 때, 취소한 날부터 최대 며칠 이내에 건축물 등의 시공지 또는 소재지를 관할하는 소방본부장 또는 소방서장에게 그 사실을 통보하여야 하는가?   [19년 2회]

① 3일

② 4일

③ 7일

④ 10일

> 해설 건축허가 등을 취소하였을 때에는 취소한 날부터 7일 이내에 건축물의 시공지 또는 소재지를 관할하는 소방본부장 또는 소방서장에게 그 사실을 통보하여야 한다.

17 화재예방, 소방시설 설치·유지 및 안전관리에 관한 법령상 건축허가 등의 동의를 요구하는 때 동의요구서에 첨부하여야 하는 설계도서가 아닌 것은?(단, 소방시설공사 착공신고대상에 해당하는 경우이다)

[17년 2회]

① 창호도
② 실내 전개도
③ 건축물의 단면도
④ 건축물의 주단면 상세도(내장재료를 명시한 것)

해설 건축허가 등의 동의 신청 시 첨부서류
- 건축허가신청서 및 건축허가서 또는 건축·대수선·용도변경신고서 등 건축허가 등을 확인할 수 있는 서류의 사본
- 다음 각 목의 설계도서
  - 건축물의 단면도 및 주단면 상세도(내장재료를 명시한 것에 한한다)
  - 소방시설(기계·전기분야의 시설을 말한다)의 층별 평면도 및 층별 계통도(시설별 계산서를 포함한다)
  - 창호도
- 소방시설 설치계획표
- 임시소방시설 설치계획서(설치 시기·위치·종류·방법 등 임시소방시설의 설치와 관련한 세부사항을 포함한다)
- 소방시설설계업등록증과 소방시설을 설계한 기술인력자의 기술자격증 사본
- 소방시설설계 계약서 사본 1부

핵심
예제

18 화재예방, 소방시설 설치·유지 및 안전관리에 관한 법령에 따른 임시소방시설 중 간이소화장치를 설치하여야 하는 공사의 작업현장의 규모의 기준 중 다음 (   ) 안에 알맞은 것은?

[18년 4회]

- 연면적 (㉠)[m²] 이상
- 지하층, 무창층 또는 (㉡)층 이상의 층. 이 경우 해당 층의 바닥면적이 (㉢)[m²] 이상인 경우만 해당

① ㉠ 1,000, ㉡ 6, ㉢ 150
② ㉠ 1,000, ㉡ 6, ㉢ 600
③ ㉠ 3,000, ㉡ 4, ㉢ 150
④ ㉠ 3,000, ㉡ 4, ㉢ 600

해설 임시소방시설 중 간이소화장치 설치 기준
- 연면적 3,000[m²] 이상
- 지하층, 무창층 및 4층 이상의 층
  이 경우 해당 층의 바닥 면적이 600[m²] 이상인 경우만 해당한다.

19 화재예방, 소방시설 설치·유지 및 안전관리에 관한 법령상 대통령령 또는 화재안전기준이 변경되어 그 기준이 강화되는 경우 기존 특정소방대상물의 소방시설 중 강화된 기준을 적용하여야 하는 소방시설은? [21년 1회]

① 비상경보설비

② 비상방송설비

③ 비상콘센트설비

④ 옥내소화전설비

해설 강화된 기준 적용대상
- 다음 소방시설 중 대통령령으로 정하는 것
  - 소화기구
  - 비상경보설비
  - 자동화재속보설비
  - 피난구조설비
- 다음 각 목의 지하구에 설치하여야 하는 소방시설
  - 공동구
  - 전력 또는 통신사업용 지하구
- 노유자(老幼者)시설, 의료시설

노유자시설에 설치하여야 하는 소방시설	의료시설에 설치하여야 하는 소방시설
• 간이스프링클러설비 • 자동화재탐지설비 • 단독경보형감지기	• 스프링클러설비 • 간이스프링클러설비 • 자동화재탐지설비 • 자동화재속보설비

핵심
예제

20 화재예방, 소방시설 설치·유지 및 안전관리에 관한 법령상 대통령령 또는 화재안전기준이 변경되어 그 기준이 강화되는 경우 기존 특정소방대상물의 소방시설 중 강화된 기준을 설치 장소와 관계없이 항상 적용하여야 하는 것은?(단, 건축물의 신축·개축·재축·이전 및 대수선 중인 특정소방대상물을 포함한다) [21년 2회]

① 제연설비

② 비상경보설비

③ 옥내소화전설비

④ 화재조기진압용 스프링클러설비

해설 19번 해설 참조

21 건축물의 공사 현장에 설치하여야 하는 임시소방시설과 기능 및 성능이 유사하여 임시소방시설을 설치한 것으로 보는 소방시설로 연결이 틀린 것은?(단, 임시소방시설−임시소방시설을 설치한 것으로 보는 소방시설 순이다) [17년 11회]

① 간이소화장치 − 옥내소화전
② 간이피난유도선 − 유도표지
③ 비상경보장치 − 비상방송설비
④ 비상경보장치 − 자동화재탐지설비

> **해설** 임시소방시설과 기능 및 성능이 유사한 소방시설로서 임시소방시설을 설치한 것으로 보는 소방시설
> • 간이소화장치를 설치한 것으로 보는 소방시설 : 옥내소화전 또는 소방청장이 정하여 고시하는 기준에 맞는 소화기
> • 비상경보장치를 설치한 것으로 보는 소방시설 : 비상방송설비 또는 자동화재탐지설비
> • 간이피난유도선을 설치한 것으로 보는 소방시설 : 피난유도선, 피난구유도등, 통로유도등 또는 비상조명등

22 특정소방대상물이 증축되는 경우 기존 부분에 대해서 증축 당시의 소방시설의 설치에 관한 대통령령 또는 화재안전기준을 적용하지 않는 경우가 아닌 것은? [17년 16회]

① 증축으로 인하여 천장·바닥·벽 등에 고정되어 있는 가연성 물질의 양이 줄어드는 경우
② 자동차 생산공장 등 화재 위험이 낮은 특정소방대상물 내부에 연면적 33[m²] 이하의 직원 휴게실을 증축하는 경우
③ 기존 부분과 증축 부분이 건축법 시행령 제46조 제1항 제2호에 따른 방화문 또는 자동방화셔터로 구획되어 있는 경우
④ 자동차 생산공장 등 화재 위험이 낮은 특정소방대상물에 캐노피(기둥으로 받치거나 매달아 놓은 덮개를 말하며 3면 이상에 벽이 없는 구조의 캐노피)를 설치하는 경우

> **해설** 대통령령 또는 화재안전기준을 적용하지 않는 경우
> • 기존 부분과 증축 부분이 내화구조(耐火構造)로 된 바닥과 벽으로 구획된 경우
> • 기존 부분과 증축 부분이 건축법 시행령 제46조 제1항 제2호에 따른 방화문 또는 자동방화셔터로 구획되어 있는 경우
> • 자동차 생산공장 등 화재 위험이 낮은 특정소방대상물 내부에 연면적 33[m²] 이하의 직원 휴게실을 증축하는 경우
> • 자동차 생산공장 등 화재 위험이 낮은 특정소방대상물에 캐노피(기둥으로 받치거나 매달아 놓은 덮개를 말하며 3면 이상에 벽이 없는 구조의 캐노피를 말한다)를 설치하는 경우

7 소방시설 등의 종류 및 적용기준

소화기구 및 자동소화장치	• 소화기구 : 연면적 33[m²] 이상(노유자시설인 경우 투척용 소화용구는 산정된 소화기 수의 1/2 이상 설치), 가스시설, 발전시설 중 전기저장 시설 및 지정문화재, 터널, 지하구 • 주거용 주방자동소화장치 : 아파트 등 및 30층 이상 오피스텔의 모든 층
옥내소화전설비	① 연면적이 3,000[m²] 이상(터널은 제외), 지하층, 무창층(축사는 제외) 또는 4층 이상인 것 중 바닥면적이 600[m²] 이상인 층이 있는 것은 모든 층 ② 지하가 터널 중 터널의 경우 길이가 1,000[m] 이상 ③ ①에 해당하지 않는 근린생활시설, 판매시설, 운수시설, 의료시설, 노유자시설, 업무시설, 숙박시설, 위락시설, 공장, 창고시설, 항공기 및 자동차 관련 시설, 교정 및 군사시설 중 국방·군사시설, 방송통신시설, 발전시설, 장례시설 또는 복합건축물로서 연면적 1,500[m²] 이상이거나 지하층·무창층 또는 층수가 4층 이상인 층 중 바닥면적이 300[m²] 이상인 층이 있는 것은 모든 층 ④ 건축물의 옥상에 설치된 차고 또는 주차장으로서 바닥면적이 200[m²] 이상 ⑤ ① 및 ③에 해당하지 않는 공장 또는 창고시설로서 소방기본법 시행령 별표 2에서 정하는 수량의 750배 이상의 특수가연물을 저장·취급하는 것 ⑥ 위험물 저장 및 처리시설 중 가스시설, 지하구 및 방재실 등에서 스프링클러설비 또는 물분무 등 소화설비를 원격으로 조정할 수 있는 업무시설 중 무인변전소는 제외한다.

	설치대상	조 건

스프링클러설비	• 문화 및 집회시설, 운동시설
	• 종교시설
		• 수용인원 : 100명 이상
		• 영화상영관 : 지하층·무창층 500[m²] (기타 1,000[m²]) 이상
		• 무대부
		  – 지하층·무창층·4층 이상 : 300[m²] 이상
		  – 1~3층 : 500[m²] 이상

	• 판매시설 • 운수시설 • 물류터미널(창고시설)	• 수용인원 : 500명 이상 • 바닥면적 합계 : 5,000[m²] 이상
	• 근린생활시설 중 조산원 및 산후조리원 • 의료시설 중 정신의료기관 • 의료시설 중 종합병원, 병원, 치과병원, 한방병원 및 요양병원(정신병원은 제외) • 노유자시설 • 숙박이 가능한 수련시설	바닥면적 합계 : 600[m²] 이상인 것의 모든 층
	6층 이상	전 층
	특수가연물 저장·취급	지정수량 1,000배 이상
	지하가(터널 제외)	연면적 1,000[m²] 이상
	지하층·무창층·4층 이상	바닥면적 1,000[m²] 이상
	• 복합건축물 • 기숙사	연면적 5,000[m²] 이상인 경우 모든 층
	천장 또는 반자 높이 10[m] 넘는 랙식 창고	연면적 1,500[m²] 이상
	보일러실·연결통로	전 부

	설치대상	조 건
간이스프링클러설비	근린생활시설	바닥면적 합계 1,000[m²] 이상인 것의 모든 층
	근린생활시설로서 의원, 치과의원, 한의원	입원실 거실
	근린생활시설로서 조산원 및 산후조리원	연면적 600[m²] 미만인 시설
	복합건축물	연면적 1,000[m²] 이상인 것은 모든 층
	생활형숙박시설	바닥면적 600[m²] 이상
	종합병원, 병원, 치과병원, 한방병원 및 요양병원(정신병원과 의료재활시설은 제외)	바닥면적 합계 600[m²] 미만
	• 노유자시설 • 정신의료기관 또는 의료재활시설	바닥면적의 합계 300[m²] 이상 ~ 600[m²] 미만
	노유자시설 중 정신의료기관 또는 의료재활시설	바닥면적의 합계 300[m²] 미만이고 창살 설치된 시설
	교육연구시설 내 합숙소	연면적 100[m²] 이상
물분무 등 소화설비	항공기 및 자동차 관련 시설 중 항공기 격납고	
	차고, 주차용 건축물 또는 철골 조립식 주차시설	연면적 800[m²] 이상
	건축물 내부에 설치된 차고 또는 주차장으로서 차고 또는 주차의 용도로 사용되는 부분	바닥면적의 합계가 200[m²] 이상
	기계식 주차장치를 이용하여 20대 이상의 차량 주차	
	전기실·발전실·변전실·축전지실·통신기기실 또는 전산실	바닥면적이 300[m²] 이상
	소화수를 수집·처리하는 설비가 설치되어 있지 않은 중·저준위 방사성폐기물의 저장시설	이산화탄소소화설비, 할론소화설비 또는 할로겐화합물 및 불활성기체 소화설비
	지하가 중 예상 교통량, 경사도 등 터널의 특성을 고려하여 행정안전부령으로 정하는 터널	물분무소화설비
	지정문화재 중 소방청장이 문화재청장과 협의하여 정하는 것	
옥외소화전설비	동일구 내에 둘 이상의 특정소방대상물이 행정안전부령으로 정하는 연소 우려가 있는 구조	지상 1층 및 2층의 바닥면적의 합계가 9,000 [m²] 이상
	국보 또는 보물로 지정된 목조건축물	
	공장 또는 창고시설로서 소방기본법에 의해 특수가연물을 저장·취급하는 곳	지정수량의 750배 이상
자동화재탐지설비	교육연구시설, 수련시설(숙박시설이 있는 수련시설은 제외), 동물 및 식물 관련 시설, 분뇨 및 쓰레기 처리시설, 교정 및 군사시설(국방·군사시설은 제외) 또는 묘지 관련 시설	연면적 2,000[m²] 이상
	공동주택, 목욕장, 문화 및 집회시설, 종교시설, 판매시설, 운수시설, 운동시설, 업무시설, 공장, 창고시설, 위험물 저장 및 처리시설, 항공기 및 자동차 관련 시설, 국방·군사시설, 방송통신시설, 발전시설, 관광 휴게시설, 지하가(터널은 제외)	연면적 1,000[m²] 이상
	근린생활시설(목욕장은 제외), 의료시설(정신의료기관 또는 요양병원은 제외), 숙박시설, 위락시설, 장례식장 및 복합건축물	연면적 600[m²] 이상

	설치대상	조 건
자동화재탐지설비	노유자시설	연면적 400[m^2] 이상
	지하가 중 터널	길이가 1,000[m] 이상
	공장 및 창고시설	지정수량의 500배 이상의 특수가연물을 저장·취급
	숙박시설이 있는 수련시설	수용인원 100명 이상
	지하구	
	노유자 생활시설, 판매시설 중 전통시장	
비상방송설비	가스시설, 터널, 사람이 거주하지 않는 동물 및 식물관련시설, 지하가 중 터널, 축사, 지하구는 제외	연면적 3,500[m^2] 이상
		11층 이상(지하층 제외)
		지하층의 층수가 3층 이상
비상경보설비	• 연면적이 400[m^2] 이상 • 지하층 또는 무창층의 바닥면적이 150[m^2] 이상(공연장은 100[m^2] 이상) • 지하가 중 터널로서 길이가 500[m] 이상 • 50명 이상의 근로자가 작업하는 옥내작업장	

	설치대상	조 건
자동화재속보설비	업무시설, 공장, 창고시설, 교정 및 군사시설 중 국방·군사시설, 발전시설 ※ 사람이 24시간 상시 근무하고 있는 경우 설치 제외	바닥면적이 1,500[m^2] 이상인 층
	노유자시설 ※ 사람이 24시간 상시 근무하고 있는 경우 설치 제외	바닥면적이 500[m^2] 이상인 층
	수련시설(숙박시설이 있는 건축물만 해당한다) ※ 사람이 24시간 상시 근무하고 있는 경우 설치 제외	
	층수가 30층 이상	
	근린생활시설 중 다음 어느 하나에 해당하는 시설 • 의원, 치과의원 및 한의원으로서 입원실이 있는 시설 • 조산원 및 산후조리원	
	노유자 생활시설, 판매시설 중 전통시장	
	보물 또는 국보로 지정된 목조건축물 ※ 사람이 24시간 상시 근무하고 있는 경우 설치 제외	
	의료시설 중 다음의 어느 하나에 해당하는 시설 • 종합병원, 병원, 치과병원, 한방병원 및 요양병원(정신병원과 의료재활시설은 제외) • 정신병원 및 의료재활시설로 사용되는 바닥면적의 합계가 500[m^2] 이상인 층	
단독경보형감지기	아파트 등, 기숙사	연면적 1,000[m^2] 미만
	교육연구시설 또는 수련시설 내에 있는 합숙소 또는 기숙사	연면적 2,000[m^2] 미만
	숙박시설	연면적 600[m^2] 미만
	유치원	연면적 400[m^2] 미만
가스누설경보기	판매시설, 운수시설, 노유자시설, 숙박시설, 창고시설 중 물류터미널	
	문화 및 집회시설, 종교시설, 의료시설, 수련시설, 운동시설, 장례식장	
통합감시시설	지하구	

피난구조설비	피난기구	피난층, 지상1층, 지상2층, 11층 이상인 층과 가스시설, 터널, 지하구를 제외한 특정대상물의 모든 층	
	인명구조기구	방열복 또는 방화복(안전모, 보호장갑 및 안전화를 포함), 인공소생기 및 공기호흡기	지하층을 포함 층수가 7층 이상인 관광호텔
		방열복 또는 방화복(안전모, 보호장갑 및 안전화를 포함) 및 공기호흡기	지하층을 포함 층수가 5층 이상인 병원
		공기호흡기	• 수용인원 100명 이상(문화 및 집회시설 중 영화상영관) • 판매시설 중 대규모점포 • 운수시설 중 지하역사 • 지하가 중 지하상가 • 이산화탄소소화설비(호스릴 제외) 설치 특정소방대상물
	유도등	• 피난구유도등, 통로유도등, 유도표지 : 모든 소방대상물(지하가 중 터널 및 축사로서 가축을 직접 가두어 사육하는 부분 제외)에 설치 • 객석유도등 : 유흥주점영업시설, 문화 및 집회시설, 종교시설, 운동시설에 설치	
	비상조명등	• 5층(지하층 포함) 이상으로 연면적 3,000[m²] 이상 • 지하층 또는 무창층의 바닥면적이 450[m²] 이상인 경우에는 그 지하층 또는 무창층 • 지하가 중 터널의 길이가 500[m] 이상	
	휴대용 비상조명등	• 숙박시설 • 수용인원 100명 이상의 영화상영관, 판매시설 중 대규모 점포, 지하역사, 지하상가	
소방용수설비	상수도소화용수설비	연면적 5,000[m²] 이상	
		가스시설로서 지상에 노출된 탱크의 저장용량의 합계가 100[t] 이상	
	소화수조 또는 저수조	대지 경계선으로부터 180[m] 이내에 지름 75[mm] 이상인 상수도용 배수관이 설치되지 않은 지역	

		설치대상	조 건
소화활동설비	제연설비	지하층이나 무창층에 설치된 근린생활시설, 판매시설, 운수시설, 숙박시설, 위락시설, 의료시설, 노유자시설 또는 창고시설(물류터미널만 해당)	바닥면적의 합계가 1,000[m²] 이상인 층
		시외버스정류장, 철도 및 도시철도 시설, 공항시설 및 항만시설의 대기실 또는 휴게시설	지하층 또는 무창층의 바닥면적이 1,000[m²] 이상
		지하가(터널 제외)	연면적 1,000[m²] 이상
		문화 및 집회시설, 종교시설, 운동시설	무대부의 바닥면적이 200[m²] 이상
		영화상영관	수용인원 100명 이상
		특정소방대상물(갓복도형 아파트 등은 제외)에 부설된 특별피난계단 또는 비상용승강기의 승강장	
	연결송수관설비	지하층의 층수가 3층 이상이고 지하층의 바닥면적의 합계가 1,000[m²] 이상	
		층수가 5층 이상	연면적 6,000[m²] 이상
		지하가 중 터널	길이가 1,000[m] 이상
		지하층을 포함하는 층수가 7층 이상	

소화활동설비	연결살수설비	① 판매시설, 운수시설, 물류터미널	바닥면적의 합계가 1,000[m²] 이상
		② 국민주택규모 이하의 아파트 지하층 (대피시설로 사용하는 것만 해당)과 교육연구시설 중 학교의 지하층	바닥면적의 합계가 700[m²] 이상
		③ 지하층(피난층으로 주된 출입구가 도로와 접하는 경우는 제외)	바닥면적의 합계가 150[m²] 이상
		④ 가스시설 중 지상에 노출된 탱크	탱크용량이 30[t] 이상인 탱크시설
		⑤ ①,②,③의 특정소방대상물에 부속된 연결통로	
	무선통신보조설비	지하가(터널 제외)	연면적 1,000[m²] 이상
		지하층의 바닥면적의 합계	3,000[m²] 이상
		지하층의 층수가 3층 이상이고 지하층의 바닥면적의 합계(지하 모든 층)	1,000[m²] 이상
		층수가 30층 이상	16층 이상 부분
		지하가 중 터널	길이가 500[m] 이상
		공동구	
	비상콘센트설비	층수가 11층 이상인 특정소방대상물	11층 이상의 층
		지하층의 층수가 3층 이상이고 지하층의 바닥면적의 합계가 1,000[m²] 이상인 것은 지하층의 모든 층	
		지하가 중 터널	길이가 500[m] 이상
	연소방지설비	지하구(전력 또는 통신사업용인 것만 해당)	
		스프링클러설비, 제연설비, 무선통신보조설비	연면적 1,000[m²] 이상
		비상경보설비, 비상조명등, 비상콘센트설비, 무선통신보조설비	터널 길이 500[m] 이상
		옥내소화전설비, 연결송수관설비, 자동화재탐지설비	터널 길이 1,000[m] 이상

01 화재예방, 소방시설 설치·유지 및 안전관리에 관한 법령상 스프링클러설비를 설치하여야 하는 특정소방대상물의 기준으로 틀린 것은?(단, 위험물 저장 및 처리 시설 중 가스시설 또는 지하구는 제외한다) [20년 3회]

① 복합건축물로서 연면적 3,500[m²] 이상인 경우에는 모든 층
② 창고시설(물류터미널은 제외)로서 바닥면적 합계가 5,000[m²] 이상인 경우에는 모든 층
③ 숙박이 가능한 수련시설 용도로 사용되는 시설의 바닥면적의 합계가 600[m²] 이상인 것은 모든 층
④ 판매시설, 운수시설 및 창고시설(물류터미널에 한정)로서 바닥면적의 합계가 5,000[m²] 이상이거나 수용인원이 500명 이상인 경우에는 모든 층

해설 스프링클러설비

설치대상	조 건
• 문화 및 집회시설, 운동시설 • 종교시설	• 수용인원 : 100명 이상 • 영화상영관 : 지하층·무창층 500[m²] (기타 1,000[m²]) 이상 • 무대부 – 지하층·무창층·4층 이상 : 300[m²] 이상 – 1~3층 : 500[m²] 이상
• 판매시설 • 운수시설 • 물류터미널(창고시설)	• 수용인원 : 500명 이상 • 바닥면적 합계 : 5,000[m²] 이상
• 근린생활시설 중 조산원 및 산후조리원 • 의료시설 중 정신의료기관 • 의료시설 중 종합병원, 병원, 치과병원, 한방병원 및 요양병원(정신병원은 제외) • 노유자시설 • 숙박이 가능한 수련시설	바닥면적 합계 : 600[m²] 이상인 것의 모든 층
6층 이상	전 층
특수가연물 저장·취급	지정수량 1,000배 이상
지하가(터널 제외)	연면적 1,000[m²] 이상
지하층·무창층·4층 이상	바닥면적 1,000[m²] 이상
• 복합건축물 • 기숙사	연면적 5,000[m²] 이상인 경우 모든 층
천장 또는 반자 높이 10[m] 넘는 랙식 창고	연면적 1,500[m²] 이상
보일러실·연결통로	전 부

02 화재예방, 소방시설 설치 · 유지 및 안전관리에 관한 법령상 지하가는 연면적이 최소 몇 [m²] 이상이어야 스프링클러설비를 설치하여야 하는 특정소방대상물에 해당하는가?(단, 터널은 제외한다)   [21년 1회]

① 100   ② 200

③ 1,000   ④ 2,000

해설   1번 해설 참조

03 아파트로 층수가 20층인 특정소방대상물에서 스프링클러설비를 하여야 하는 층수는?(단, 아파트는 신축을 실시하는 경우이다)   [19년 1회]

① 전 층   ② 15층 이상

③ 11층 이상   ④ 6층 이상

해설   1번 해설 참조

04 화재예방, 소방시설 설치 · 유지 및 안전관리에 관한 법령상 스프링클러설비를 설치하여야 하는 특정소방대상물의 기준 중 틀린 것은?(단, 위험물 저장 및 처리 시설 중 가스시설 또는 지하구는 제외한다)   [18년 2회]

① 숙박이 가능한 수련시설 용도로 사용되는 시설의 바닥면적의 합계가 600[m²] 이상인 것은 모든 층

② 지하가(터널은 제외)로서 연면적이 1,000[m²] 이상인 것

③ 판매시설, 운수시설 및 창고시설(물류터미널에 한정)로서 바닥면적의 합계가 5,000[m²] 이상이거나 수용인원이 500명 이상인 경우에는 모든 층

④ 복합건축물로서 연면적이 3,000[m²] 이상인 경우에는 모든 층

해설   1번 해설 참조

2 ③ 3 ① 4 ④   정답

05 화재예방, 소방시설 설치·유지 및 안전관리에 관한 법령상 비상경보설비를 설치하여야 할 특정소방대상물의 기준 중 옳은 것은?(단, 지하구, 모래·석재 등 불연재료 창고 및 위험물 저장·처리 시설 중 가스시설은 제외한다) [18년 2회]

① 지하층 또는 무창층의 바닥면적이 50[m²] 이상인 것
② 연면적 400[m²] 이상인 것
③ 지하가 중 터널로서 길이가 300[m] 이상인 것
④ 30명 이상의 근로자가 작업하는 옥내 작업장

해설 **비상경보설비**
• 연면적이 400[m²] 이상
• 지하층 또는 무창층의 바닥면적이 150[m²] 이상(공연장은 100[m²] 이상)
• 지하가 중 터널로서 길이가 500[m] 이상
• 50명 이상의 근로자가 작업하는 옥내작업장

핵심
예제

06 화재예방, 소방시설 설치·유지 및 안전관리에 관한 법령상 단독경보형감지기를 설치하여야 하는 특정소방대상물의 기준 중 옳은 것은? [18년 1회]

① 연면적 600[m²] 미만의 아파트 등
② 연면적 1,000[m²] 미만의 기숙사
③ 연면적 1,000[m²] 미만의 숙박시설
④ 교육연구시설 또는 수련시설 내에 있는 합숙소 또는 기숙사로서 연면적 1,000[m²] 미만인 것

해설 **단독경보형감지기**

설치대상	조건
아파트 등, 기숙사	연면적 1,000[m²] 미만
교육연구시설 또는 수련시설 내에 있는 합숙소 또는 기숙사	연면적 2,000[m²] 미만
숙박시설	연면적 600[m²] 미만
유치원	연면적 400[m²] 미만

07 화재예방, 소방시설 설치 · 유지 및 안전관리에 관한 법령상 단독경보형감지기를 설치하여야 하는 특정소방대상물의 기준으로 틀린 것은? [20년 3회]

① 연면적 600[m²] 미만의 기숙사

② 연면적 600[m²] 미만의 숙박시설

③ 연면적 1,000[m²] 미만의 아파트

④ 교육연구시설 또는 수련시설 내에 있는 합숙소 또는 기숙사로서 연면적 2,000[m²] 미만인 것

해설 6번 해설 참조

08 경보설비 중 단독경보형감지기를 설치해야 하는 특정소방대상물의 기준으로 틀린 것은? [17년 4회]

① 연면적 600[m²] 미만의 숙박시설

② 연면적 1,000[m²] 미만의 아파트 등

③ 연면적 1,000[m²] 미만의 기숙사

④ 교육연구시설 내에 있는 연면적 3,000[m²] 미만의 합숙소

해설 6번 해설 참조

09 다음 소방시설 중 경보설비가 아닌 것은? [20년 1·2회]

① 통합감시시설
② 가스누설경보기
③ 비상콘센트설비
④ 자동화재속보설비

해설 비상콘센트설비 : 소화활동설비

10 화재예방, 소방시설 설치·유지 및 안전관리에 관한 법률상 간이스프링클러설비를 설치하여야 하는 특정소방대상물의 기준으로 옳은 것은? [19년 4회]

① 근린생활시설로 사용하는 부분의 바닥면적 합계가 1,000[m²] 이상인 것은 모든 층
② 교육연구시설 내에 있는 합숙소로서 연면적 500[m²] 이상인 것
③ 정신병원과 의료재활시설을 제외한 요양병원으로 사용되는 바닥면적 합계가 300[m²] 이상 600[m²] 미만인 것
④ 정신의료기관 또는 의료재활시설로 사용되는 바닥면적 합계가 600[m²] 미만인 시설

해설 간이스프링클러설비

설치대상	조 건
근린생활시설	바닥면적 합계 1,000[m²] 이상인 것의 모든 층
근린생활시설로서 의원, 치과의원, 한의원	입원실 거실
근린생활시설로서 조산원 및 산후조리원	연면적 600[m²] 미만인 시설
복합건축물	연면적 1,000[m²] 이상인 것은 모든 층
생활형숙박시설	바닥면적 600[m²] 이상
종합병원, 병원, 치과병원, 한방병원 및 요양병원(정신병원과 의료재활시설은 제외)	바닥면적 합계 600[m²] 미만
• 노유자시설 • 정신의료기관 또는 의료재활시설	바닥면적의 합계 300[m²] 이상 ~ 600[m²] 미만
노유자시설 중 정신의료기관 또는 의료재활시설	바닥면적의 합계 300[m²] 미만이고 창살 설치된 시설
교육연구시설 내 합숙소	연면적 100[m²] 이상

안심Touch

11 화재예방, 소방시설 설치·유지 및 안전관리에 관한 법령상 자동화재탐지설비를 설치하여야 하는 특정소방대상물의 기준으로 틀린 것은? [17년 2회]

① 문화 및 집회시설로서 연면적이 1,000[m²] 이상인 것
② 지하가(터널은 제외)로서 연면적이 1,000[m²] 이상인 것
③ 의료시설(정신의료기관 또는 요양병원은 제외)로서 연면적 1,000[m²] 이상인 것
④ 지하가 중 터널로서 길이가 1,000[m] 이상인 것

해설 **자동화재탐지설비**

설치대상	조 건
교육연구시설, 수련시설(숙박시설이 있는 수련시설은 제외), 동물 및 식물 관련 시설, 분뇨 및 쓰레기 처리시설, 교정 및 군사시설(국방·군사시설은 제외) 또는 묘지 관련 시설	연면적 2,000[m²] 이상
공동주택, 목욕장, 문화 및 집회시설, 종교시설, 판매시설, 운수시설, 운동시설, 업무시설, 공장, 창고시설, 위험물 저장 및 처리시설, 항공기 및 자동차 관련 시설, 국방·군사시설, 방송통신시설, 발전시설, 관광 휴게시설, 지하가(터널은 제외)	연면적 1,000[m²] 이상
근린생활시설(목욕장은 제외), 의료시설(정신의료기관 또는 요양병원은 제외), 숙박시설, 위락시설, 장례식장 및 복합건축물	연면적 600[m²] 이상

핵심
예제

12 화재예방, 소방시설 설치·유지 및 안전관리에 관한 법령상 자동화재탐지설비를 설치하여야 하는 특정소방대상물에 대한 기준 중 ( )에 알맞은 것은? [21년 1회]

> 근린생활시설(목욕장 제외), 의료시설(정신의료기관 또는 요양병원 제외), 숙박시설, 위락시설, 장례시설 및 복합건축물로서 연면적 ( )[m²] 이상인 것

① 400
② 600
③ 1,000
④ 3,500

해설 11번 해설 참조

13 소방시설을 구분하는 경우 소화설비에 해당되지 않는 것은? [19년 2회]

① 스프링클러설비

② 제연설비

③ 자동확산소화기

④ 옥외소화전설비

해설 제연설비 : 소화활동설비

핵심
예제

14 화재예방, 소방시설 설치·유지 및 안전관리에 관한 법령상 지하가 중 터널로서 길이가 1,000[m]일 때 설치하지 않아도 되는 소방시설은? [20년 3회]

① 인명구조기구

② 옥내소화전설비

③ 연결송수관설비

④ 무선통신보조설비

해설 지하가 중 터널의 길이에 따른 설치하여야 하는 소방시설
• 터널길이 500[m] 이상 : 비상경보설비, 비상조명등, 비상콘센트설비, 무선통신보조설비
• 터널길이 1,000[m] 이상 : 옥내소화전설비, 연결송수관설비, 자동화재탐지설비

8 소방시설의 적용대상 및 면제

(1) 소급적용 대상

소방본부장이나 소방서장은 대통령령 또는 화재안전기준의 변경으로 그 기준이 강화되는 경우 기존의 특정소방대상물(건축물의 신축·개축·재축·이전 및 대수선 중인 특정소방대상물을 포함)의 소방시설에 대하여는 변경 전의 대통령령 또는 화재안전기준을 적용한다. 다만, 다음에 해당하는 소방시설의 경우에는 대통령령 또는 화재안전기준의 변경으로 강화된 기준을 적용한다.

① 소화기구
② 비상경보설비
③ 자동화재속보설비
④ 피난구조설비

(2) 특정소방대상물의 소방시설 설치의 면제기준

설치가 면제되는 소방시설	설치의 면제기준
비상경보설비 또는 단독경보형 감지기	특정소방대상물에 자동화재탐지설비를 화재안전기준에 적합하게 설치한 경우에는 그 설비의 유효범위에서 설치가 면제된다.
상수도소화용수설비	• 특정소방대상물의 각 부분으로부터 수평거리 140[m] 이내에 공공의 소방을 위한 소화전이 화재안전기준에 적합하게 설치되어 있는 경우에는 설치가 면제된다. • 소방본부장 또는 소방서장이 상수도소화용수설비의 설치가 곤란하다고 인정하는 경우로서 화재안전기준에 적합한 소화수조 또는 저수조가 설치되어 있거나 이를 설치하는 경우에는 그 설비의 유효범위에서 설치가 면제된다.
연결송수관설비	소방대상물에 옥외에 연결송수구 및 옥내에 방수구가 부설된 옥내소화전설비, 스프링클러설비, 간이스프링클러설비 또는 연결살수설비를 화재안전기준에 적합하게 설치한 경우에는 그 설비의 유효범위에서 설치가 면제된다. 다만, 지표면에서 최상층 방수구의 높이가 70[m] 이상인 경우에는 설치하여야 한다.
자동화재탐지설비	자동화재탐지설비의 기능(감지·수신·경보기능을 말한다)과 성능을 가진 스프링클러설비 또는 물분무 등 소화설비를 화재안전기준에 적합하게 설치한 경우에는 그 설비의 유효범위에서 설치가 면제된다.
스프링클러설비	물분무 등 소화설비
물분무 등 소화설비	차고·주차장에 스프링클러설비
간이스프링클러설비	스프링클러설비, 물분무소화설비 또는 미분무소화설비
제연설비	• 제연설비 – 공기조화설비가 화재 시 제연설비기능으로 자동전환되는 구조 – 직접 외부 공기와 통하는 배출구의 면적의 합계가 해당 제연구역 바닥면적의 100분의 1 이상, 배출구부터 각 부분까지의 수평거리가 30[m] 이내, 공기유입구가 설치되어 있는 경우 • 노대(露臺)와 연결된 특별피난계단 또는 노대가 설치된 비상용 승강기의 승강장
연소방지설비	스프링클러설비, 물분무소화설비 또는 미분무소화설비
옥외소화전설비	상수도소화용수설비
옥내소화전설비	호스릴 방식의 미분무소화설비 또는 옥외소화전설비
자동소화장치	물분무 등 소화설비

(3) 소방시설을 설치하지 아니할 수 있는 특정소방대상물 및 소방시설의 범위

구 분	특정소방대상물	소방시설
화재안전기준을 적용하기 어려운 특정소방대상물	펄프공장의 작업장, 음료수 공장의 세정 또는 충전을 하는 작업장, 그 밖에 이와 비슷한 용도로 사용하는 것	스프링클러비, 상수도소화용수설비 및 연결살수설비
	정수장, 수영장, 목욕장, 농예·축산·어류양식용 시설, 그 밖에 이와 비슷한 용도로 사용되는 것	자동화재탐지설비, 상수도소화용수설비 및 연결살수설비
화재 위험도가 낮은 특정소방대상물	석재, 불연성금속, 불연성 건축재료 등의 가공공장·기계조립공장·주물공장 또는 불연성 물품을 저장하는 창고	옥외소화전 및 연결살수설비
	소방대가 조직되어 24시간 근무하고 있는 청사 및 차고	옥내소화전설비, 스프링클러설비, 물분무 등 소화설비, 비상방송설비, 피난기구, 소화용수설비, 연결송수관설비, 연결살수설비
자체소방대가 설치된 특정소방대상물	자체소방대가 설치된 위험물 제조소 등에 부속된 사무실	옥내소화전설비, 소화용수설비, 연결살수설비 및 연결송수관설비
화재안전기준을 달리하여야 하는 특수한 용도 또는 구조를 가진 특정소방대상물	원자력발전소, 핵폐기물처리시설	연결송수관설비 및 연결살수설비

9 성능위주설계 및 내진설계

(1) 성능위주설계

특정소방대상물(신축하는 것만 해당한다)에 소방시설을 설치하려는 자는 그 용도, 위치, 구조, 수용인원, 가연물(可燃物)의 종류 및 양 등을 고려하여 설계

(2) 성능위주설계를 하여야 하는 특정소방대상물의 범위

① 연면적 20만[m²] 이상인 특정소방대상물[다만, 공동주택 중 주택으로 쓰이는 층수가 5층 이상인 주택(아파트 등)은 제외]
② 다음 각 목의 특정소방대상물
  ㉠ 50층 이상(지하층은 제외한다)이거나 지상으로부터 높이가 200[m] 이상인 아파트 등
  ㉡ 30층 이상(지하층을 포함한다)이거나 지상으로부터 높이가 120[m] 이상인 특정소방대상물(아파트 등은 제외한다)
③ 연면적 30,000[m²] 이상인 특정소방대상물로서 다음에 해당하는 특정소방대상물
  ㉠ 철도 및 도시철도 시설
  ㉡ 공항시설
④ 하나의 건축물에 영화상영관이 10개 이상인 특정소방대상물
⑤ 지하연계 복합건축물에 해당하는 특정소방대상물
⑥ 성능위주설계를 할 수 있는 기술인력 : 소방기술사 2명 이상

(3) 내진설계를 적용하는 소방설비

옥내소화전설비, 스프링클러설비, 물분무 등 소화설비

10 소방기술심의위원회

	소 속	소방청

중앙소방기술심의위원회
(중앙위원회)
	심의사항	• 화재안전기준에 관한 사항
		• 소방시설의 구조 및 원리 등에서 공법이 특수한 설계 및 시공에 관한 사항
		• 소방시설의 설계 및 공사감리의 방법에 관한 사항
		• 소방시설공사의 하자를 판단하는 기준에 관한 사항
		• 그 밖에 소방기술 등에 관하여 대통령령으로 정하는 사항
		  – 연면적 10만[m^2] 이상의 특정소방대상물에 설치된 소방시설의 설계·시공·감리의 하자 유무에 관한 사항
		  – 새로운 소방시설과 소방용품 등의 도입 여부에 관한 사항
		  – 그 밖에 소방기술과 관련하여 소방청장이 심의에 부치는 사항

중앙소방기술심의위원회 **(중앙위원회)**	자 격	• 과장급 직위 이상의 소방공무원 • 소방기술사 • 석사 이상의 소방관련 학위 소지한 사람 • 소방시설관리사 • 소방관련 법인·단체에서 소방관련업무에 5년 이상 종사한 사람 • 소방공무원 교육기관, 대학교 또는 연구소에서 소방과 관련된 교육이나 연구에 5년 이상 종사한 사람
지방소방기술심의위원회 **(지방위원회)**	소 속	특별시·광역시·특별자치시·도 및 특별자치도

	심의사항	• 소방시설에 하자가 있는지의 판단에 관한 사항
		• 그 밖에 소방기술 등에 관하여 대통령령으로 정하는 사항
		  – 연면적 10만[m^2] 미만의 특정소방대상물에 설치된 소방시설의 설계·시공·감리의 하자 유무에 관한 사항
		  – 소방본부장 또는 소방서장이 화재안전기준 또는 위험물제조소 등의 시설기준의 적용에 관하여 기술검토를 요청하는 사항
		  – 그 밖에 소방기술과 관련하여 시·도지사가 심의에 부치는 사항

11 소방대상물의 방염(방염성능기준 : 대통령령, 검사 : 소방청장)

방염성능기준 이상의 실내장식물 등을 설치하여야 하는 특정소방대상물	• 근린생활시설 중 의원, 조산원, 산후조리원, 체력단련장, 공연장 및 종교집회장
	• 건축물의 옥내에 있는 시설로서 다음의 시설
	  – 문화 및 집회시설
	  – 종교시설
	  – 운동시설(수영장은 제외)
	• 의료시설
	• 교육연구시설 중 합숙소
	• 노유자시설
	• 숙박이 가능한 수련시설
	• 숙박시설
	• 방송통신시설 중 방송국 및 촬영소
	• 다중이용업소
	• 층수가 11층 이상인 것(아파트는 제외)

방염대상물품	• 제조 또는 가공 공정에서 방염처리를 한 물품(합판·목재류의 경우에는 설치현장에서 방염처리를 한 것을 포함)으로서 다음 각 목의 어느 하나에 해당하는 것
	  – 창문에 설치하는 커튼류(블라인드를 포함)
	  – 카펫, 두께가 2[mm] 미만인 벽지류(종이벽지는 제외)
	  – 전시용 합판 또는 섬유판, 무대용 합판 또는 섬유판
	  – 암막·무대막(영화상영관에 설치하는 스크린과 가상체험 체육시설업에 설치하는 스크린을 포함)
	  – 섬유류 또는 합성수지류 등을 원료로 하여 제작된 소파·의자(단란주점영업, 유흥주점영업 및 노래연습장업의 영업장에 설치하는 것만 해당)
	• 건축물 내부의 천장이나 벽에 부착하거나 설치하는 것. 다만, 가구류(옷장, 찬장, 식탁, 식탁용 의자, 사무용 책상, 사무용 의자, 계산대 및 그 밖에 이와 비슷한 것을 말한다)와 너비 10[cm] 이하인 반자돌림대 등과 건축법에 따른 내부마감재료는 제외
	  – 종이류(두께 2[mm] 이상인 것을 말한다)·합성수지류 또는 섬유류를 주원료로 한 물품
	  – 합판이나 목재
	  – 간이 칸막이
	  – 흡음재(흡음용 커튼을 포함) 또는 방음재(방음용 커튼을 포함)

방염성능기준	• 버너의 불꽃을 제거한 때부터 불꽃을 올리며 연소하는 상태가 그칠 때까지 시간 : 20초 이내 • 버너의 불꽃을 제거한 때부터 불꽃을 올리지 아니하고 연소하는 상태가 그칠 때까지 시간 : 30초 이내 • 탄화면적 : 50[cm^2] 이내 • 탄화길이 : 20[cm] 이내 • 불꽃에 완전히 녹을 때까지 불꽃의 접촉 횟수 : 3회 이상 • 발연량을 측정하는 경우 최대 연기밀도 : 400 이하

방염대상물품의 방염성능검사 방법과 검사결과에 따른 합격표시 등에 필요한 사항 : 행정안전부령

소방청장은 방염대상물품의 방염성능검사 업무를 한국소방산업기술원에 위탁할 수 있다.

시·도지사가 실시하는 방염성능검사 : 방염대상물품 중 설치현장에서 방염처리를 하는 합판·목재

특정소방대상물의 소방시설 설치의 면제기준 중 다음 (　) 안에 알맞은 것은? [17년 4회]

> 비상경보설비 또는 단독경보형 감지기를 설치하여야 하는 특정소방대상물에 (　)를 화재안 전기준에 적합하게 설치한 경우에는 그 설비의 유효범위에서 설치가 면제된다.

① 자동화재탐지설비
② 스프링클러설비
③ 비상조명등
④ 무선통신보조설비

해설

설치가 면제되는 소방시설	설치의 면제기준
비상경보설비 또는 단독경보형 감지기	특정소방대상물에 자동화재탐지비를 화재안전기준에 적합하게 설치한 경우에는 그 설비의 유효범위에서 설치가 면제된다.
상수도소화용수설비	• 특정소방대상물의 각 부분으로부터 수평거리 140[m] 이내에 공공의 소방을 위한 소화전이 화재안전기준에 적합하게 설치되어 있는 경우에는 설치가 면제된다. • 소방본부장 또는 소방서장이 상수도소화용수설비의 설치가 곤란하다고 인정하는 경우로서 화재안전기준에 적합한 소화수조 또는 저수조가 설치되어 있거나 이를 설치하는 경우에는 그 설비의 유효범위에서 설치가 면제된다.
연결송수관설비	소방대상물에 옥외에 연결송수구 및 옥내에 방수구가 부설된 옥내소화전설비, 스프링클러설비, 간이스프링클러설비 또는 연결살수설비를 화재안전기준에 적합하게 설치한 경우에는 그 설비의 유효범위에서 설치가 면제된다. 다만, 지표면에서 최상층 방수구의 높이가 70[m] 이상인 경우에는 설치하여야 한다.
자동화재탐지설비	자동화재탐지설비의 기능(감지·수신·경보기능을 말한다)과 성능을 가진 스프링클러설비 또는 물분무 등 소화설비를 화재안전기준에 적합하게 설치한 경우에는 그 설비의 유효범위에서 설치가 면제된다.
스프링클러설비	물분무 등 소화설비
물분무 등 소화설비	차고·주차장에 스프링클러설비
간이스프링클러설비	스프링클러설비, 물분무소화설비 또는 미분무소화설비

02 화재예방, 소방시설 설치ㆍ유지 및 안전관리에 관한 법령상 특정소방대상물의 소방시설 설치의 면제기준 중 다음 (   ) 안에 알맞은 것은? [21년 1회]

> 물분무 등 소화설비를 설치하여야 하는 차고ㆍ주차장에 (   )를 화재안전기준에 적합하게 설치한 경우에는 그 설비의 유효범위에서 설치가 면제된다.

① 옥내소화전설비
② 스프링클러설비
③ 간이스프링클러설비
④ 할로겐화합물 및 불활성기체소화약제 소화설비

해설   1번 해설 참조

03 소방시설기준 적용의 특례 중 특정소방대상물의 관계인이 소방시설을 갖추어야 함에도 불구하고 관련 소방시설을 설치하지 아니할 수 있는 소방시설의 범위로 옳은 것은?(단, 화재 위험도가 낮은 특정소방대상물로서 석재, 불연성 금속, 불연성 건축재료 등의 가공공장·기계조립공장·주물공장 또는 불연성 물품을 저장하는 창고이다) [17년 1회]

① 옥외소화전 및 연결살수설비
② 연결송수관설비 및 연결살수설비
③ 자동화재탐지설비, 상수도소화용수설비 및 연결살수설비
④ 스프링클러설비, 상수도소화용수설비 및 연결살수설비

해설 소방시설을 설치하지 아니할 수 있는 소방시설의 범위

구 분	특정소방대상물	소방시설
화재안전기준을 적용하기 어려운 특정소방대상물	펄프공장의 작업장, 음료수 공장의 세정 또는 충전을 하는 작업장, 그 밖에 이와 비슷한 용도로 사용하는 것	스프링클러설비, 상수도소화용수설비 및 연결살수설비
	정수장, 수영장, 목욕장, 농예·축산·어류양식용시설, 그 밖에 이와 비슷한 용도로 사용되는 것	자동화재탐지설비, 상수도소화용수설비 및 연결살수설비
화재 위험도가 낮은 특정소방대상물	석재, 불연성금속, 불연성 건축재료 등의 가공공장·기계조립공장·주물공장 또는 불연성 물품을 저장하는 창고	옥외소화전 및 연결살수설비
	소방대가 조직되어 24시간 근무하고 있는 청사 및 차고	옥내소화전설비, 스프링클러설비, 물분무 등 소화설비, 비상방송설비, 피난기구, 소화용수설비, 연결송수관설비, 연결살수설비
자체소방대가 설치된 특정소방대상물	자체소방대가 설치된 위험물 제조소 등에 부속된 사무실	옥내소화전설비, 소화용수설비, 연결살수설비 및 연결송수관설비
화재안전기준을 달리 하여야 하는 특수한 용도 또는 구조를 가진 특정소방대상물	원자력발전소, 핵폐기물처리시설	연결송수관설비 및 연결살수설비

04 화재예방, 소방시설 설치 · 유지 및 안전관리에 관한 법률상 화재위험도가 낮은 특정소방대상물 중 소방대가 조직되어 24시간 근무하고 있는 청사 및 차고에 설치하지 아니할 수 있는 소방시설이 아닌 것은? [17년 2회, 20년 1·2회]

① 피난기구
② 비상방송설비
③ 연결송수관설비
④ 자동화재탐지설비

해설 3번 해설 참조

05 화재예방, 소방시설 설치 · 유지 및 안전관리에 관한 법령상 펄프공장의 작업장, 음료수 공장의 충전을 하는 작업장 등과 같이 화재안전기준을 적용하기 어려운 특정소방대상물에 설치하지 아니할 수 있는 소방시설의 종류가 아닌 것은? [21년 2회]

① 상수도소화용수설비
② 스프링클러설비
③ 연결송수관설비
④ 연결살수설비

해설 3번 해설 참조

핵심
예제

06 화재예방, 소방시설 설치 · 유지 및 안전관리에 관한 법령상 주택의 소유자가 소방시설을 설치하여야 하는 대상이 아닌 것은? [20년 4회]

① 아파트
② 연립주택
③ 다세대주택
④ 다가구주택

해설 주택의 소유자가 소방시설을 설치하여야 하는 대상
• 단독주택
• 공동주택(아파트 및 기숙사는 제외한다)

07 화재예방, 소방시설 설치·유지 및 안전관리에 관한 법률상 화재안전기준을 달리 적용하여야 하는 특수한 용도 또는 구조를 가진 특정소방대상물인 원자력발전소에 설치하지 아니할 수 있는 소방시설은? [18년 1회]

① 물분무 등 소화설비

② 스프링클러설비

③ 상수도소화용수설비

④ 연결살수설비

해설   3번 해설 참조

08 화재예방, 소방시설 설치·유지 및 안전관리에 관한 법령에 따른 화재안전기준을 달리 적용하여야 하는 특수한 용도 또는 구조를 가진 특정소방대상물 중 핵폐기물처리시설에 설치하지 아니할 수 있는 소방시설은? [18년 4회]

① 소화용수설비

② 옥외소화전설비

③ 물분무 등 소화설비

④ 연결송수관설비 및 연결살수설비

해설   3번 해설 참조

09 화재예방, 소방시설 설치·유지 및 안전관리에 관한 법령에 따른 성능위주설계를 할 수 있는 자의 설계범위 기준 중 틀린 것은?　　　　　　　　[18년 4회]

① 연면적 30,000[m²] 이상인 특정소방대상물로서 공항시설

② 연면적 100,000[m²] 이상인 특정소방대상물(단, 아파트 등은 제외)

③ 지하층을 포함한 층수가 30층 이상인 특정소방대상물(단, 아파트 등은 제외)

④ 하나의 건축물에 영화상영관이 10개 이상인 특정소방대상물

> 해설　성능위주설계를 해야 하는 특정소방대상물의 범위
> ① 연면적 20만[m²] 이상인 특정소방대상물[다만, 공동주택 중 주택으로 쓰이는 층수가 5층 이상인 주택(아파트 등)은 제외]
> ② 다음 각 목의 특정소방대상물
> 　㉠ 50층 이상(지하층은 제외한다)이거나 지상으로부터 높이가 200[m] 이상인 아파트 등
> 　㉡ 30층 이상(지하층을 포함한다)이거나 지상으로부터 높이가 120[m] 이상인 특정소방대상물(아파트 등은 제외한다)
> ③ 연면적 3만[m²] 이상인 특정소방대상물로서 다음 각 목의 어느 하나에 해당하는 특정소방대상물
> 　㉠ 철도 및 도시철도 시설
> 　㉡ 공항시설
> ④ 하나의 건축물에 영화상영관이 10개 이상인 특정소방대상물
> ⑤ 지하연계 복합건축물에 해당하는 특정소방대상물

10 성능위주설계를 실시하여야 하는 특정소방대상물의 범위 기준으로 틀린 것은?　　[17년 1회]

① 연면적 200,000[m²] 이상인 특정소방대상물(아파트 등은 제외)

② 지하층을 포함한 층수가 30층 이상인 특정소방대상물(아파트 등은 제외)

③ 건축물의 높이가 120[m] 이상인 특정소방대상물(아파트 등은 제외)

④ 하나의 건축물에 영화상영관이 5개 이상인 특정소방대상물

> 해설　9번 해설 참조

11 대통령령으로 정하는 특정소방대상물의 소방시설 중 내진설계 대상이 아닌 것은? [17년 4회]

① 옥내소화전설비

② 스프링클러설비

③ 미분무소화설비

④ 연결살수설비

> 해설　내진설계를 적용하는 소방설비
> 옥내소화전설비, 스프링클러설비, 물분무 등 소화설비

12 화재예방, 소방시설 설치·유지 및 안전관리에 관한 법령상 중앙소방기술심의위원회의 심의사항이 아닌 것은?　　　　　　　　　　　　　　　　　　　　　　　　[18년 1회]

① 화재안전기준에 관한 사항
② 소방시설의 설계 및 공사감리의 방법에 관한 사항
③ 소방시설의 하자가 있는지의 판단에 관한 사항
④ 소방시설의 구조 및 원리 등에서 공법이 특수한 설계 및 시공에 관한 사항

> **해설**　**중앙소방기술심의위원회(중앙위원회)**

소 속	소방청
심의사항	• 화재안전기준에 관한 사항 • 소방시설의 구조 및 원리 등에서 공법이 특수한 설계 및 시공에 관한 사항 • 소방시설의 설계 및 공사감리의 방법에 관한 사항 • 소방시설공사의 하자를 판단하는 기준에 관한 사항 • 그 밖에 소방기술 등에 관하여 대통령령으로 정하는 사항 　－ 연면적 10만[m²] 이상의 특정소방대상물에 설치된 소방시설의 설계·시공·감리의 하자 유무에 관한 사항 　－ 새로운 소방시설과 소방용품 등의 도입 여부에 관한 사항 　－ 그 밖에 소방기술과 관련하여 소방청장이 심의에 부치는 사항

**핵심
예제**

13 화재예방, 소방시설 설치·유지 및 안전관리에 관한 법령에 따른 방염성능기준 이상의 실내 장식물 등을 설치하여야 하는 특정소방대상물의 기준 중 틀린 것은?　　　　　[18년 4회]

① 건축물의 옥내에 있는 시설로서 종교시설
② 층수가 11층 이상인 아파트
③ 의료시설 중 종합병원
④ 노유자시설

> **해설**　**방염성능기준 이상의 실내장식물 등을 설치하여야 하는 특정소방대상물**
> • 근린생활시설 중 의원, 조산원, 산후조리원, 체력단련장, 공연장 및 종교집회장
> • 건축물의 옥내에 있는 시설로서 다음의 시설
> 　－ 문화 및 집회시설
> 　－ 종교시설
> 　－ 운동시설(수영장은 제외)
> • 의료시설
> • 교육연구시설 중 합숙소
> • 노유자시설
> • 숙박이 가능한 수련시설
> • 숙박시설
> • 방송통신시설 중 방송국 및 촬영소
> • 다중이용업소
> • 층수가 11층 이상인 것(아파트는 제외)

　　　　　　　　　　　　　　　　　　　　12 ③　13 ②　정답

14 방염성능기준 이상의 실내장식물 등을 설치해야 하는 특정소방대상물이 아닌 것은?

[17년 4회]

① 건축물 옥내에 있는 종교시설
② 방송통신시설 중 방송국 및 촬영소
③ 층수가 11층 이상인 아파트
④ 숙박이 가능한 수련시설

해설 13번 해설 참조

핵심
예제

15 화재예방, 소방시설 설치 · 유지 및 안전관리에 관한 법령상 시 · 도지사가 실시하는 방염성능 검사 대상으로 옳지 않은 것은?

[17년 2회]

① 설치 현장에서 방염처리를 하는 합판 · 목재
② 제조 또는 가공 공정에서 방염처리를 한 카펫
③ 제조 또는 가공 공정에서 방염처리를 한 창문에 설치하는 블라인드
④ 설치 현장에서 방염처리를 하는 암막 · 무대막

해설 **방염대상물품**
• 제조 또는 가공 공정에서 방염처리를 한 물품(합판 · 목재류의 경우에는 설치현장에서 방염처리를 한 것을 포함)으로서 다음 각 목의 어느 하나에 해당하는 것
  – 창문에 설치하는 커튼류(블라인드를 포함)
  – 카펫, 두께가 2[mm] 미만인 벽지류(종이벽지는 제외)
  – 전시용 합판 또는 섬유판, 무대용 합판 또는 섬유판
  – 암막 · 무대막(영화상영관에 설치하는 스크린과 가상체험 체육시설업에 설치하는 스크린을 포함)
  – 섬유류 또는 합성수지류 등을 원료로 하여 제작된 소파 · 의자(단란주점영업, 유흥주점영업 및 노래연습장업의 영업장에 설치하는 것만 해당)
• 건축물 내부의 천장이나 벽에 부착하거나 설치하는 것. 다만, 가구류(옷장, 찬장, 식탁, 식탁용 의자, 사무용 책상, 사무용 의자, 계산대 및 그 밖에 이와 비슷한 것을 말한다)와 너비 10[cm] 이하인 반자돌림대 등과 건축법에 따른 내부마감재료는 제외
  – 종이류(두께 2[mm] 이상인 것을 말한다) · 합성수지류 또는 섬유류를 주원료로 한 물품
  – 합판이나 목재
  – 간이 칸막이
  – 흡음재(흡음용 커튼을 포함) 또는 방음재(방음용 커튼을 포함)

안심Touch

16 소방대상물의 방염 등과 관련하여 방염성능기준은 무엇으로 정하는가? [19년 4회]

① 대통령령
② 행정안전부령
③ 소방청훈련
④ 소방청예규

해설 소방대상물의 방염
• 방염성능기준 : 대통령령
• 검사 : 소방청장

17 특정소방대상물에서 사용하는 방염대상물품의 방염성능검사 방법과 검사결과에 따른 합격
표시 등에 필요한 사항은 무엇으로 정하는가? [17년 2회]

① 대통령령
② 행정안전부령
③ 소방청장령
④ 시·도의 조례

해설 방염대상물품의 방염성능검사 방법과 검사결과에 따른 합격표시 등에 필요한 사항 : 행정안전부령

12 소방대상물의 안전관리

(1) 안전관리 대상 및 자격

구 분	대상물	자 격
특 급	동·식물원, 철강 등 불연성 물품을 저장·취급하고 창고, 위험물제조소 등, 지하구를 제외한 것 • 50층 이상(지하층은 제외)이거나 지상으로부터 높이가 200[m] 이상인 아파트 • 30층 이상(지하층을 포함)이거나 지상으로부터 높이가 120[m] 이상인 특정소방대상물(아파트는 제외) • 연면적이 20만[m²] 이상인 특정소방대상물(아파트는 제외)	• 소방기술사 또는 소방시설관리사의 자격이 있는 사람 • 소방설비기사 + 5년 이상 1급 소방안전관리대상물의 소방안전관리자로 근무한 실무경력 • 소방설비산업기사 + 7년 이상 1급 소방안전관리대상물의 소방안전관리자로 근무한 실무경력 • 소방공무원으로 20년 이상 근무한 경력 • 특급 소방안전관리대상물의 소방안전관리에 관한 시험에 합격한 사람
1급	동·식물원, 철강 등 불연성 물품을 저장·취급하는 창고, 위험물제조소 등, 지하구와 특급소방안전관리대상물을 제외한 것 • 30층 이상(지하층은 제외)이거나 지상으로부터 높이가 120[m] 이상인 아파트 • 연면적 15,000[m²] 이상인 특정소방대상물(아파트는 제외) • 층수가 11층 이상인 특정소방대상물(아파트는 제외) • 가연성 가스를 1,000[t] 이상 저장·취급하는 시설	• 소방설비기사 또는 소방설비산업기사의 자격이 있는 사람 • 산업안전기사 또는 산업안전산업기사 + 2년 이상 2급 소방안전관리대상물 또는 3급 소방안전관리대상물의 소방안전관리자로 근무한 실무경력 • 소방공무원으로 7년 이상 근무한 경력이 있는 사람 • 위험물기능장·위험물산업기사 또는 위험물기능사 자격을 가진 사람으로서 위험물안전관리자로 선임된 사람 • 가스안전관리자로 선임된 사람 • 전기안전관리자로 선임된 사람 • 1급 소방안전관리대상물의 소방안전관리에 관한 시험에 합격한 사람
2급	특급 소방안전관리대상물과 1급 소방안전관리대상물을 제외한 다음에 해당하는 것 • 옥내소화전설비, 스프링클러설비, 간이스프링클러설비, 물분무 등 소화설비가 설치된 특정소방대상물(호스릴방식의 물분무 등 소화설비만을 설치한 경우는 제외) • 가스 제조설비를 갖추고 도시가스사업의 허가를 받아야 하는 시설 또는 가연성 가스를 100[t] 이상 1,000[t] 미만 저장·취급하는 시설 • 지하구 • 공동주택 • 보물 또는 국보로 지정된 목조건축물	• 건축사·산업안전기사·산업안전산업기사·건축기사·건축산업기사·일반기계기사·전기기능장·전기기사·전기산업기사·전기공사기사 또는 전기공사산업기사 자격을 가진 사람 • 위험물기능장·위험물산업기사 또는 위험물기능사 자격을 가진 사람 • 광산보안기사 또는 광산보안산업기사 자격을 가진 사람으로서 광산안전관리직원(안전관리자 또는 안전감독자만 해당한다)으로 선임된 사람 • 소방공무원으로 3년 이상 근무한 경력이 있는 사람 • 2급 소방안전관리대상물의 소방안전관리에 관한 시험에 합격한 사람
3급	자동화재탐지설비 설치대상	• 소방공무원으로 1년 이상 근무한 경력이 있는 사람 • 3급 소방안전관리대상물의 소방안전관리에 관한 시험에 합격한 사람

구 분	대상물	자 격
소방안전관리 보조자	아파트(300세대 이상인 아파트만 해당)	1명. 다만, 초과되는 300세대마다 1명 이상을 추가로 선임
	연면적이 15,000$[m^2]$ 이상인 특정소방대상물(아파트 제외)	1명. 다만, 초과되는 연면적 15,000$[m^2]$(특정소방대상물의 방재실에 자위소방대가 24시간 상시 근무하고 소방장비관리법 시행령 별표 1 제1호 가목에 따른 소방자동차 중 소방펌프차, 소방물탱크차, 소방화학차 또는 무인방수차를 운용하는 경우에는 30,000$[m^2]$)마다 1명 이상을 추가로 선임해야 한다)
	• 공동주택 중 기숙사 • 의료시설 • 노유자시설 • 수련시설 • 숙박시설(숙박시설로 사용되는 바닥면적의 합계가 1,500$[m^2]$ 미만이고 관계인이 24시간 상시 근무하고 있는 숙박시설은 제외)	1명

(2) 소방안전관리

① 선 임

소방안전관리자선임	선임권자	관계인
	선임기간	30일 이내 선임
	신 고	선임한 날로부터 14일 이내에 소방본부장 또는 소방서장에게 신고
	선임기준	• 신축·증축·개축·재축·대수선 또는 용도 변경으로 신규로 선임하는 경우 : 완공일 • 증축 또는 용도변경으로 특급, 1급 또는 2급 소방안전관리대상물로 된 경우 : 증축공사의 완공일 또는 용도변경사실을 건축물관리대장에게 기재한 날 • 양수, 경매, 환가, 매각 등 관계인이 권리를 취득한 경우 : 해당 권리를 취득한 날 또는 관할 소방서장으로부터 소방안전관리자 선임안내를 받은 날 • 공동소방안전관리 특정소방대상물의 경우 : 소방본부장 또는 소방서장이 공동소방안전관리 대상으로 지정한 날 • 소방안전관리자 해임한 경우 : 소방안전관리자를 해임한 날

② 업 무

특정소방대상물(소방안전관리 대상물은 제외)의 관계인과 소방안전관리대상물의 소방안전관리자의 업무	• 피난계획에 관한 사항과 소방계획서의 작성 및 시행 • 자위소방대(自衛消防隊) 및 초기대응체계의 구성·운영·교육 • 피난시설, 방화구획 및 방화시설의 유지·관리 • 소방훈련 및 교육 • 소방시설이나 그 밖의 소방 관련 시설의 유지·관리 • 화기(火氣) 취급의 감독 • 그 밖에 소방안전관리에 필요한 업무
소방안전관리대상물의 소방안전관리자의 업무	• 피난계획에 관한 사항과 소방계획서의 작성 및 이행 • 자위소방대 및 초기대응체계의 구성·운영·교육 • 소방훈련 및 교육

③ 공동소방안전관리 선임대상물

  ⊙ 고층 건축물(지하층을 제외한 층수가 11층 이상인 건축물만 해당)

  ⓛ 지하가

  ⓒ 그 밖에 대통령령으로 정하는 특정소방대상물

    • 복합건축물로서 연면적이 5,000[m^2] 이상인 것 또는 층수가 5층 이상인 것

    • 도매시장, 소매시장 및 전통시장

    • 소방본부장 또는 소방서장이 지정하는 것

13 소방시설 등의 점검

소방시설 자체 점검자	관계인, 관리업자, 소방안전관리자로 선임된 소방시설관리사 및 소방기술사	
자체점검 시 기술인력 참여기준	작동기능점검(소방안전관리대상물) 및 종합정밀점검 : 소방시설관리사와 보조인력	
	그 밖의 작동기능점검 : 소방시설관리사 또는 보조인력	
점검결과보고서 제출	작동기능점검	소방안전관리대상물, 공공기관에 작동기능점검을 실시한 자는 7일 이내 작동기능점검결과보고서를 소방본부장 또는 소방서장에게 제출
	종합정밀점검	7일 이내 소방시설 등 점검결과보고서에 소방시설 등 점검표를 첨부하여 소방본부장 또는 소방서장에게 제출
	결과보고서 자체 보관기간	2년
점검인력 1단위	• 소방시설관리사 1명과 보조인력 2명을 점검인력 1단위 • 점검인력 1단위에 2명(같은 건축물을 점검할 때에는 4명) 이내의 보조인력을 추가할 수 있다. 다만, 소규모점검의 경우에는 보조인력 1명을 점검인력 • 하루 동안 점검할 수 있는 연면적 ① 종합정밀점검 : 10,000[m^2] ② 작동기능점검 : 12,000[m^2](소규모 점검의 경우 : 3,500[m^2])	

구 분	작동기능점검 내용	종합정밀점검 내용
정 의	소방시설 등을 인위적으로 조작하여 정상적으로 작동하는지를 점검하는 것	소방시설 등의 작동기능점검을 포함하여 소방시설 설비별 주요 구성 부품의 구조기준이 법 제9조 제1항에 따라 소방청장이 정하여 고시하는 화재안전기준 및 건축법 등 관련 법령에서 정하는 기준에 적합한지 여부를 점검하는 것을 말한다.
대 상	영 제5조에 따른 특정소방대상물을 대상으로 한다(다만, 다음 어느 하나에 해당하는 특정소방대상물 제외). • 위험물제조소 등과 영 별표 5에 따라 소화기구만을 설치하는 특정소방대상물 • 영 제22조 제1항 제1호에 해당하는 특정소방대상물(30층 이상, 높이 120[m] 이상 또는 연면적 20만[m²] 이상인 특급소방안전관리대상물)	• 스프링클러설비가 설치된 특정소방대상물 • 물분무 등 소화설비(호스릴 방식은 제외)가 설치된 연면적 5,000[m²] 이상인 특정소방대상물(위험물제조소 등은 제외) • 다중이용업소의 안전관리에 관한 특별법 시행령 제2조 제1호 나목(단란주점영업과 유흥주점영업), 같은 조 제2호[영화상영관, 비디오물감상실업, 복합영상물제공업(비디오물소극장업은 제외)], 제6호(노래연습장업), 제7호(산후조리원업), 제7호의2(고시원업), 제7호의5(안마시술소)의 다중이용업의 영업장이 설치된 특정소방대상물로서 연면적이 2,000[m²] 이상인 것 • 제연설비가 설치된 터널 • 공공기관의 소방안전관리에 관한 규정 제2조에 따른 공공기관 중 연면적(터널·지하구의 경우 그 길이와 평균폭을 곱하여 계산된 값을 말한다)이 1,000[m²] 이상인 것으로서 옥내소화전설비 또는 자동화재탐지설비가 설치된 것(다만, 소방기본법 제2조 제5호에 따른 소방대가 근무하는 공공기관은 제외)
점검자의 자격	해당 특정소방대상물의 관계인·소방안전관리자 또는 소방시설관리업자(소방시설관리사를 포함하여 등록된 기술인력을 말한다)가 점검할 수 있다(이 경우 소방시설관리업자가 점검하는 경우에는 별표 2에 따른 점검인력 배치기준을 따라야 한다).	• 소방시설관리업자(소방시설관리사가 참여한 경우만 해당) 또는 소방안전관리자로 선임된 소방시설관리사·소방기술사 1명 이상을 점검자로 한다. • 소방시설관리업자가 점검을 하는 경우에는 별표 2에 따른 점검인력 배치기준을 따라야 한다. • 소방안전관리자로 선임된 소방시설관리사·소방기술사가 점검하는 경우에는 영 제23조 제1항부터 제3항까지의 어느 하나에 해당하는 소방안전관리자의 자격을 갖춘 사람을 보조 점검자로 둘 수 있다.
점검방법	별표 2의2에 따른 점검장비를 이용하여 점검할 수 있다.	시행규칙 별표 2의2에 따른 점검장비를 이용하여 점검하여야 한다.
점검횟수	연 1회 이상 실시한다.	㉠ 연 1회 이상(30층 이상, 높이 120[m] 이상 또는 연면적 20만[m²] 이상인 특급소방대상물은 반기별로 1회 이상) 실시한다. ㉡ ㉠에도 불구하고 소방본부장 또는 소방서장은 소방청장이 소방안전관리가 우수하다고 인정한 특정소방대상물에 대해서는 3년의 범위 내에서 소방청장이 고시하거나 정한 기간 동안 종합정밀점검을 면제할 수 있다(다만, 면제기간 중 화재가 발생한 경우는 제외).
점검한도면적	12,000[m²] 소규모 점검일 경우 3,500[m²]	10,000[m²]
보조인력 1명 추가 시 추가 면적	3,500[m²]	3,000[m²]
세대수	350세대(소규모 90세대)	300세대

구 분	작동기능점검 내용	종합정밀점검 내용
보조인력 1명 추가 시 추가 세대수	90세대	70세대
점검장비	소방시설	장 비
	공통시설	방수압력측정계, 절연저항계(절연저항측정기), 전류전압측정계
	소화기구	저 울
	옥내소화전설비	소화전밸브압력계
	옥외소화전설비	
	스프링클러설비	헤드결합렌치
	포소화설비	
	이산화탄소소화설비	검량계, 기동관누설시험기, 그 밖에 소화약제의 저장량을 측정할 수 있는 점검기구
	분말소화설비	
	할론소화설비	
	할로겐화합물 및 불활성기체불활성기체(다른 원소와 화학반응을 일으키기 어려운 기체)소화설비	
	자동화재탐지설비	열감지기시험기, 연(煙)감지기시험기, 공기주입시험기, 감지기시험기연결폴대, 음량계
	시각경보기	
	누전경보기	누전계
	무선통신보조설비	무선기
	제연설비	풍속풍압계, 폐쇄력측정기, 차압계(압력차 측정기)
	통로유도등	조도계
	비상조명등	

14 소방시설관리업

관리업의 업무	소방안전관리업무의 대행 또는 소방시설 등의 점검 및 유지·관리의 업
관리업의 등록 및 등록사항의 변경신고	시·도지사
기술, 인력, 장비 등 등록기준에 필요한 사항	대통령령
등록의 결격사유	• 피성년후견인 • 이 법, 소방기본법, 소방시설공사업법 또는 위험물안전관리법에 따른 금고 이상의 실형을 선고받고 그 집행이 끝나거나(집행이 끝난 것으로 보는 경우를 포함한다) 집행이 면제된 날부터 2년이 지나지 아니한 사람 • 이 법, 소방기본법, 소방시설공사업법 또는 위험물안전관리법에 따른 금고 이상의 형의 집행유예를 선고받고 그 유예기간 중에 있는 사람 • 관리업의 등록이 취소된 날부터 2년이 지나지 아니한 사람
등록신청 시 첨부서류	• 소방시설관리업 등록신청서 • 기술인력연명부 및 기술자격증(자격수첩)
소방시설관리업의 등록 인력기준	• 주된 기술인력 : 소방시설관리사 1명 이상 • 보조 기술인력 : 2명 이상 　– 소방설비기사 또는 소방설비산업기사 　– 소방공무원으로 3년 이상 근무한 사람 　– 소방 관련 학과의 학사학위를 취득한 사람 　– 행정안전부령으로 정하는 소방기술과 관련된 자격·경력 및 학력이 있는 사람
등록사항의 변경 신고사항	• 명칭 : 상호 또는 영업소소재지 • 대표자 • 기술인력
등록사항의 변경신고 시 첨부서류	• 명칭·상호 또는 영업소 소재지를 변경하는 경우 : 소방시설관리업 등록증 및 등록수첩 • 대표자를 변경하는 경우 : 소방시설관리업등록증 및 등록수첩 • 기술인력을 변경하는 경우 　– 소방시설관리업등록수첩 　– 변경된 기술인력의 기술자격증(자격수첩) 　– 기술인력연명부
등록사항의 변경 신고기한	변경일로부터 30일 이내
지위승계	• 관리업자가 사망한 경우 그 상속인 • 관리업자가 그 영업을 양도한 경우 그 양수인 • 법인인 관리업자가 합병한 경우 합병 후 존속하는 법인이나 합병으로 설립되는 법인
지위승계 신고기한	30일 이내(시·도지사에게 제출)
관계인에게 지체없이 통보하여야 하는 경우	• 관리업자의 지위를 승계한 경우 • 관리업의 등록취소 또는 영업정지처분을 받은 경우 • 휴업 또는 폐업을 한 경우
지위승계 시 첨부서류	• 소방시설관리업등록증 및 등록수첩 • 계약서사본 등 지위승계를 증명하는 서류 1부 • 소방기술인명부 및 기술자격증(자격수첩)

소방시설관리업의 등록의 취소와 6개월 이내의 영업정지	• 거짓이나 그 밖의 부정한 방법으로 등록을 한 경우(등록취소) • 점검을 하지 아니하거나 점검결과를 거짓으로 보고한 경우 • 등록기준에 미달하게 된 경우 • 등록의 결격사유에 해당하게 된 경우(법인으로서 결격사유에 해당하게 된 날부터 2개월 이내에 그 임원을 결격사유가 없는 임원으로 바꾸어 선임한 경우는 제외한다)(등록취소) • 다른 자에게 등록증이나 등록수첩을 빌려준 경우(등록취소)
과징금 처분권자	시·도지사

※ 소방시설관리사

시험실시권자	소방청장
시험공고	응시자격 등 필요한 사항을 시험 시행일 90일 전까지 소방청 홈페이지 등에 공고할 것
시 행	관리사 시험은 1년에 1회 시행을 원칙으로 한다.
시험응시자격	• 소방기술사·위험물기능장·건축사·건축기계설비기술사·건축전기설비기술사 또는 공조냉동기계기술사 • 소방설비기사 자격 + 2년 이상 소방실무경력 • 소방설비산업기사 자격 + 3년 이상 소방실무경력 • 이공계 분야를 전공한 사람으로서 다음 각 목의 어느 하나에 해당하는 사람 　- 이공계 분야의 박사학위를 취득한 사람 　- 이공계 분야의 석사학위를 취득한 후 2년 이상 소방실무경력이 있는 사람 　- 이공계 분야의 학사학위를 취득한 후 3년 이상 소방실무경력이 있는 사람 • 소방안전공학(소방방재공학, 안전공학을 포함한다) 분야를 전공한 후 다음의 어느 하나에 해당하는 사람 　- 해당 분야의 석사학위 이상을 취득한 사람 　- 2년 이상 소방실무경력이 있는 사람 • 위험물산업기사 또는 위험물기능사 자격 + 3년 이상 소방실무경력 • 소방공무원 + 5년 이상 근무한 경력 • 소방안전 관련 학과의 학사학위를 취득 + 3년 이상 소방실무경력 • 산업안전기사 자격을 취득 + 3년 이상 소방실무경력 • 다음의 어느 하나에 해당하는 사람 　- 특급 소방안전관리자 + 2년 이상 　- 1급 소방안전관리자 + 3년 이상 　- 2급 소방안전관리자 + 5년 이상 　- 3급 소방안전관리자 + 7년 이상 　- 10년 이상 소방실무경력이 있는 사람
결격사유	• 피성년후견인 • 이 법, 소방기본법, 소방시설공사업법 또는 위험물안전관리법에 따른 금고 이상의 실형을 선고받고 그 집행이 끝나거나(집행이 끝난 것으로 보는 경우를 포함한다) 집행이 면제된 날부터 2년이 지나지 아니한 사람 • 이 법, 소방기본법, 소방시설공사업법 또는 위험물안전관리법에 따른 금고 이상의 형의 집행유예를 선고받고 그 유예기간 중에 있는 사람 • 자격이 취소된 날부터 2년이 지나지 아니한 사람
자격의 취소	• 거짓이나 그 밖의 부정한 방법으로 시험에 합격한 경우 • 소방시설관리사증을 다른 자에게 빌려준 경우 • 동시에 둘 이상의 업체에 취업한 경우 • 관리사의 결격사유에 해당하는 경우
시험위원	• 소방 관련 분야의 박사학위를 가진 사람 • 대학에서 소방안전 관련 학과 조교수 이상으로 2년 이상 재직한 사람 • 소방위 또는 지방소방위 이상의 소방공무원 • 소방시설관리사 • 소방기술사

01 1급 소방안전관리대상물에 대한 기준이 아닌 것은?(단, 동·식물원, 철강 등 불연성 물품을 저장·취급하는 창고, 위험물 저장 및 처리 시설 중 위험물제조소 등, 지하구를 제외한 것이다) [17년 14회]

① 연면적 15,000[m²] 이상인 특정소방대상물(아파트는 제외)

② 150세대 이상으로서 승강기가 설치된 공동주택

③ 가연성 가스를 1,000[t] 이상 저장·취급하는 시설

④ 30층 이상(지하층은 제외)이거나 지상으로부터 높이가 120[m] 이상인 아파트

해설 1급 소방안전관리대상물의 소방안전관리자 선임자격

대상물	자 격
동·식물원, 철강 등 불연성 물품을 저장·취급하는 창고, 위험물제조소 등, 지하구와 특급소방안전관리대상물을 제외한 것 • 30층 이상(지하층은 제외)이거나 지상으로부터 높이가 120[m] 이상인 아파트 • 연면적 15,000[m²] 이상인 특정소방대상물(아파트는 제외) • 층수가 11층 이상 특정소방대상물(아파트는 제외) • 가연성 가스를 1,000[t] 이상 저장·취급하는 시설	• 소방설비기사 또는 소방설비산업기사의 자격이 있는 사람 • 산업안전기사 또는 산업안전산업기사 + 2년 이상 2급 소방안전관리대상물 또는 3급 소방안전관리대상물의 소방안전관리자로 근무한 실무경력 • 소방공무원으로 7년 이상 근무한 경력이 있는 사람 • 위험물기능장·위험물산업기사 또는 위험물기능사 자격을 가진 사람으로서 위험물안전관리자로 선임된 사람 • 가스안전관리자로 선임된 사람 • 전기안전관리자로 선임된 사람 • 1급 소방안전관리대상물의 소방안전관리에 관한 시험에 합격한 사람

02 화재예방, 소방시설 설치·유지 및 안전관리에 관한 법령상 1급 소방안전관리대상물에 해당하는 건축물은? [20년 3회]

① 지하구

② 층수가 15층인 공공업무시설

③ 연면적 15,000[m²] 이상인 동물원

④ 층수가 20층이고, 지상으로부터 높이가 100[m]인 아파트

해설 1번 해설 참조

03 1급 소방안전관리대상물이 아닌 것은? [19년 1회]

① 15층인 특정소방대상물(아파트는 제외한다)
② 가연성 가스를 2,000[t] 저장·취급하는 시설
③ 21층인 아파트로서 300세대인 것
④ 연면적 20,000[m²]인 문화집회시설 및 운동시설

해설 1번 해설 참조

04 2급 소방안전관리대상물의 소방안전관리자 선임 기준으로 틀린 것은? [17년 4회]

① 전기공사산업기사 자격을 가진 자
② 소방공무원으로 3년 이상 근무한 경력이 있는 자
③ 의용소방대원으로 2년 이상 근무한 경력이 있는 자
④ 위험물산업기사 자격을 가진 자

해설 **2급 소방안전관리대상물의 소방안전관리자 선임자격**

대상물	자격
특급 소방안전관리대상물과 1급 소방안전관리대상물을 제외한 다음에 해당하는 것 • 옥내소화전설비, 스프링클러설비, 간이스프링클러설비, 물분무 등 소화설비가 설치된 특정소방대상물(호스릴방식의 물분무 등 소화설비만을 설치한 경우는 제외) • 가스 제조설비를 갖추고 도시가스사업의 허가를 받아야 하는 시설 또는 가연성 가스를 100[t] 이상 1,000[t] 미만 저장·취급하는 시설 • 지하구 • 공동주택 • 보물 또는 국보로 지정된 목조건축물	• 건축사 · 산업안전기사 · 산업안전산업기사 · 건축기사 · 건축산업기사 · 일반기계기사 · 전기기능장 · 전기기사 · 전기산업기사 · 전기공사기사 또는 전기공사산업기사 자격을 가진 사람 • 위험물기능장 · 위험물산업기사 또는 위험물기능사 자격을 가진 사람 • 광산보안기사 또는 광산보안산업기사 자격을 가진 사람으로서 광산안전관리직원(안전관리자 또는 안전감독자만 해당한다)으로 선임된 사람 • 소방공무원으로 3년 이상 근무한 경력이 있는 사람 • 2급 소방안전관리대상물의 소방안전관리에 관한 시험에 합격한 사람

05 화재예방, 소방시설 설치 · 유지 및 안전관리에 관한 법령상 특정소방대상물의 관계인은 소방안전관리자를 기준일로부터 30일 이내에 선임하여야 한다. 다음 중 기준일로 틀린 것은?

[21년 1회]

① 소방안전관리자를 해임한 경우 : 소방안전관리자를 해임한 날
② 특정소방대상물을 양수하여 관계인의 권리를 취득한 경우 : 해당 권리를 취득한 날
③ 신축으로 해당 특정소방대상물의 소방안전관리자를 신규로 선임하여야 하는 경우 : 해당 특정소방대상물의 완공일
④ 증축으로 인하여 특정소방대상물이 소방안전관리대상물로 된 경우 : 증축공사의 개시일

해설 **소방안전관리자 선임**

선임권자	관계인
선임기간	30일 이내 선임
신 고	선임한 날로부터 14일 이내에 소방본부장 또는 소방서장에게 신고
선임기준	• 신축 · 증축 · 개축 · 재축 · 대수선 또는 용도 변경으로 신규로 선임하는 경우 : 완공일 • 증축 또는 용도변경으로 특급, 1급 또는 2급 소방안전관리대상물로 된 경우 : 증축공사의 완공일 또는 용도변경사실을 건축물관리대장에게 기재한 날 • 양수, 경매, 환가, 매각 등 관계인이 권리를 취득한 경우 : 해당 권리를 취득한 날 또는 관할 소방서장으로부터 소방안전관리자 선임안내를 받은 날 • 공동소방안전관리 특정소방대상물의 경우 : 소방본부장 또는 소방서장이 공동소방안전관리 대상으로 지정한 날 • 소방안전관리자 해임한 경우 : 소방안전관리자를 해임한 날

06 화재예방, 소방시설 설치 · 유지 및 안전관리에 관한 법률상 소방안전관리대상물의 소방안전관리자의 업무가 아닌 것은?

[20년 1·2회]

① 소방시설 공사
② 소방훈련 및 교육
③ 소방계획서의 작성 및 시행
④ 자위소방대의 구성 · 운영 · 교육

해설 **특정소방대상물(소방안전관리대상물은 제외)의 관계인과 소방안전관리대상물의 소방안전관리자의 업무**
• 피난계획에 관한 사항과 소방계획서의 작성 및 시행
• 자위소방대(自衛消防隊) 및 초기대응체계의 구성 · 운영 · 교육
• 피난시설, 방화구획 및 방화시설의 유지 · 관리
• 소방훈련 및 교육
• 소방시설이나 그 밖의 소방 관련 시설의 유지 · 관리
• 화기(火氣) 취급의 감독
• 그 밖에 소방안전관리에 필요한 업무

07 화재예방, 소방시설 설치·유지 및 안전관리에 관한 법령상 특정소방대상물의 관계인이 수행하여야 하는 소방안전관리 업무가 아닌 것은? [21년 1회]

① 소방훈련의 지도·감독
② 화기(火氣) 취급의 감독
③ 피난시설, 방화구획 및 방화시설의 유지·관리
④ 소방시설이나 그 밖의 소방 관련 시설의 유지·관리

해설 6번 해설 참조

08 화재예방, 소방시설 설치·유지 및 안전관리에 관한 법령상 공동소방안전관리자를 선임해야 하는 특정소방대상물이 아닌 것은? [20년 4회]

① 판매시설 중 도매시장 및 소매시장
② 복합건축물로서 층수가 5층 이상인 것
③ 지하층을 제외한 층수가 7층 이상인 고층 건축물
④ 복합건축물로서 연면적이 5,000[m²] 이상인 것

해설 공동소방안전관리 선임대상물
• 고층 건축물(지하층을 제외한 층수가 11층 이상인 건축물만 해당)
• 지하가
• 그 밖에 대통령령으로 정하는 특정소방대상물
  – 복합건축물로서 연면적이 5,000[m²] 이상인 것 또는 층수가 5층 이상인 것
  – 도매시장, 소매시장 및 전통시장
  – 소방본부장 또는 소방서장이 지정하는 것

핵심
예제

09 화재예방, 소방시설 설치·유지 및 안전관리에 관한 법령에 따른 공동 소방안전관리자를 선임하여야 하는 특정소방대상물 중 고층 건축물은 지하층을 제외한 층수가 몇 층 이상인 건축물만 해당되는가? [18년 4회]

① 6층
② 11층
③ 20층
④ 30층

해설 8번 해설 참조

10 화재예방, 소방시설 설치·유지 및 안전관리에 관한 법령상 공동소방안전관리자 선임대상 특정소방대상물의 기준 중 틀린 것은? [18년 1회]

① 판매시설 중 상점

② 고층 건축물(지하층을 제외한 층수가 11층 이상인 건축물만 해당)

③ 지하가(지하의 인공구조물 안에 설치된 상점 및 사무실, 그 밖에 이와 비슷한 시설이 연속하여 지하도에 접하여 설치된 것과 그 지하도를 합한 것)

④ 복합건축물로서 연면적이 5,000[m²] 이상인 것 또는 층수가 5층 이상인 것

해설 8번 해설 참조

11 화재예방, 소방시설 설치·유지 및 안전관리에 관한 법령에 따른 소방안전 특별관리시설물의 안전관리 대상 전통시장의 기준 중 다음 (   ) 안에 알맞은 것은? [18년 4회]

> 전통시장으로서 대통령령이 정하는 전통시장 : 점포가 (   )개 이상인 전통시장

① 100

② 300

③ 500

④ 600

해설 대통령령이 정하는 전통시장 : 점포가 500개 이상인 전통시장

12 화재예방, 소방시설 설치·유지 및 안전관리에 관한 법령에 따른 소방안전관리대상물의 관계인 및 소방안전관리자를 선임하여야 하는 공공기관의 장은 작동기능점검을 실시한 경우 며칠 이내에 소방시설 등 작동기능점검 실시 결과 보고서를 소방본부장 또는 소방서장에게 제출하여야 하는가? [18년 4회]

① 7일

② 15일

③ 30일

④ 60일

해설 점검결과보고서 제출

작동기능점검	소방안전관리대상물, 공공기관에 작동기능점검을 실시한 자는 7일 이내 작동기능점검결과보고서를 소방본부장 또는 소방서장에게 제출
종합정밀점검	7일 이내 소방시설 등 점검결과보고서에 소방시설 등 점검표를 첨부하여 소방본부장 또는 소방서장에게 제출
결과보고서 자체 보관기간	2년

핵심예제

13 화재예방, 소방시설 설치·유지 및 안전관리에 관한 법령상 종합정밀점검 실시 대상이 되는 특정소방대상물의 기준 중 다음 (   ) 안에 알맞은 것은? [18년 1회, 21년 2회]

> 물분무 등 소화설비(호스릴방식의 소화설비는 제외)가 설치된 연면적 (   )[m²] 이상인 특정 소방대상물(위험물제조소 등은 제외)

① 1,000   ② 2,000

③ 3,000   ④ 5,000

해설

작동기능점검 내용	영 제5조에 따른 특정소방대상물을 대상으로 한다(다만, 다음 어느 하나에 해당하는 특정소방 대상물 제외). • 위험물제조소 등과 영 별표 5에 따라 소화기구만을 설치하는 특정소방대상물 • 영 제22조 제1항 제1호에 해당하는 특정소방대상물(30층 이상, 높이 120[m] 이상 또는 연면적 20만[m²] 이상인 특급소방안전관리대상물)
종합정밀점검 내용	• 스프링클러설비가 설치된 특정소방대상물 • 물분무 등 소화설비(호스릴 방식은 제외)가 설치된 연면적 5,000[m²] 이상인 특정소방대상물(위험물제조소 등은 제외) • 다중이용업소의 안전관리에 관한 특별법 시행령 제2조 제1호 나목(단란주점영업과 유흥주점영업), 같은 조 제2호[영화상영관, 비디오물감상실업, 복합영상물제공업(비디오물소극장업은 제외)], 제6호(노래연습장업), 제7호(산후조리원업), 제7호의2(고시원업), 제7호의5(안마시술소)의 다중이용업의 영업장이 설치된 특정소방대상물로서 연면적이 2,000[m²] 이상인 것 • 제연설비가 설치된 터널 • 공공기관의 소방안전관리에 관한 규정 제2조에 따른 공공기관 중 연면적(터널·지하구의 경우 그 길이와 평균폭을 곱하여 계산된 값을 말한다)이 1,000[m²] 이상인 것으로서 옥내소화전설비 또는 자동화재탐지설비가 설치된 것(다만, 소방기본법 제2조 제5호에 따른 소방대가 근무하는 공공기관은 제외)

핵심 예제

14 스프링클러설비가 설치된 소방시설 등의 자체점검에서 종합정밀점검을 받아야 하는 아파트의 기준으로 옳은 것은? [17년 4회]

① 연면적이 3,000[m²] 이상이고 층수가 11층 이상인 것만 해당

② 연면적이 3,000[m²] 이상이고 층수가 10층 이상인 것만 해당

③ 층수에 관계없이 스프링클러설비가 설치된 아파트

④ 연면적이 3,000[m²] 이상이고 할론소화설비가 설치된 것만 해당

해설 13번 해설 참조

15 화재예방, 소방시설 설치·유지 및 안전관리에 관한 법률상 소방시설 등에 대한 자체점검 중 종합정밀점검 대상인 것은? [20년 1·2회]

① 제연설비가 설치되지 않은 터널
② 스프링클러설비가 설치된 연면적이 5,000[m²]이고 12층인 아파트
③ 물분무 등 소화설비가 설치된 연면적이 5,000[m²]인 위험물 제조소
④ 호스릴방식의 물분무 등 소화설비만을 설치한 연면적 3,000[m²]인 특정소방대상물

해설 13번 해설 참조

16 화재예방, 소방시설 설치·유지 및 안전관리에 관한 법령상 소방시설 등의 자체점검 중 종합정밀점검을 받아야 하는 특정소방대상물 대상 기준으로 틀린 것은? [20년 4회]

① 제연설비가 설치된 터널
② 스프링클러설비가 설치된 특정소방대상물
③ 공공기관 중 연면적이 1,000[m²] 이상인 것으로서 옥내소화전설비 또는 자동화재탐지설비가 설치된 것(단, 소방대가 근무하는 공공기관은 제외한다)
④ 호스릴방식의 물분무 등 소화설비만이 설치된 연면적 5,000[m²] 이상인 특정소방대상물(단, 위험물 제조소 등은 제외한다)

해설 13번 해설 참조

17 화재예방, 소방시설 설치·유지 및 안전관리에 관한 법률상 소방시설 등의 자체점검 시 점검인력 배치기준 중 종합정밀점검에 대한 점검인력 1단위가 하루 동안 점검할 수 있는 특정소방대상물의 연면적 기준으로 옳은 것은?(단, 보조인력을 추가하는 경우는 제외한다) [19년 4회]

① 3,500[m²]　　　　　　　　② 7,000[m²]
③ 10,000[m²]　　　　　　　④ 12,000[m²]

해설 점검인력 1단위가 하루 동안 점검할 수 있는 특정소방대상물의 연면적
• 종합정밀점검 : 10,000[m²]
• 작동기능점검 : 12,000[m²](소규모점검의 경우 : 3,500[m²])

18 소방시설관리업자가 기술인력을 변경하는 경우, 시·도지사에게 제출하여야 하는 서류로 틀린 것은? [19년 2회]

① 소방시설관리업 등록수첩
② 변경된 기술인력의 기술자격증(자격수첩)
③ 기술인력연명부
④ 사업자등록증 사본

해설 등록사항의 변경신고 시 첨부서류
- 명칭·상호 또는 영업소 소재지를 변경하는 경우 : 소방시설관리업 등록증 및 등록수첩
- 대표자를 변경하는 경우 : 소방시설관리업등록증 및 등록수첩
- 기술인력을 변경하는 경우
  - 소방시설관리업등록수첩
  - 변경된 기술인력의 기술자격증(자격수첩)
  - 기술인력연명부

핵심
예제

19 다음 중 화재예방, 소방시설 설치·유지 및 안전관리에 관한 법령상 소방시설관리업을 등록할 수 있는 자는? [20년 3회]

① 피성년후견인
② 소방시설관리업의 등록이 취소된 날부터 2년이 경과된 자
③ 금고 이상의 형의 집행유예를 선고받고 그 유예기간 중에 있는 자
④ 금고 이상의 실형을 선고받고 그 집행이 면제된 날부터 2년이 지나지 아니한 자

해설 등록의 결격사유
- 피성년후견인
- 이 법, 소방기본법, 소방시설공사업법 또는 위험물안전관리법에 따른 금고 이상의 실형을 선고받고 그 집행이 끝나거나(집행이 끝난 것으로 보는 경우를 포함한다) 집행이 면제된 날부터 2년이 지나지 아니한 사람
- 이 법, 소방기본법, 소방시설공사업법 또는 위험물안전관리법에 따른 금고 이상의 형의 집행유예를 선고받고 그 유예기간 중에 있는 사람
- 관리업의 등록이 취소된 날부터 2년이 지나지 아니한 사람

15 소방훈련(선임된 소방안전관리자 및 소방안전관리보조자)

<table>
<tr><td rowspan="4">특정소방훈련</td><td colspan="2">종 류</td><td>소화훈련, 통보훈련, 피난훈련</td></tr>
<tr><td colspan="2">지도감독</td><td>소방본부장, 소방서장</td></tr>
<tr><td colspan="2">실시횟수</td><td>연 1회 이상</td></tr>
<tr><td colspan="2">결과 보관</td><td>2년</td></tr>
<tr><td rowspan="6">소방안전관리자</td><td rowspan="2">강 습</td><td>실시자</td><td>한국소방안전원장</td></tr>
<tr><td>실시공고</td><td>20일 전</td></tr>
<tr><td rowspan="3">실무교육</td><td>실시자</td><td>한국소방안전원장</td></tr>
<tr><td>실 시</td><td>2년마다 1회 이상</td></tr>
<tr><td>교육통보</td><td>30일 전</td></tr>
<tr><td>교육대상, 교육일정 등 계획수립</td><td>승 인</td><td>소방청장</td></tr>
</table>

16 소방용품

<table>
<tr><td rowspan="5">형식승인 등</td><td>제조, 수입 시 형식승인</td><td>소방청장</td></tr>
<tr><td>형식승인을 받으려는 자</td><td>시험시설을 갖추고 소방청장의 심사를 받아야 한다.</td></tr>
<tr><td>형식승인을 받은 자</td><td>소방청장이 실시하는 제품검사를 받아야 한다.</td></tr>
<tr><td>방법, 절차 등과 제품검사의 구분·방법·순서·합격표시 등의 사항</td><td>행정안전부령</td></tr>
<tr><td>내용 또는 행정안전부령으로 정하는 사항을 변경</td><td>소방청장의 변경 승인</td></tr>
<tr><td rowspan="4">형식승인 소방용품</td><td>소화설비를 구성하는 제품 또는 기기</td><td>• 소화기구(소화약제 외의 것을 이용한 간이소화용구는 제외)
• 자동소화장치(상업용 주방자동소화장치는 제외)
• 소화설비를 구성하는 소화전, 관창, 소방호스, 스프링클러헤드, 기동용 수압개폐장치, 유수제어밸브 및 가스관선택밸브</td></tr>
<tr><td>경보설비를 구성하는 제품 또는 기기</td><td>• 누전경보기 및 가스누설경보기
• 경보설비를 구성하는 발신기, 수신기, 중계기, 감지기 및 음향장치(경종만 해당한다)</td></tr>
<tr><td>피난구조설비를 구성하는 제품 또는 기기</td><td>• 피난사다리, 구조대, 완강기(간이완강기 및 지지대를 포함한다)
• 공기호흡기(충전기를 포함한다)
• 피난구유도등, 통로유도등, 객석유도등 및 예비전원이 내장된 비상조명등</td></tr>
<tr><td>소화용으로 사용하는 제품 또는 기기</td><td>• 소화약제
• 방염제(방염액·방염도료 및 방염성 물질)</td></tr>
</table>

소방용품의 내용연수	소방용품	분말형태의 소화약제를 사용하는 소화기
	소방용품의 내용연수	10년
	소방용품의 성능확인 검사	소방용품의 내용연한이 도래한 날의 다음 달부터 1년 이내
	성능확인 검사에 합격한 소방용품	3년 동안 사용 후 교체
우수품질인증권자	소방청장	
우수품질인증업무	한국소방산업기술원	
소방용품의 형식승인의 취소, 6개월 이내의 검사 중지	• 거짓이나 그 밖의 부정한 방법으로 형식승인을 받은 경우(형식승인 취소) • 시험시설의 시설기준에 미달되는 경우 • 거짓이나 그 밖의 부정한 방법으로 제품검사를 받은 경우(형식승인 취소) • 제품검사 시 기술기준에 미달되는 경우 • 변경승인을 받지 아니하거나 거짓, 그 밖의 부정한 방법으로 변경승인을 받은 경우(형식승인 취소)	

17 행정처분 및 벌칙

(1) 청 문

실시권자	소방청장 또는 시·도지사
실시대상	• 소방시설관리사 자격의 취소 및 정지 • 소방시설관리업의 등록취소 및 영업정지 • 소방용품의 형식승인취소 및 제품검사 중지 • 성능인증 및 우수품질인증의 취소 • 전문기관의 지정취소 및 업무정지

(2) 행정처분

소방시설관리사			
위반사항	행정처분기준		
	1차	2차	3차
거짓이나 그 밖의 부정한 방법으로 시험에 합격한 경우	자격취소		
소방안전관리업무를 하지 않거나 거짓으로 한 경우	경고(시정명령)	자격정지 6월	자격취소
점검을 하지 않거나 거짓으로 한 경우	경고(시정명령)	자격정지 6월	자격취소
소방시설관리증을 다른 사람에게 빌려준 경우	자격취소		
성실하게 자체점검업무를 수행하지 아니한 경우	경 고	자격정지 6월	자격취소
동시에 둘 이상의 업체에 취업한 경우	자격취소		
하나의 결격사유에 해당하게 된 경우	자격취소		

시설관리업			
위반사항	행정처분기준		
	1차	2차	3차
거짓, 그 밖의 부정한 방법으로 등록을 한 경우	등록취소		
점검을 하지 않거나 거짓으로 한 경우	경고(시정명령)	영업정지 3개월	등록취소
등록기준에 미달하게 된 경우. 다만, 기술인력이 퇴직하거나 해임되어 30일 이내에 재선임하여 신고하는 경우는 제외한다.	경고(시정명령)	영업정지 3개월	등록취소
다른 자에게 등록증 또는 등록수첩을 빌려준 경우	등록취소		
어느 하나의 등록의 결격사유에 해당하게 된 경우	등록취소		

(3) 벌 칙

10년 이하의 징역 또는 1억원 이하의 벌금	소방시설 폐쇄·차단 등의 행위를 하여 사람을 사망에 이르게 한 자
7년 이하의 징역 또는 7,000만원 이하의 벌금	소방시설 폐쇄·차단 등의 행위를 하여 사람을 상해에 이르게 한 자
5년 이하의 징역 또는 5,000만원 이하의 벌금	소방시설 폐쇄·차단 등의 행위를 한 자
3년 이하의 징역 또는 3,000만원 이하의 벌금	• 소방시설의 화재안전기준, 피난시설 및 방화시설의 유지·관리의 필요한 조치, 임시소방시설의 필요한 조치, 방염성능기준 미달 및 방염대상물품 제거, 소방용품의 회수·교환·폐기, 판매중지 등 규정에 따른 명령을 정당한 사유 없이 위반한 자 • 관리업의 등록을 하지 아니하고 영업을 한 자 • 소방용품의 형식승인을 받지 아니하고 소방용품을 제조하거나 수입한 자 • 소방용품의 제품검사를 받지 아니한 자
1년 이하의 징역 또는 1,000만원 이하의 벌금	• 관계인의 정당한 업무를 방해한 자, 조사·검사 업무를 수행하면서 알게 된 비밀을 제공 또는 누설하거나 목적 외의 용도로 사용한 자 • 관리업의 등록증이나 등록수첩을 다른 자에게 빌려준 자 • 영업정지처분을 받고 그 영업정지기간 중에 관리업의 업무를 한 자 • 소방시설 등에 대한 자체점검을 하지 아니하거나 관리업자 등으로 하여금 정기적으로 점검하게 하지 아니한 자 • 소방시설관리사증을 다른 자에게 빌려주거나 동시에 둘 이상의 업체에 취업한 사람 • 제품검사에 합격하지 아니한 제품에 합격표시를 하거나 합격표시를 위조 또는 변조하여 사용한 자 • 형식승인의 변경승인을 받지 아니한 자
300만원 이하의 벌금	• 소방특별조사를 정당한 사유 없이 거부·방해 또는 기피한 자 • 방염성능검사에 합격하지 아니한 물품에 합격표시를 하거나 합격표시를 위조하거나 변조하여 사용한 자 • 규정을 위반하여 거짓 시료를 제출한 자 • 소방안전관리자, 소방안전관리보조자, 공동소방안전관리자를 선임하지 아니한 자 • 소방시설·피난시설·방화시설 및 방화구획 등이 법령에 위반된 것을 발견하였음에도 필요한 조치를 할 것을 요구하지 아니한 소방안전관리자 • 소방안전관리자에게 불이익한 처우를 한 관계인 • 점검기록표를 거짓으로 작성하거나 해당 특정소방대상물에 부착하지 아니한 자

300만원 이하의 과태료	• 화재안전기준을 위반하여 소방시설을 설치 또는 유지·관리한 자 • 피난시설, 방화구획 또는 방화시설의 폐쇄·훼손·변경 등의 행위를 한 자 • 임시소방시설을 설치·유지·관리하지 아니한 자
200만원 이하의 과태료	• 소방안전관리자의 선임신고기간, 관리업의 등록사항 변경신고, 관리업자의 지위 승계신고를 하지 아니한 자 또는 거짓으로 신고한 자 • 소방안전관리 업무를 수행하지 아니한 자 • 소방안전관리 업무를 하지 아니한 특정소방대상물의 관계인 또는 소방안전관리대 상물의 소방안전관리자 • 소방훈련 및 교육을 하지 아니한 자 • 소방안전관리 업무를 하지 아니한 자 • 소방시설 등의 점검결과를 보고하지 아니한 자 또는 거짓으로 보고한 자 • 지위승계, 행정처분 또는 휴업·폐업의 사실을 특정소방대상물의 관계인에게 알리 지 아니하거나 거짓으로 알린 관리업자 • 기술인력의 참여 없이 자체점검을 한 자
소방훈련 및 교육을 하지 않은 경우	과태료 • 1차 위반 : 50만원 • 2차 위반 : 100만원 • 3차 위반 : 200만원
피난시설, 방화구획 및 방화시설을 폐쇄, 훼손, 변경 등의 행위를 한 자	• 1차 위반 : 100만원 • 2차 위반 : 200만원 • 3차 위반 : 300만원
영업정지 처분에 갈음하는 과징금	3,000만원 이하

18 기 타

(1) 수용인원의 산정방법

숙박시설이 있는 특정소방대상물	침대가 있는 숙박시설	종사자 수 + 침대 수(2인용 침대는 2인으로 산정)
	침대가 없는 숙박시설	종사자 수 + $\dfrac{\text{바닥면적의 합계}[m^2]}{3[m^2]}$
기 타	강의실·교무실·상담실·실습실· 휴게실 용도	바닥면적 합계$[m^2]$ ÷ 1.9$[m^2]$
	강당, 문화 및 집회시설, 운동시설, 종교시설	• 바닥면적의 합계$[m^2]$ ÷ 4.6$[m^2]$ • 관람석이 있는 경우 : 고정식 의자 수 또는 긴 의자의 정면너비 ÷ 0.45$[m]$
	그 밖의 특정소방대상물	바닥면적의 합계$[m^2]$ ÷ 3$[m^2]$
비 고	• 바닥면적 산정 시 제외 : 복도, 계단 및 화장실의 바닥면적 • 소수점 이하 반올림	

(2) 소화활동설비

① 연결송수관설비
② 연결살수설비
③ 연소방지설비
④ 무선통신보조설비
⑤ 제연설비
⑥ 비상콘센트설비

(3) 인명구조기구의 설치장소

① 지하층을 포함한 7층 이상의 관광호텔[방열복, 방화복(안전모, 보호장갑, 안전화 포함), 인공소생기, 공기호흡기]
② 지하층을 포함한 5층 이상의 병원[방열복, 방화복(안전모, 보호장갑, 안전화 포함), 공기호흡기]

핵/심/예/제

01 화재예방, 소방시설 설치·유지 및 안전관리에 관한 법령상 소방용품이 아닌 것은?

[18년 2회]

① 소화약제 외의 것을 이용한 간이소화용구
② 자동소화장치
③ 가스누설경보기
④ 소화용으로 사용하는 방염제

해설 형식승인 소방용품

소화설비를 구성하는 제품 또는 기기	• 소화기구(소화약제 외의 것을 이용한 간이소화용구는 제외) • 자동소화장치(상업용 주방자동소화장치는 제외) • 소화설비를 구성하는 소화전, 관창, 소방호스, 스프링클러헤드, 기동용 수압 개폐장치, 유수제어밸브 및 가스관선택밸브
경보설비를 구성하는 제품 또는 기기	• 누전경보기 및 가스누설경보기 • 경보설비를 구성하는 발신기, 수신기, 중계기, 감지기 및 음향장치(경종만 해당한다)
피난구조설비를 구성하는 제품 또는 기기	• 피난사다리, 구조대, 완강기(간이완강기 및 지지대를 포함한다) • 공기호흡기(충전기를 포함한다) • 피난구유도등, 통로유도등, 객석유도등 및 예비전원이 내장된 비상조명등
소화용으로 사용하는 제품 또는 기기	• 소화약제 • 방염제(방염액·방염도료 및 방염성 물질)

02 다음 중 품질이 우수하다고 인정되는 소방용품에 대하여 우수품질인증을 할 수 있는 자는?

[19년 2회]

① 산업통상자원부장관
② 시·도지사
③ 소방청장
④ 소방본부장 또는 소방서장

해설 소방용품의 우수품질인증권자 : 소방청장

03 소방안전관리자 및 소방안전관리보조자에 대한 실무교육의 교육대상, 교육일정 등 실무교육에 필요한 계획을 수립하여 매년 누구의 승인을 얻어 교육을 실시하는가? [19년 11회]

① 한국소방안전원장   ② 소방본부장

③ 소방청장   ④ 시 · 도지사

> **해설** 소방안전관리자 및 소방안전관리보조자에 대한 실무교육의 교육대상, 교육일정 등 실무교육에 필요한 계획을 수립하여 매년 소방청장의 승인을 얻어 교육실시 30일 전까지 교육대상자에게 통보하여야 한다.

04 화재예방, 소방시설 설치 · 유지 및 안전관리에 관한 법률상 특정소방대상물의 관계인이 소방시설에 폐쇄(잠금을 포함) · 차단 등의 행위를 하여서 사람을 상해에 이르게 한 때에 대한 벌칙기준으로 옳은 것은? [17년 2회]

① 10년 이하의 징역 또는 1억원 이하의 벌금

② 7년 이하의 징역 또는 7,000만원 이하의 벌금

③ 5년 이하의 징역 또는 5,000만원 이하의 벌금

④ 3년 이하의 징역 또는 3,000만원 이하의 벌금

> **해설** 벌 칙
>
> | | |
> |---|---|
> | 10년 이하의 징역 또는 1억원 이하의 벌금 | 소방시설 폐쇄 · 차단 등의 행위를 하여 사람을 사망에 이르게 한 자 |
> | 7년 이하의 징역 또는 7,000만원 이하의 벌금 | 소방시설 폐쇄 · 차단 등의 행위를 하여 사람을 상해에 이르게 한 자 |
> | 5년 이하의 징역 또는 5,000만원 이하의 벌금 | 소방시설 폐쇄 · 차단 등의 행위를 한 자 |
> | 3년 이하의 징역 또는 3,000만원 이하의 벌금 | • 소방시설의 화재안전기준, 피난시설 및 방화시설의 유지 · 관리의 필요한 조치, 임시소방시설의 필요한 조치, 방염성능기준 미달 및 방염대상물품 제거, 소방용품의 회수 · 교환 · 폐기, 판매중지 등 규정에 따른 명령을 정당한 사유 없이 위반한 자
• 관리업의 등록을 하지 아니하고 영업을 한 자
• 소방용품의 형식승인을 받지 아니하고 소방용품을 제조하거나 수입한 자
• 소방용품의 제품검사를 받지 아니한 자 |
> | 1년 이하의 징역 또는 1,000만원 이하의 벌금 | • 관계인의 정당한 업무를 방해한 자, 조사 · 검사 업무를 수행하면서 알게 된 비밀을 제공 또는 누설하거나 목적 외의 용도로 사용한 자
• 관리업의 등록증이나 등록수첩을 다른 자에게 빌려준 자
• 영업정지처분을 받고 그 영업정지기간 중에 관리업의 업무를 한 자
• 소방시설 등에 대한 자체점검을 하지 아니하거나 관리업자 등으로 하여금 정기적으로 점검하게 하지 아니한 자
• 소방시설관리사증을 다른 자에게 빌려주거나 동시에 둘 이상의 업체에 취업한 사람
• 제품검사에 합격하지 아니한 제품에 합격표시를 하거나 합격표시를 위조 또는 변조하여 사용한 자
• 형식승인의 변경승인을 받지 아니한 자 |

05 화재예방, 소방시설 설치·유지 및 안전관리에 관한 법령상 정당한 사유 없이 소방특별조사 결과에 따른 조치명령을 위반한 자에 대한 벌칙으로 옳은 것은? [19년 1·2회]

① 100만원 이하의 벌금

② 300만원 이하의 벌금

③ 1년 이하의 징역 또는 1,000만원 이하의 벌금

④ 3년 이하의 징역 또는 3,000만원 이하의 벌금

해설 4번 해설 참조

06 화재예방, 소방시설 설치·유지 및 안전관리에 관한 법령상 형식승인을 받지 아니한 소방용품을 판매하거나 판매 목적으로 진열하거나 소방시설공사에 사용한 자에 대한 벌칙 기준은? [21년 1회]

① 3년 이하의 징역 또는 3,000만원 이하의 벌금

② 2년 이하의 징역 또는 1,500만원 이하의 벌금

③ 1년 이하의 징역 또는 1,000만원 이하의 벌금

④ 1년 이하의 징역 또는 500만원 이하의 벌금

해설 4번 해설 참조

핵심
예제

07 화재예방, 소방시설 설치·유지 및 안전관리에 관한 법률상 소방용품의 형식승인을 받지 아니하고 소방용품을 제조하거나 수입한 자에 대한 벌칙 기준은? [20년 1·2회]

① 100만원 이하의 벌금

② 300만원 이하의 벌금

③ 1년 이하의 징역 또는 1,000만원 이하의 벌금

④ 3년 이하의 징역 또는 3,000만원 이하의 벌금

해설 4번 해설 참조

08 화재예방, 소방시설 설치 · 유지 및 안전관리에 관한 법령상 1년 이하의 징역 또는 1,000만 원 이하의 벌금 기준에 해당하는 경우는? [20년 3회]

① 소방용품의 형식승인을 받지 아니하고 소방용품을 제조하거나 수입한 자
② 형식승인을 받은 소방용품에 대하여 제품검사를 받지 아니한 자
③ 거짓이나 그 밖의 부정한 방법으로 제품검사 전문기관으로 지정을 받은 자
④ 소방용품에 대하여 형상 등의 일부를 변경한 후 형식승인의 변경승인을 받지 아니한 자

해설 4번 해설 참조

09 화재예방, 소방시설 설치 · 유지 및 안전관리에 관한 법령상 소방시설 등에 대한 자체점검을 하지 아니하거나 관리업자 등으로 하여금 정기적으로 점검하게 하지 아니한 자에 대한 벌칙 기준으로 옳은 것은? [19년 1회]

① 1년 이하의 징역 또는 1,000만원 이하의 벌금
② 3년 이하의 징역 또는 1,500만원 이하의 벌금
③ 3년 이하의 징역 또는 3,000만원 이하의 벌금
④ 6개월 이하의 징역 또는 1,000만원 이하의 벌금

해설 4번 해설 참조

10 우수품질인증을 받지 아니한 제품에 우수품질 표시를 하거나 우수품질인증 표시를 위조하거나 변조하여 사용한 자에 대한 벌칙기준은? [17년 1회]

① 1년 이하의 징역 또는 1,000만원 이하의 벌금
② 500만원 이하의 벌금
③ 300만원 이하의 벌금
④ 100만원 이하의 벌금

해설 우수품질인증을 받지 아니한 제품에 우수품질인증 표시를 하거나 우수품질인증 표시를 위조하거나 변조하여 사용한 자 : 1년 이하의 징역 또는 1,000만원 이하의 벌금

8 ④ 9 ① 10 ① **정답**

11 다음 중 과태료 대상이 아닌 것은?

[17년 1회]

① 소방안전관리대상물의 소방안전관리자를 선임하지 아니한 자
② 소방안전관리 업무를 수행하지 아니한 자
③ 특정소방대상물의 근무자 및 거주자에 대한 소방훈련 및 교육을 하지 아니한 자
④ 특정소방대상물 소방시설 등의 점검결과를 보고하지 아니한 자

해설 벌 칙

300만원 이하의 벌금	• 소방특별조사를 정당한 사유 없이 거부 · 방해 또는 기피한 자 • 방염성능검사에 합격하지 아니한 물품에 합격표시를 하거나 합격표시를 위조하거나 변조하여 사용한 자 • 규정을 위반하여 거짓 시료를 제출한 자 • 소방안전관리자, 소방안전관리보조자, 공동소방안전관리자를 선임하지 아니한 자 • 소방시설 · 피난시설 · 방화시설 및 방화구획 등이 법령에 위반된 것을 발견하였음에도 필요한 조치를 할 것을 요구하지 아니한 소방안전관리자 • 소방안전관리자에게 불이익한 처우를 한 관계인 • 점검기록표를 거짓으로 작성하거나 해당 특정소방대상물에 부착하지 아니한 자
300만원 이하의 과태료	• 화재안전기준을 위반하여 소방시설을 설치 또는 유지 · 관리한 자 • 피난시설, 방화구획 또는 방화시설의 폐쇄 · 훼손 · 변경 등의 행위를 한 자 • 임시소방시설을 설치 · 유지 · 관리하지 아니한 자
200만원 이하의 과태료	• 소방안전관리자의 선임신고기간, 관리업의 등록사항 변경신고, 관리업자의 지위승계 신고를 하지 아니한 자 또는 거짓으로 신고한 자 • 소방안전관리 업무를 수행하지 아니한 자 • 소방안전관리 업무를 하지 아니한 특정소방대상물의 관계인 또는 소방안전관리대상물의 소방안전관리자 • 소방훈련 및 교육을 하지 아니한 자 • 소방안전관리 업무를 하지 아니한 자 • 소방시설 등의 점검결과를 보고하지 아니한 자 또는 거짓으로 보고한 자 • 지위승계, 행정처분 또는 휴업 · 폐업의 사실을 특정소방대상물의 관계인에게 알리지 아니하거나 거짓으로 알린 관리업자 • 기술인력의 참여 없이 자체점검을 한 자

핵심 예제

12 화재예방, 소방시설 설치 · 유지 및 안전관리에 관한 법률상 특정소방대상물의 피난시설, 방화구획 또는 방화시설의 폐쇄 · 훼손 · 변경 등의 행위를 한 자에 대한 과태료 기준으로 옳은 것은?

[18년 2회]

① 200만원 이하의 과태료
② 300만원 이하의 과태료
③ 500만원 이하의 과태료
④ 600만원 이하의 과태료

해설 11번 해설 참조

13 화재예방, 소방시설 설치 · 유지 및 안전관리에 관한 법령상 소방안전관리대상물의 소방안전관리자가 소방훈련 및 교육을 하지 않은 경우 1차 위반 시 과태료 금액 기준으로 옳은 것은? [18년 1회]

① 200만원 ② 100만원
③ 50만원 ④ 30만원

해설

소방훈련 및 교육을 하지 않은 경우	과태료 • 1차 위반 : 50만원 • 2차 위반 : 100만원 • 3차 위반 : 200만원
피난시설, 방화구획 및 방화시설을 폐쇄, 훼손, 변경 등의 행위를 한 자	• 1차 위반 : 100만원 • 2차 위반 : 200만원 • 3차 위반 : 300만원
영업정지 처분에 갈음하는 과징금	3,000만원 이하

핵심
예제

14 피난시설, 방화구획 또는 방화시설을 폐쇄 · 훼손 · 변경 등의 행위를 3차 이상 위반한 경우에 대한 과태료 부과기준으로 옳은 것은? [18년 4회]

① 200만원 ② 300만원
③ 500만원 ④ 1,000만원

해설 13번 해설 참조

15 화재예방, 소방시설 설치 · 유지 및 안전관리에 관한 법령상 시 · 도지사가 소방시설 등의 자체점검을 하지 아니한 관리업자에게 영업정지를 명할 수 있으나, 이로 인해 국민에게 심한 불편을 줄 때에는 영업정지 처분을 갈음하여 과징금 처분을 한다. 과징금의 기준은? [17년 2회, 21년 2회]

① 1,000만원 이하
② 2,000만원 이하
③ 3,000만원 이하
④ 5,000만원 이하

해설 13번 해설 참조

13 ③ 14 ② 15 ③ 정답

16 시·도지사가 소방시설업의 영업정지처분에 갈음하여 부과할 수 있는 최대 과징금의 범위
로 옳은 것은? [17년 4회]

① 1,000만원 이하
② 2,000만원 이하
③ 3,000만원 이하
④ 5,000만원 이하

해설 13번 해설 참조

17 화재예방, 소방시설 설치·유지 및 안전관리에 관한 법령에 따른 특정소방대상물의 수용인
원의 산정방법 기준 중 틀린 것은? [18년 4회]

① 침대가 있는 숙박시설의 경우는 해당 특정소방대상물의 종사자 수에 침대 수(2인용
침대는 2인으로 산정)를 합한 수
② 침대가 없는 숙박시설의 경우는 해당 특정소방대상물의 종사자 수에 숙박시설 바닥면
적의 합계를 3[m²]로 나누어 얻은 수를 합한 수
③ 강의실 용도로 쓰이는 특정소방대상물의 경우는 해당 용도로 사용하는 바닥면적의 합
계를 1.9[m²]로 나누어 얻은 수
④ 문화 및 집회시설의 경우는 해당 용도로 사용하는 바닥면적의 합계를 2.6[m²]로 나누어
얻은 수

해설 특정소방대상물의 수용인원의 산정방법

숙박시설이 있는 특정소방대상물	침대가 있는 숙박시설	종사자 수 + 침대 수(2인용 침대는 2인으로 산정)
	침대가 없는 숙박시설	종사자 수 + $\dfrac{\text{바닥면적의 합계}[m^2]}{3[m^2]}$
기 타	강의실·교무실·상담실·실습실· 휴게실 용도	바닥면적 합계[m²] ÷ 1.9[m²]
	강당, 문화 및 집회시설, 운동시설, 종교시설	• 바닥면적의 합계[m²] ÷ 4.6[m²] • 관람석이 있는 경우 : 고정식 의자 수 또는 긴 의자의 정면너비 ÷ 0.45[m]
	그 밖의 특정소방대상물	바닥면적의 합계[m²] ÷ 3[m²]
비 고	• 바닥면적 산정 시 제외 : 복도, 계단 및 화장실의 바닥면적 • 소수점 이하 반올림	

18 화재예방, 소방시설 설치·유지 및 안전관리에 관한 법령상, 종사자 수가 5명이고, 숙박시설이 모두 2인용 침대이며 침대수량은 50개인 청소년 시설에서 수용인원은 몇 명인가?

[19년 2회, 20년 4회]

① 55
② 75
③ 85
④ 105

해설 수용인원 = 종사자 수 + 침대수량 × 2
= 5 + 50 × 2 = 105명

19 다음 조건을 참고하여 숙박시설이 있는 특정소방대상물의 수용인원 산정 수로 옳은 것은?

[17년 1회, 19년 4회]

침대가 있는 숙박시설로서 1인용 침대의 수는 20개이고, 2인용 침대의 수는 10개이며, 종업원의 수는 3명이다.

① 33명
② 40명
③ 43명
④ 46명

해설 수용인원 = 종사자 수 + 2인용 침대수량 × 2 + 1인용 침대수량
= 3 + 10 × 2 + 20 = 43명

20 화재예방, 소방시설 설치·유지 및 안전관리에 관한 법령상 수용인원 산정 방법 중 침대가 없는 숙박시설로서 해당 특정소방대상물의 종사자의 수는 5명, 복도, 계단 및 화장실의 바닥면적을 제외한 바닥면적이 158[m²]인 경우의 수용인원은 약 몇 명인가?

[20년 3회]

① 37
② 45
③ 58
④ 84

해설 침대가 없는 숙박시설
종사자 수 + (바닥면적의 합계 ÷ 3[m²])
5명 + $\frac{158}{3}$ ≒ 57.67 ∴ 58명(소수점 이하 절상)

CHAPTER 03 소방시설공사업법

1 목 적

소방시설공사 및 소방기술의 관리에 필요한 사항을 규정함으로써 소방시설업을 건전하게 발전시키고 소방기술을 진흥시켜 화재로부터 공공의 안전을 확보하고 국민경제에 이바지함을 목적으로 한다.

2 용어 정의

① **소방시설업** : 소방시설설계업, 소방시설공사업, 소방공사감리업, 방염처리업
② **소방시설설계업** : 소방시설공사에 기본이 되는 공사계획, 설계도면, 설계 설명서·기술계산서 및 이와 관련된 서류를 작성(설계)하는 영업
③ **소방시설공사업** : 설계도서에 따라 소방시설을 신설, 증설, 개설, 이전 및 정비(시공)하는 영업
④ **소방공사감리업** : 소방시설공사에 관한 발주자의 권한을 대행하여 소방시설공사가 설계도서와 관계법령에 따라 적법하게 시공되는지를 확인하고 품질·시공관리에 대한 기술지도(감리)를 하는 영업
⑤ **방염처리업** : 방염대상물품에 대하여 방염처리하는 영업
⑥ **소방기술자** : 소방시설관리사, 소방기술사, 소방설비기사, 소방설비산업기사, 위험물기능장, 위험물산업기사, 위험물기능사

3 소방시설업

시 · 도지사		• 소방시설업의 등록 • 등록사항의 변경신고 • 휴업 · 폐업 등의 신고 • 소방시설업자의 지위승계신고 • 영업정지처분을 갈음하여 2억원 이하의 과징금 부과
등록요건		자본금, 기술인력, 장비
등록 결격사유		• 피성년후견인 • 소방관련 4개 법령에 따른 금고 이상의 실형의 선고를 받고 그 집행이 끝나거나(집행이 끝난 것으로 보는 경우를 포함) 면제된 날부터 2년이 지나지 아니한 사람 • 소방관련 4개 법령에 따른 금고 이상의 형의 집행유예선 선고를 받고 그 유예기간 중에 있는 사람 • 등록하려는 소방시설업 등록이 취소된 날부터 2년이 지나지 아니한 사람
등록신청 시 제출서류		• 신청인(외국인을 포함하되, 법인의 경우에는 대표자를 포함한 임원)의 성명, 주민등록번호 및 주소지 등의 인적사항이 적힌 서류 • 등록기준 중 기술인력에 관한 사항을 확인할 수 있는 서류 　－ 국가기술자격증 　－ 소방기술 인정 자격수첩 또는 소방기술자 경력수첩 • 소방청장이 지정하는 금융회사 또는 소방산업공제조합에 출자 · 예치 · 담보한 금액 확인서 1부(소방시설공사업만 해당) • 신청일 전 최근 90일 이내에 작성한 자산평가액 또는 기업진단 보고서(소방시설공사업만 해당) 　－ 금융위원회에 등록한 공인회계사 　－ 기획재정부에 등록한 세무사 　－ 전문경영진단기관 ※ 소방시설업 등록신청 시 첨부서류의 보관기간 : 10일 이내
등록사항의 변경	변경신고 사항	• 상호(명칭) 또는 영업소 소재지 • 대표자 • 기술인력
	변경신고 기한	변경일부터 30일 이내
	첨부서류	• 상호(명칭) 또는 영업소 소재지가 변경된 경우 : 소방시설업 등록증 및 등록수첩 • 대표자가 변경된 경우 : 다음의 서류 　－ 소방시설업 등록증 및 등록수첩 　－ 변경된 대표자의 성명, 주민등록번호 및 주소지 등의 인적사항이 적힌 서류 • 기술인력이 변경된 경우 : 다음의 서류 　－ 소방시설업 등록수첩 　－ 기술인력 증빙서류
소방시설업자가 관계인에게 지체 없이 알려야하는 사실		• 소방시설업자의 지위를 승계한 경우 • 소방시설의 등록취소처분 또는 영업정지처분을 받은 경우 • 휴업하거나 폐업한 경우

등록의 취소와 시정이나 6개월 이내의 영업정지	• 거짓이나 그 밖의 부정한 방법으로 등록한 경우(등록취소) • 등록기준에 미달하게 된 후 30일이 경과한 경우 • 등록 결격사유에 해당하게 된 경우(등록취소) • 등록을 한 후 정당한 사유 없이 1년이 지날 때까지 영업을 시작하지 아니하거나 계속하여 1년 이상 휴업한 때 • 다른 자에게 등록증 또는 등록수첩을 빌려준 경우 • 영업정지 기간 중에 소방시설공사 등을 한 경우(등록취소) • 소방기술자를 공사현장에 배치하지 아니하거나 거짓으로 한 경우 • 감리원 배치기준을 위반한 경우 • 감리 결과를 알리지 아니하거나 거짓으로 알린 경우 또는 공사감리 결과보고서를 제출하지 아니하거나 거짓으로 제출한 경우 • 동일인이 시공과 감리를 함께 한 경우 • 정당한 사유 없이 관계 공무원의 출입 또는 검사·조사를 거부·방해 또는 기피한 경우
30일 이내	• 소방시설업의 휴업·폐업 등의 신고 • 지위승계 신고 • 등록사항의 변경신고
지위승계 시 첨부서류	양도·양수의 경우(분할 또는 분할합병에 따른 양도·양수의 경우를 포함) • 소방시설업 지위승계신고서 • 양도인 또는 합병 전 법인의 소방시설업 등록증 및 등록수첩 • 양도·양수 계약서 사본, 분할계획서 사본 또는 분할합병계약서 사본(법인의 경우 양도·양수에 관한 사항을 의결한 주주총회 등의 결의서 사본을 포함) • 등록 시 첨부서류의 각 호에 해당하는 서류 • 양도·양수 공고문 사본
등록증	발급 : 15일 이내

등록증		
	발급	15일 이내
	재발급	3일 이내 지위승계·분실 등
		5일 이내 변경신고 등

4 소방시설업의 업종별 등록기준 및 영업범위

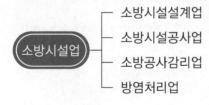

- 소방시설설계업
- 소방시설공사업
- 소방공사감리업
- 방염처리업

업종별 영업범위 : 대통령령

(1) 소방시설설계업

업종별	항목	기술인력	영업범위
전문 소방시설 설계업		• 주된 기술인력 : 소방기술사 1명 이상 • 보조기술인력 : 1명 이상	모든 특정소방대상물에 설치되는 소방시설의 설계
일반 소방시설 설계업	기계분야	• 주된 기술인력 : 소방기술사 또는 기계 분야 소방설비기사 1명 이상 • 보조기술인력 : 1명 이상	• 아파트에 설치되는 기계분야 소방시설(제연설비를 제 외)의 설계 • 연면적 3만[m²](공장의 경우에는 1만[m²]) 미만의 특정 소방대상물(제연설비가 설치되는 특정소방대상물을 제 외)에 설치되는 기계분야 소방시설의 설계 • 위험물제조소 등에 설치되는 기계분야 소방시설의 설계
	전기분야	• 주된 기술인력 : 소방기술사 또는 전기 분야 소방설비기사 1명 이상 • 보조기술인력 : 1명 이상	• 아파트에 설치되는 전기분야 소방시설의 설계 • 연면적 3만[m²](공장의 경우에는 1만[m²]) 미만의 특정 소방대상물에 설치되는 전기분야 소방시설의 설계 • 위험물제조소 등에 설치되는 전기분야 소방시설의 설계

[비 고]
1. 일반 소방시설설계업에서 기계분야 및 전기분야의 대상이 되는 소방시설의 범위
   ① 기계분야
      ㉠ 소화기구, 자동소화장치, 옥내소화전설비, 스프링클러설비 등, 물분무 등 소화설비, 옥외소화전설비, 피난기구, 인명구조기구, 상수도 소화용수설비, 소화수조, 저수조, 그 밖의 소화용수설비, 제연설비, 연결송수관설비, 연결살수설비 및 연소방지설비
      ㉡ 기계분야 소방시설에 부설되는 전기시설. 다만, 비상전원, 동력회로, 제어회로, 기계분야 소방시설을 작동하기 위하여 설치하는 화재감지기에 의한 화재감지장치 및 전기신호에 의한 소방시설의 작동장치는 제외한다.
   ② 전기분야
      ㉠ 단독경보형감지기, 비상경보설비, 비상방송설비, 누전경보기, 자동화재탐지설비, 시각경보기, 자동화재속보설비, 가스누설경보기, 통합감시시설, 유도등, 비상조명등, 휴대용 비상조명등, 비상콘센트설비 및 무선통신보조설비
      ㉡ 기계분야 소방시설에 부설되는 전기시설 중 ①의 ㉡ 단서의 전기시설
2. 일반 소방시설설계업의 기계분야 및 전기분야를 함께 하는 경우
   주된 기술인력은 소방기술사 1명 또는 기계분야 소방설비기사와 전기분야 소방설비기사 자격을 함께 취득한 사람 1명 이상으로 할 수 있다.
3. 소방시설설계업을 하려는 자가 소방시설공사업, 소방시설관리업, 화재위험평가대행업무 중 어느 하나를 함께하는 경우 기술인력
   ① 전문 소방시설설계업과 소방시설관리업을 함께 하는 경우 : 소방기술사 자격과 소방시설관리사 자격을 함께 취득한 사람
   ② 전문 소방시설설계업과 전문 소방시설공사업을 함께 하는 경우 : 소방기술사 자격을 취득한 사람
   ③ 전문 소방시설설계업과 화재위험평가대행업을 함께 하는 경우 : 소방기술사 자격을 취득한 사람
   ④ 일반 소방시설설계업과 소방시설관리업을 함께 하는 경우 다음의 어느 하나에 해당하는 사람
      ㉠ 소방기술사 자격과 소방시설관리사 자격을 함께 취득한 사람
      ㉡ 기계분야 소방설비기사 또는 전기분야 소방설비기사 자격을 취득한 사람 중 소방시설관리사 자격을 취득한 사람
   ⑤ 일반 소방시설설계업과 일반 소방시설공사업을 함께 하는 경우 : 소방기술사 자격을 취득하거나 기계분야 또는 전기분야 소방설비기사 자격을 취득한 사람
   ⑥ 일반 소방시설설계업과 전문 소방시설공사업을 함께 하는 경우 : 소방기술사 자격을 취득하거나 기계분야 및 전기분야 소방설비기사 자격을 함께 취득한 사람
   ⑦ 전문 소방시설설계업과 일반 소방시설공사업을 함께하는 경우 : 소방기술사 자격을 취득한 사람
4. "보조기술인력"이란 다음의 어느 하나에 해당하는 사람을 말한다.
   ① 소방기술사, 소방설비기사 또는 소방설비산업기사 자격을 취득한 사람
   ② 소방공무원으로 재직한 경력이 3년 이상인 사람으로서 자격수첩을 발급받은 사람
   ③ 행정안전부령으로 정하는 소방기술과 관련된 자격·경력 및 학력을 갖춘 사람으로서 자격수첩을 발급받은 사람

(2) 소방시설공사업

업종별 \ 항 목		기술인력	자본금(자산평가액)	영업범위
전문 소방시설 공사업		• 주된 기술인력 : 소방기술사 또는 기계분야와 전기분야의 소방설비기사 각 1명(기계 · 전기분야의 자격을 함께 취득한 사람 1명) 이상 • 보조기술인력 : 2명 이상	• 법인 : 1억원 이상 • 개인 : 자산평가액 1억원 이상	• 특정소방대상물에 설치되는 기계분야 및 전기분야 소방시설의 공사 · 개설 · 이전 및 정비
일반 소방시설 공사업	기계 분야	• 주된 기술인력 : 소방기술사 또는 기계분야 소방설비기사 1명 이상 • 보조기술인력 : 1명 이상	• 법인 : 1억원 이상 • 개인 : 자산평가액 1억원 이상	• 연면적 10,000[m²] 미만의 특정소방대상물에 설치되는 기계분야 소방시설의 공사 · 개설 · 이전 및 정비 • 위험물제조소 등에 설치되는 기계분야 소방시설의 공사 · 개설 · 이전 및 정비
	전기 분야	• 주된 기술인력 : 소방기술사 또는 전기분야 소방설비기사 1명 이상 • 보조기술인력 : 1명 이상	• 법인 : 1억원 이상 • 개인 : 자산평가액 1억원 이상	• 연면적 10,000[m²] 미만의 특정소방대상물에 설치되는 전기분야 소방시설의 공사 · 개설 · 이전 및 정비 • 위험물제조소 등에 설치되는 전기분야 소방시설의 공사 · 개설 · 이전 및 정비

[비 고]

1. 기계분야 및 전기분야의 일반 소방시설공사업을 함께 하는 경우 주된 기술인력
   소방기술사 1명 또는 기계분야 및 전기분야의 자격을 함께 취득한 소방설비기사 1명으로 한다.

2. 자본금(자산평가액)은 해당 소방시설공사업의 최근 결산일 현재(새로 등록한 자는 등록을 위한 기업진단기준일 현재)의 총자산에서 총부채를 뺀 금액을 말하고, 소방시설공사업 외의 다른 업을 함께 하는 경우에는 자본금에서 겸업 비율에 해당하는 금액을 뺀 금액을 말한다.

3. 소방시설공사업을 하려는 자가 소방시설설계업 또는 소방시설관리업 중 어느 하나를 함께 하려는 경우 기술인력
   ① 전문 소방시설공사업과 전문 소방시설설계업을 함께하는 경우 : 소방기술사 자격을 취득한 사람
   ② 전문 소방시설공사업과 일반 소방시설설계업을 함께하는 경우 : 소방기술사 자격을 취득하거나 기계분야 및 전기분야 소방설비기사 자격을 함께 취득한 경우
   ③ 일반 소방시설공사업과 전문 소방시설설계업을 함께하는 경우 : 소방기술사 자격을 취득한 사람
   ④ 일반 소방시설공사업과 일반 소방시설설계업을 함께하는 경우 : 소방기술사 자격을 취득하거나 기계분야 또는 전기분야 소방설비기사 자격을 함께 취득한 사람
   ⑤ 전문 소방시설공사업과 소방시설관리업을 함께하는 경우 : 소방시설관리사와 소방설비기사(기계분야 및 전기분야의 자격을 함께 취득한 사람) 또는 소방기술사 자격을 함께 취득한 사람
   ⑥ 일반 소방시설공사업 기계분야와 소방시설관리업을 함께하는 경우 : 소방기술사 또는 기계분야 소방설비기사와 소방시설관리사 자격을 함께 취득한 사람
   ⑦ 일반 소방시설공사업 전기분야와 소방시설관리업을 함께하는 경우 : 소방기술사 또는 전기분야 소방설비기사와 소방시설관리사 자격을 함께 취득한 사람

(3) 소방공사감리업

업종별	항목	기술인력	영업범위
전문 소방공사 감리업		• 소방기술사 1명 이상 • 기계분야 및 전기분야의 특급감리원 각 1명 이상(기계분야 및 전기분야의 자격을 함께 가지고 있는 사람이 있는 경우에는 그에 해당하는 사람 1명) • 기계분야 및 전기분야의 고급감리원 이상의 감리원 각 1명 이상 • 기계분야 및 전기분야의 중급감리원 이상의 감리원 각 1명 이상 • 기계분야 및 전기분야의 초급감리원 이상의 감리원 각 1명 이상	모든 특정소방대상물에 설치되는 소방시설공사 감리
일반 소방공사 감리업	기계분야	• 기계분야 특급감리원 1명 이상 • 기계분야 고급감리원 또는 중급감리원 이상의 감리원 1명 이상 • 기계분야 초급감리원 이상의 감리원 1명 이상	• 연면적 30,000$[m^2]$(공장은 10,000$[m^2]$) 미만의 특정소방대상물(제연설비는 제외)에 설치되는 기계분야 소방시설의 감리 • 아파트에 설치되는 기계분야 소방시설(제연설비는 제외)의 감리 • 위험물제조소 등에 설치되는 기계분야의 소방시설의 감리
	전기분야	• 전기분야 특급감리원 1명 이상 • 전기분야 고급감리원 또는 중급감리원 이상의 감리원 1명 이상 • 전기분야 초급감리원 이상의 감리원 1명 이상	• 연면적 30,000$[m^2]$(공장은 10,000$[m^2]$) 미만의 특정소방대상물에 설치되는 전기분야 소방시설의 감리 • 아파트에 설치되는 전기분야 소방시설의 감리 • 위험물제조소 등에 설치되는 전기분야의 소방시설의 감리

※ 소방공사감리원의 기술등급 자격

구분	기계분야	전기분야
특급 감리원	소방기술사 자격을 취득한 사람	
	• 소방설비기사 기계분야 자격을 취득한 후 8년 이상 소방 관련 업무를 수행한 사람 • 소방설비산업기사 기계분야 자격을 취득한 후 12년 이상 소방 관련 업무를 수행한 사람	• 소방설비기사 전기분야 자격을 취득한 후 8년 이상 소방 관련 업무를 수행한 사람 • 소방설비산업기사 전기분야 자격을 취득한 후 12년 이상 소방 관련 업무를 수행한 사람
고급 감리원	• 소방설비기사 기계분야 자격을 취득한 후 5년 이상 소방 관련 업무를 수행한 사람 • 소방설비산업기사 기계분야 자격을 취득한 후 8년 이상 소방 관련 업무를 수행한 사람	• 소방설비기사 전기분야 자격을 취득한 후 5년 이상 소방 관련 업무를 수행한 사람 • 소방설비산업기사 전기분야 자격을 취득한 후 8년 이상 소방 관련 업무를 수행한 사람
중급 감리원	• 소방설비기사 기계분야 자격을 취득한 후 3년 이상 소방 관련 업무를 수행한 사람 • 소방설비산업기사 기계분야 자격을 취득한 후 6년 이상 소방 관련 업무를 수행한 사람	• 소방설비기사 전기분야 자격을 취득한 후 3년 이상 소방 관련 업무를 수행한 사람 • 소방설비산업기사 전기분야 자격을 취득한 후 6년 이상 소방 관련 업무를 수행한 사람
초급 감리원	• 제1호 나목1)에 해당하는 학과 학사학위를 취득한 후 1년 이상 소방 관련 업무를 수행한 사람 •「고등교육법」 제2조 제1호부터 제6호까지의 규정 중 어느 하나에 해당하는 학교에서 제1호 나목1)에 해당하는 학과 전문학사학위를 취득한 후 3년 이상 소방 관련 업무를 수행한 사람 • 소방공무원으로서 3년 이상 근무한 경력이 있는 사람 • 5년 이상 소방 관련 업무를 수행한 사람	

구 분	기계분야	전기분야
초급 감리원	• 소방설비기사 기계분야 자격을 취득한 후 1년 이상 소방 관련 업무를 수행한 사람 • 소방설비산업기사 기계분야 자격을 취득한 후 2년 이상 소방 관련 업무를 수행한 사람 • 제1호 나목3)부터 6)까지의 규정 중 어느 하나에 해당하는 학과 학사학위를 취득한 후 1년 이상 소방 관련 업무를 수행한 사람 • 「고등교육법」 제2조 제1호부터 제6호까지의 규정 중 어느 하나에 해당하는 학교에서 제1호 나목3)부터 6)까지의 규정에 해당하는 학과 전문학사학위를 취득한 후 3년 이상 소방 관련 업무를 수행한 사람	• 소방설비기사 전기분야 자격을 취득한 후 1년 이상 소방 관련 업무를 수행한 사람 • 소방설비산업기사 전기분야 자격을 취득한 후 2년 이상 소방 관련 업무를 수행한 사람 • 제1호 나목2)에 해당하는 학과 학사학위를 취득한 후 1년 이상 소방 관련 업무를 수행한 사람 • 「고등교육법」 제2조 제1호부터 제6호까지의 규정 중 어느 하나에 해당하는 학교에서 제1호 나목2)에 해당하는 학과 전문학사학위를 취득한 후 3년 이상 소방 관련 업무를 수행한 사람

[비 고]
1. 동일한 기간에 수행한 경력이 두 가지 이상의 자격 기준에 해당하는 경우에는 하나의 자격 기준에 대해서만 그 기간을 인정하고 기간이 중복되지 아니하는 경우에는 각각의 기간을 경력으로 인정한다. 이 경우 동일 기술등급의 자격 기준별 경력기간을 해당 경력기준기간으로 나누어 합한 값이 1 이상이면 해당 기술등급의 자격 기준을 갖춘 것으로 본다.
2. "소방 관련 업무"란 다음 각 목의 어느 하나에 해당하는 업무를 말한다.
　　가. 제1호 다목에 해당하는 경력으로 인정되는 업무
　　나. 소방공무원으로서 근무한 업무
3. 비고 제2호에 따른 소방 관련 업무를 수행한 경력으로서 위 표에서 정한 국가기술자격 취득 전의 경력은 그 경력의 50[%]만 인정한다.

(4) 방염처리업

업종별＼항 목	실험실	방염처리시설 및 시험기기	영업범위
섬유류방염업	1개 이상 갖출 것	부표에 따른 섬유류 방염업의 방염처리시설 및 시험기기를 모두 갖추어야 한다.	커튼·카펫 등 섬유류를 주된 원료로 하는 방염대상물품을 제조 또는 가공 공정에서 방염처리
합성수지류 방염업		부표에 따른 합성수지류 방염업의 방염처리시설 및 시험기기를 모두 갖추어야 한다.	합성수지류를 주된 원료로 하는 방염대상물품을 제조 또는 가공 공정에서 방염처리
합판·목재류 방염업		부표에 따른 합판·목재류 방염업의 방염처리시설 및 시험기기를 모두 갖추어야 한다.	합판 또는 목재류를 제조·가공 공정 또는 설치 현장에서 방염처리

01 소방시설공사업법령상 정의된 업종 중 소방시설업의 종류에 해당되지 않는 것은?

[20년 11회]

① 소방시설설계업   ② 소방시설공사업

③ 소방시설정비업   ④ 소방공사감리업

> **해설**   **소방시설업** : 소방시설설계업, 소방시설공사업, 소방공사감리업, 방염처리업

02 소방시설공사업법령에 따른 소방시설업의 등록권자는?   [20년 1·2회]

① 국무총리   ② 소방서장

③ 시·도지사   ④ 한국소방안전원장

> **해설**   **시·도지사**
> - 소방시설업의 등록
> - 등록사항의 변경신고
> - 휴업·폐업 등의 신고
> - 소방시설업자의 지위승계신고
> - 영업정지처분을 갈음하여 2억원 이하의 과징금 부과

03 소방시설공사업법령에 따른 소방시설업 등록이 가능한 사람은?   [20년 1·2회]

① 피성년후견인

② 위험물안전관리법에 따른 금고 이상의 형의 집행유예를 선고받고 그 유예기간 중에 있는 사람

③ 등록하려는 소방시설업 등록이 취소된 날부터 3년이 지난 사람

④ 소방기본법에 따른 금고 이상의 실형을 선고받고 그 집행이 면제된 날부터 1년이 지난 사람

> **해설**   **소방시설업 등록 결격사유**
> - 피성년후견인
> - 소방관련 4개 법령에 따른 금고 이상의 실형의 선고를 받고 그 집행이 끝나거나(집행이 끝난 것으로 보는 경우를 포함) 면제된 날부터 2년이 지나지 아니한 사람
> - 소방관련 4개 법령에 따른 금고 이상의 형의 집행유예선 선고를 받고 그 유예기간 중에 있는 사람
> - 등록하려는 소방시설업 등록이 취소된 날부터 2년이 지나지 아니한 사람

5 소방시설공사

소방본부장 또는 소방서장	• 착공신고 • 완공검사
착공신고	㉠ 공사업자는 대통령령으로 정하는 소방시설공사를 하려면 행정안전부령으로 정하는 바에 따라 그 공사의 내용, 시공 장소, 그 밖에 필요한 사항을 소방본부장이나 소방서장에게 신고하여야 한다. ㉡ 공사업자가 ㉠에 따라 신고한 사항 가운데 행정안전부령으로 정하는 중요한 사항을 변경하였을 때에는 행정안전부령으로 정하는 바에 따라 변경신고를 하여야 한다. 이 경우 중요한 사항에 해당하지 아니하는 변경 사항은 다음 각 호의 어느 하나에 해당하는 서류에 포함하여 소방본부장이나 소방서장에게 보고하여야 한다. • 완공검사 또는 부분완공검사를 신청하는 서류 • 공사감리 결과보고서 ㉢ 소방본부장 또는 소방서장은 ㉠ 또는 ㉡ 전단에 따른 착공신고 또는 변경신고를 받은 날부터 2일 이내에 신고수리 여부를 신고인에게 통지하여야 한다. ㉣ 소방본부장 또는 소방서장이 ㉢에서 정한 기간 내에 신고수리 여부 또는 민원 처리 관련 법령에 따른 처리기간의 연장을 신고인에게 통지하지 아니하면 그 기간이 끝난 날의 다음 날에 신고를 수리한 것으로 본다.
신고대상	㉠ 특정소방대상물에 다음의 어느 하나에 해당하는 설비를 신설하는 공사 • 옥내소화전설비(호스릴옥내소화전설비 포함), 옥외소화전설비, 스프링클러설비, 간이스프링클러설비(캐비닛형 간이스프링클러설비 포함), 화재조기진압형 스프링클러설비, 물분무 등 소화설비, 연결송수관설비, 연결살수설비, 제연설비, 소화용수설비 및 연소방지설비 • 자동화재탐지설비, 비상경보설비, 비상방송설비, 비상콘센트설비, 무선통신보조설비 ㉡ 특정소방대상물에 다음의 어느 하나에 해당하는 설비 또는 구역 등을 증설하는 공사 • 옥내 · 옥외소화전설비 • 스프링클러설비 · 간이스프링클러설비 또는 물분무 등 소화설비의 방호구역, 자동화재탐지설비의 경계구역, 제연설비의 제연구역, 연결살수설비의 살수구역, 연결송수관설비의 송수구역, 비상콘센트설비의 전용회로, 연소방지설비의 살수구역 ㉢ 특정소방대상물에 설치된 소방시설 등을 구성하는 다음의 어느 하나에 해당하는 것의 전부 또는 일부를 개설, 이전 또는 정비하는 공사. 다만, 고장 또는 파손 등으로 인하여 작동시킬 수 없는 소방시설을 긴급히 교체하거나 보수하여야 하는 경우에는 신고하지 않을 수 있다. • 수신반 • 소화펌프 • 동력(감시)제어반 ※ 착공신고대상 제외 : 무선통신설비의 증설공사 　**물분무 등 소화설비** : 물분무소화설비, 포소화설비, 이산화탄소소화설비, 할론소화설비, 할로겐화합물 및 불활성기체소화설비, 미분무소화설비, 강화액소화설비 및 분말소화설비
착공신고 제출서류	• 공사업자의 소방시설공사업등록증 사본 1부 및 등록수첩 사본 1부 • 기술인력의 기술등급을 증명하는 서류 사본 1부 • 소방시설공사 계약서 사본 1부 • 설계도서(설계설명서 포함, 건축허가동의 시 제출된 설계도서에 변동이 있는 경우) • 소방시설공사 하도급통지서 사본(소방시설공사를 하도급하는 경우) 　소방시설공사 착공신고 후 소방시설의 종류를 변경하는 경우 변경일로부터 30일 이내에 소방본부장 또는 소방서장에게 신고하여야 한다.
완공검사	소방본부장, 소방서장에게 완공검사를 받아야 한다(필요사항 : 행정안전부령).

완공검사를 위한 현장 확인 대상 특정소방대상물		• 문화 및 집회시설, 종교시설, 판매시설, 노유자시설, 수련시설, 운동시설, 숙박시설, 창고시설, 지하상가, 다중이용업소 • 스프링클러설비 등 및 물분무 등 소화설비(호스릴 방식의 소화설비는 제외)가 설치되는 특정소방대상물 • 연면적 10,000[m²] 이상이거나 11층 이상인 특정소방대상물(아파트는 제외) • 가연성 가스를 제조·저장 또는 취급하는 시설 중 지상에 노출된 가연성 가스탱크의 저장용량의 합계가 1,000[t] 이상인 시설
하자보수 대상 소방시설과 하자보수 보증기간	2년	피난기구, 유도등, 유도표지, 비상경보설비, 비상조명등, 비상방송설비 및 무선통신보조설비
	3년	자동소화장치, 옥내소화전설비, 스프링클러설비, 간이스프링클러설비, 물분무 등 소화설비, 옥외소화전설비, 자동화재탐지설비, 상수도소화용수설비 및 소화활동설비(무선통신보조설비는 제외)
하자보수 통보기한		3일(보증금 : 소방시설공사금액의 3[%] 이상)
시공능력 평가방법		㉠ 시공능력평가액 = 실적평가액 + 자본금평가액 + 기술력평가액 + 경력평가액 ± 신인도평가액 ㉡ 자본금평가액 = (실질자본금 × 실질자본금의 평점 + 소방청장이 지정한 금융회사 또는 소방산업공제조합에 출자·예치·담보한 금액) × 70/100 ㉢ 기술력평가액 = 전년도 공사업계의 기술자1인당 평균생산액 × 보유기술인력 가중치합계 × 30/100 + 전년도 기술개발투자액 ㉣ 경력평가액 = 실적평가액 × 공사업 경영기간 평점 × 20/100 ㉤ 신인도평가액 = (실적평가액 + 자본금평가액 + 기술력평가액 + 경력평가액) × 신인도 반영비율 합계

소방기술자의 배치기준	소방시설공사 현장의 기준
특급소방기술자인 소방기술자 (기계분야 및 전기분야)	• 연면적 20만[m²] 이상인 특정소방대상물의 공사현장 • 지하층을 포함한 층수가 40층 이상인 특정소방대상물의 공사 현장
고급기술자 이상의 소방기술자 (기계분야 및 전기분야)	• 연면적 30,000[m²] 이상 20만[m²] 미만인 특정소방대상물(아파트는 제외한다)의 공사현장 • 지하층을 포함한 층수가 16층 이상 40층 미만인 특정소방대상물의 공사 현장
중급기술자 이상의 소방기술자 (기계분야 및 전기분야)	• 물분무 등 소화설비(호스릴 방식의 소화설비는 제외한다) 또는 제연설비가 설치되는 특정소방대상물의 공사 현장 • 연면적 5,000[m²] 이상 30,000[m²] 미만인 특정소방대상물(아파트는 제외한다)의 공사 현장 • 연면적 10,000[m²] 이상 20만[m²] 미만인 아파트의 공사 현장
초급기술자 이상의 소방기술자 (기계분야 및 전기분야)	• 연면적 1,000[m²] 이상 5,000[m²] 미만인 특정소방대상물(아파트는 제외한다)의 공사 현장 • 연면적 1,000[m²] 이상 10,000[m²] 미만인 아파트의 공사 현장 • 지하구(地下構)의 공사현장
자격수첩을 발급받은 소방기술자	연면적 1,000[m²] 미만인 특정소방대상물의 공사 현장

※ 중급기술자 : 학사학위를 취득한 후 6년 이상 소방 관련 업무를 수행한 자
　고급기술자 : 석사학위를 취득한 후 6년 이상 소방 관련 업무를 수행한 자

소방시설공사업의 도급	㉠ 도급을 받은 자는 소방시설의 설계, 시공, 감리를 제3자에게 하도급할 수 없다. 다만, 시공의 경우에는 대통령령으로 정하는 바에 따라 도급받은 소방시설공사의 일부를 다른 공사업자에게 하도급할 수 있다.
	㉡ 하수급인은 ㉠의 단서에 따라 하도급받은 소방시설공사를 제3자에게 다시 하도급할 수 없다.
	※ 소방시설공사의 시공을 하도급 할 수 있는 경우
	  • 주택건설사업
	  • 건설업
	  • 전기공사업
	  • 정보통신공사업
	㉢ 도급계약의 해지 사유
	  • 소방시설업이 등록취소되거나 영업정지된 경우
	  • 소방시설업을 휴업하거나 폐업한 경우
	  • 정당한 사유 없이 30일 이상 소방시설공사를 계속하지 아니하는 경우
	  • 하도급의 통지를 받은 경우 그 하수급인이 적당하지 아니하다고 인정되어 하수급인의 변경을 요구하였으나 정당한 사유 없이 따르지 아니하는 경우
	㉣ 동일한 특정소방대상물의 소방시설에 대한 시공 및 감리를 함께 할 수 없는 경우
	  • 공사업자와 감리업자가 같은 자인 경우
	  • 기업진단의 관계인 경우
	  • 법인과 그 법인의 임직원의 관계인 경우
	  • 친족 관계인 경우	

시공능력 평가의 신청 · 평가	제출일	매년 2월 15일
	내 용	• 공사실적증명서류 • 공사업 등록수첩 사본 • 소방기술자 보유현황 • 신인도 평가신고서
중요사항 변경 시 신고	30일 이내	

6 소방공사감리

소방공사감리 업무	• 소방시설 등의 설치계획표의 적법성 검토 • 소방시설 등 설계도서의 적합성(적법성 및 기술상의 합리성) 검토 • 소방시설 등 설계변경 사항의 적합성 검토 • 소방용품의 위치 · 규격 및 사용자재에 대한 적합성 검토 • 공사업자의 소방시설 등의 시공이 설계도서 및 화재안전기준에 적합한지에 대한 지도 · 감독 • 완공된 소방시설 등의 성능시험 • 공사업자가 작성한 시공 상세도면의 적합성 검토 • 피난 · 방화시설의 적법성 검토 • 실내장식물의 불연화 및 방염물품의 적법성 검토

감리 지정대상	• 옥내소화전설비를 신설·개설 또는 증설할 때
	• 스프링클러설비 등(캐비닛형 간이스프링클러설비는 제외한다)을 신설·개설하거나 방호·방수구역을 증설할 때
	• 물분무 등 소화설비(호스릴 방식의 소화설비는 제외한다)를 신설·개설하거나 방호·방수 구역을 증설할 때
	• 옥외소화전설비를 신설·개설 또는 증설할 때
	• 자동화재탐지설비를 신설 또는 개설할 때
	• 비상방송설비를 신설 또는 개설할 때
	• 통합감시시설을 신설 또는 개설할 때
	• 비상조명등을 신설 또는 개설할 때
	• 소화용수설비를 신설 또는 개설할 때
	• 다음에 따른 소화활동설비에 대하여 시공을 할 때
	  – 제연설비를 신설·개설하거나 제연구역을 증설할 때
	  – 연결송수관설비를 신설 또는 개설할 때
	  – 연결살수설비를 신설·개설하거나 송수구역을 증설할 때
	  – 비상콘센트설비를 신설·개설하거나 전용회로를 증설할 때
	  – 무선통신보조설비를 신설 또는 개설할 때
	  – 연소방지설비를 신설·개설하거나 살수구역을 증설할 때

지정신고 시 첨부서류	• 소방공사감리업 등록증 사본 1부 및 등록수첩 사본 1부 • 해당 소방시설공사를 감리하는 소속 감리원의 감리원 등급을 증명하는 서류(전자문서를 포함한다) 각 1부 • 소방공사감리계획서 1부 • 소방시설설계 계약서 사본 1부 및 소방공사감리 계약서 사본 1부 • 신고시기 : 착공신고일까지
공사감리자의 변경신고 기한	변경일부터 30일 이내(소방본부장, 소방서장)
공사감리자의 지정신고 또는 변경신고 시 처리기한	2일 이내(소방본부장, 소방서장)
공사감리 결과의 통보기한	공사가 완료된 날부터 7일 이내
감리결과의 통보 시 첨부서류	• 소방시설 성능시험조사표 1부 • 착공신고 후 변경된 소방시설설계도면 1부 • 소방공사 감리일지(소방본부장 또는 소방서장에게 보고하는 경우에만 첨부) 1부 • 특정소방대상물의 사용승인 신청서 등 사용승인 신청을 증빙할 수 있는 서류 1부
감리결과의 통보	특정소방대상물의 관계인, 소방시설공사의 도급인, 공사를 감리한 건축사에게 알리고, 소방본부장 또는 소방서장에게 보고

소방감리 배치통보	㉠ 감리원을 소방공사감리현장에 배치하는 경우에는 소방공사감리원 배치통보서(전자문서로 된 소방공사감리원 배치통보서를 포함한다)에, 배치한 감리원이 변경된 경우에는 소방공사감리원 배치변경통보서(전자문서로 된 소방공사감리원 배치변경통보서를 포함한다)에 다음의 구분에 따른 해당 서류(전자문서를 포함한다)를 첨부하여 감리원 배치일부터 7일 이내에 소방본부장 또는 소방서장에게 알려야 한다.
	㉡ 소방공사감리원 배치통보서에 첨부하는 서류(전자문서를 포함한다)
	  • 감리원의 등급을 증명하는 서류
	  • 소방공사 감리계약서 사본 1부
	㉢ 소방공사감리원 배치변경통보서에 첨부하는 서류(전자문서를 포함한다)
	  • 변경된 감리원의 등급을 증명하는 서류(감리원을 배치하는 경우에만 첨부한다)
	  • 변경 전 감리원의 등급을 증명하는 서류

※ 소방공사감리의 종류·방법 및 대상

종 류	대 상	방 법	배치기준
상주 공사감리	• 연면적 30,000[m²] 이상의 특정소방대상물(아파트는 제외한다)에 대한 소방시설의 공사 • 지하층을 포함한 층수가 16층 이상으로서 500세대 이상인 아파트에 대한 소방시설의 공사	• 감리원은 행정안전부령으로 정하는 기간 동안 공사 현장에 상주하여 법 제16조 제1항 각 호에 따른 업무를 수행하고 감리일지에 기록해야 한다. 다만, 법 제16조 제1항 제9호에 따른 업무는 행정안전부령으로 정하는 기간 동안 공사가 이루어지는 경우만 해당한다. • 감리원이 행정안전부령으로 정하는 기간 중 부득이한 사유로 1일 이상 현장을 이탈하는 경우에는 감리일지 등에 기록하여 발주청 또는 발주자의 확인을 받아야 한다. 이 경우 감리업자는 감리원의 업무를 대행할 사람을 감리현장에 배치하여 감리업무에 지장이 없도록 해야 한다. • 감리업자는 감리원이 행정안전부령으로 정하는 기간 중 법에 따른 교육이나 민방위기본법 또는 예비군법에 따른 교육을 받는 경우나 근로기준법에 따른 유급휴가로 현장을 이탈하게 되는 경우에는 감리업무에 지장이 없도록 감리원의 업무를 대행할 사람을 감리현장에 배치해야 한다. 이 경우 감리원은 새로 배치되는 업무대행자에게 업무 인수·인계 등의 필요한 조치를 해야 한다.	• 기계분야의 감리원 자격을 취득한 사람과 전기분야의 감리원 자격을 취득한 사람 각 1명 이상을 책임감리원으로 배치할 것. 다만, 기계분야 및 전기분야의 감리원 자격을 함께 취득한 사람이 있는 경우에는 그에 해당하는 사람 1명 이상을 배치할 수 있다. • 소방시설용 배관(전선관을 포함한다)을 설치하거나 매립하는 때부터 소방시설 완공검사증명서를 발급받을 때까지 소방공사 감리현장에 책임감리원을 배치할 것
일반 공사감리	상주 공사감리에 해당하지 않는 소방시설의 공사	㉠ 감리원은 공사 현장에 배치되어 법 제16조 제1항 각 호에 따른 업무를 수행한다. 다만, 법 제16조 제1항 제9호에 따른 업무는 행정안전부령으로 정하는 기간 동안 공사가 이루어지는 경우만 해당한다. ㉡ 감리원은 행정안전부령으로 정하는 기간 중에는 주 1회 이상 공사 현장에 배치되어 제1호의 업무를 수행하고 감리일지에 기록해야 한다. ㉢ 감리업자는 감리원이 부득이한 사유로 14일 이내의 범위에서 제2호의 업무를 수행할 수 없는 경우에는 업무대행자를 지정하여 그 업무를 수행하게 해야 한다. ㉣ ㉢에 따라 지정된 업무대행자는 주 2회 이상 공사 현장에 배치되어 ㉠의 업무를 수행하며, 그 업무수행 내용을 감리원에게 통보하고 감리일지에 기록해야 한다.	• 감리원은 주 1회 이상 소방공사감리현장에 배치되어 감리할 것 • 1명의 감리원이 담당하는 소방공사감리현장은 5개 이하(자동화재탐지설비 또는 옥내소화전설비 중 어느 하나만 설치하는 2개의 소방공사감리현장이 최단 차량주행거리로 30[km] 이내에 있는 경우에는 1개의 소방공사감리현장으로 본다)로서 감리현장 연면적의 총합계가 10만[m²] 이하일 것. 다만, 일반공사감리대상인 아파트의 경우에는 연면적의 합계에 관계없이 1명의 감리원이 5개 이내의 공사현장을 감리할 수 있다.

※ 소방공사감리원의 배치기준

감리원의 배치기준		소방시설공사 현장의 기준
책임감리원	보조감리원	
가. 행정안전부령으로 정하는 특급감리원 중 소방기술사	행정안전부령으로 정하는 초급감리원 이상의 소방공사 감리원(기계분야 및 전기분야)	1) 연면적 20만[m²] 이상인 특정소방대상물의 공사 현장 2) 지하층을 포함한 층수가 40층 이상인 특정소방대상물의 공사 현장
나. 행정안전부령으로 정하는 특급감리원 이상의 소방공사 감리원(기계분야 및 전기분야)	행정안전부령으로 정하는 초급감리원 이상의 소방공사 감리원(기계분야 및 전기분야)	1) 연면적 30,000[m²] 이상 20만[m²] 미만인 특정소방대상물(아파트는 제외)의 공사 현장 2) 지하층을 포함한 층수가 16층 이상 40층 미만인 특정소방대상물의 공사 현장
다. 행정안전부령으로 정하는 고급감리원 이상의 소방공사 감리원(기계분야 및 전기분야)	행정안전부령으로 정하는 초급감리원 이상의 소방공사 감리원(기계분야 및 전기분야)	1) 물분무 등 소화설비(호스릴 방식의 소화설비는 제외) 또는 제연설비가 설치되는 특정소방대상물의 공사 현장 2) 연면적 30,000[m²] 이상 20만[m²] 미만인 아파트의 공사 현장
라. 행정안전부령으로 정하는 중급감리원 이상의 소방공사 감리원(기계분야 및 전기분야)		연면적 5,000[m²] 이상 30,000[m²] 미만인 특정소방대상물의 공사 현장
마. 행정안전부령으로 정하는 초급감리원 이상의 소방공사 감리원(기계분야 및 전기분야)		1) 연면적 5,000[m²] 미만인 특정소방대상물의 공사 현장 2) 지하구의 공사 현장

7 소방기술자

의 무	• 소방기술자는 다른 사람에게 그 자격증(기술인정 자격수첩, 소방기술자 경력수첩)을 빌려주어서는 아니 된다. • 소방기술자는 동시에 둘 이상의 업체에 취업하여서는 아니 된다(다만, 소방기술자 업무에 영향을 미치지 아니하는 범위에서 근무시간 외에 소방시설업이 아닌 다른 업종에 종사하는 경우는 제외한다).
실무교육	• 실무교육기관 지정 : 소방청장 • 실무교육 : 2년마다 1회 이상 교육을 받아야 한다. • 실무교육일정 통보 : 교육대상자에게 교육 10일 전까지 통보

8 권한의 위탁

업 무	위 탁	보고일	내 용	권 한
실무교육	• 한국소방안전원 • 실무교육기관	매년 1월말	교육실적보고	소방청장
		다음 연도 1월말	실무교육대상자 관리 및 교육실적보고	
		매년 11월 30일	다음 연도 교육계획 보고	
소방기술과 관련된 자격·학력·경력의 인정	• 소방시설업자협회 • 소방기술과 관련된 법인 또는 단체			소방청장
시공능력평가	소방시설업자협회			소방청장

※ 소방기술자 실무교육기관

내 용	날 짜
• 교육계획의 변경보고 • 지정사항 변경보고	10일 이내
휴·폐업신고	14일 전까지
신청서류 보완	15일 이내
지정서 발급	30일 이내

01 소방시설공사업법령에 따른 소방시설공사 중 특정소방대상물에 설치된 소방시설 등을 구성하는 것의 전부 또는 일부를 개설, 이전 또는 정비하는 공사의 착공신고를 하지 않을 수 있다. 해당되지 않는 것은?(단, 긴급으로 교체를 요할 때이다) [18년 4회]

① 수신반

② 소화펌프

③ 동력(감시)제어반

④ 제연설비의 제연구역

> **해설** 특정소방대상물에 설치된 소방시설 등을 구성하는 다음의 어느 하나에 해당하는 것의 전부 또는 일부를 개설, 이전 또는 정비하는 공사. 다만, 고장 또는 파손 등으로 인하여 작동시킬 수 없는 소방시설을 긴급히 교체하거나 보수하여야 하는 경우에는 신고하지 않을 수 있다.
> • 수신반
> • 소화펌프
> • 동력(감시)제어반

02 소방시설공사업법상 특정소방대상물에 설치된 소방시설 등을 구성하는 것의 전부 또는 일부를 개설, 이전 또는 정비하는 공사의 경우 소방시설공사의 착공신고 대상이 아닌 것은? (단, 고장 또는 파손 등으로 인하여 작동시킬 수 없는 소방시설을 긴급히 교체하거나 보수하여야 하는 경우는 제외한다) [17년 2회]

① 수신반

② 소화펌프

③ 동력(감시)제어반

④ 압력체임버

> **해설** 1번 해설 참조

03 소방시설공사업법령에 따른 완공검사를 위한 현장 확인 대상 특정소방대상물의 범위 기준으로 틀린 것은? [21년 2회]

① 연면적 10,000[m²] 이상이거나 11층 이상인 특정소방대상물(아파트는 제외)

② 가연성 가스를 제조·저장 또는 취급하는 시설 중 지상에 노출된 가연성 가스탱크의 저장용량 합계가 1,000[t] 이상인 시설

③ 호스릴 방식의 소화설비가 설치되는 특정소방대상물

④ 문화 및 집회시설, 종교시설, 판매시설, 노유자시설, 수련시설, 운동시설, 숙박시설, 창고시설, 지하상가

> 해설 완공검사를 위한 현장 확인 대상 특정소방대상물
> • 문화 및 집회시설, 종교시설, 판매시설, 노유자시설, 수련시설, 운동시설, 숙박시설, 창고시설, 지하상가, 다중이용업소
> • 스프링클러설비 등 및 물분무 등 소화설비(호스릴 방식의 소화설비는 제외)가 설치되는 특정소방대상물
> • 연면적 10,000[m²] 이상이거나 11층 이상인 특정소방대상물(아파트는 제외)
> • 가연성 가스를 제조·저장 또는 취급하는 시설 중 지상에 노출된 가연성 가스탱크의 저장용량의 합계가 1,000[t] 이상인 시설

핵심
예제

04 소방시설공사업법령상 소방시설공사 완공검사를 위한 현장 확인 대상 특정소방대상물의 범위가 아닌 것은? [18년 1회]

① 위락시설

② 판매시설

③ 운동시설

④ 창고시설

> 해설 3번 해설 참조

05 대통령령으로 정하는 특정소방대상물 소방시설공사의 완공검사를 위하여 소방본부장이나 소방서장의 현장 확인 대상 범위가 아닌 것은? [17년 1회]

① 문화 및 집회시설

② 수계 소화설비가 설치되는 곳

③ 연면적 10,000[m²] 이상이거나 11층 이상인 특정소방대상물(아파트는 제외)

④ 가연성 가스를 제조·저장 또는 취급하는 시설 중 지상에 노출된 가연성 가스탱크의 저장용량 합계가 1,000[t] 이상인 시설

해설 3번 해설 참조

06 소방시설공사업법령상 소방시설공사의 하자보수 보증기간이 3년이 아닌 것은? [20년 3회]

① 자동소화장치

② 무선통신보조설비

③ 자동화재탐지설비

④ 간이스프링클러설비

해설 하자보수 대상 소방시설과 하자보수 보증기간

보증기간	시설의 종류
2년	피난기구, 유도등, 유도표지, 비상경보설비, 비상조명등, 비상방송설비 및 무선통신보조설비
3년	자동소화장치, 옥내소화전설비, 스프링클러설비, 간이스프링클러설비, 물분무 등 소화설비, 옥외소화전설비, 자동화재탐지설비, 상수도소화용수설비 및 소화활동설비(무선통신보조설비는 제외)

07 소방시설공사업법령상 하자보수를 하여야 하는 소방시설 중 하자보수 보증기간이 3년이 아닌 것은? [21년 2회]

① 자동소화장치

② 비상방송설비

③ 스프링클러설비

④ 상수도소화용수설비

해설 6번 해설 참조

08 소방시설공사업법령상 하자를 보수하여야 하는 소방시설과 소방시설별 하자보수 보증기간 으로 옳은 것은? [17년 2회]

① 유도등 : 1년
② 자동소화장치 : 3년
③ 자동화재탐지설비 : 2년
④ 상수도소화용수설비 : 2년

해설 6번 해설 참조

09 소방시설공사업법상 특정소방대상물의 관계인 또는 발주자가 해당 도급계약의 수급인을 도 급계약 해지할 수 있는 경우의 기준 중 틀린 것은? [18년 1회]

① 하도급계약의 적정성 심사 결과 하수급인 또는 하도급계약 내용의 변경 요구에 정당한 사유없이 따르지 아니하는 경우
② 정당한 사유없이 15일 이상 소방시설공사를 계속하지 아니하는 경우
③ 소방시설업이 등록취소되거나 영업정지된 경우
④ 소방시설업을 휴업하거나 폐업한 경우

해설 소방시설공사업의 도급계약의 해지 사유
• 소방시설업이 등록취소되거나 영업정지된 경우
• 소방시설업을 휴업하거나 폐업한 경우
• 정당한 사유 없이 30일 이상 소방시설공사를 계속하지 아니하는 경우
• 하도급의 통지를 받은 경우 그 하수급인이 적당하지 아니하다고 인정되어 하수급인의 변경을 요구하 였으나 정당한 사유 없이 따르지 아니하는 경우

10 다음 중 중급기술자의 학력·경력자에 대한 기준으로 옳은 것은?(단, "학력·경력자"란 고
등학교·대학 또는 이와 같은 수준 이상의 교육기관의 소방 관련학과의 정해진 교육과정을
이수하고 졸업하거나 그 밖의 관계법령에 따라 국내 또는 외국에서 이와 같은 수준 이상의
학력이 있다고 인정되는 사람을 말한다)   [19년 1회]

① 고등학교를 졸업 후 10년 이상 소방 관련 업무를 수행한 자
② 학사학위를 취득한 후 6년 이상 소방 관련 업무를 수행한 자
③ 석사학위를 취득한 후 2년 이상 소방 관련 업무를 수행한 자
④ 박사학위를 취득한 후 1년 이상 소방 관련 업무를 수행한 자

> 해설 • 중급기술자 : 학사학위를 취득한 후 6년 이상 소방 관련 업무를 수행한 자
> • 고급기술자 : 석사학위를 취득한 후 6년 이상 소방 관련 업무를 수행한 자

핵심
예제

11 다음 중 고급기술자에 해당하는 학력·경력 기준으로 옳은 것은?   [19년 2회]

① 박사학위를 취득한 후 2년 이상 소방 관련 업무를 수행한 사람
② 석사학위를 취득한 후 6년 이상 소방 관련 업무를 수행한 사람
③ 학사학위를 취득한 후 8년 이상 소방 관련 업무를 수행한 사람
④ 고등학교를 졸업한 후 10년 이상 소방 관련 업무를 수행한 사람

> 해설 10번 해설 참조

10 ② 11 ② 정답

12 소방공사업법령상 공사감리자 지정대상 특정소방대상물의 범위가 아닌 것은?

[18년 2회, 20년 3회, 21년 1회]

① 물분무 등 소화설비(호스릴 방식의 소화설비는 제외)를 신설·개설하거나 방호·방수 구역을 증설할 때
② 제연설비를 신설·개설하거나 제연구역을 증설할 때
③ 소화용수설비를 신설 또는 개설할 때
④ 캐비닛형 간이스프링클러설비를 신설·개설하거나 방호·방수 구역을 증설할 때

해설 **공사감리자 지정대상 특정소방대상물의 범위**
- 옥내소화전설비를 신설·개설 또는 증설할 때
- 스프링클러설비 등(캐비닛형 간이스프링클러설비는 제외한다)을 신설·개설하거나 방호·방수 구역을 증설할 때
- 물분무 등 소화설비(호스릴 방식의 소화설비는 제외한다)를 신설·개설하거나 방호·방수 구역을 증설할 때
- 옥외소화전설비를 신설·개설 또는 증설할 때
- 자동화재탐지설비를 신설 또는 개설할 때
- 비상방송설비를 신설 또는 개설할 때
- 통합감시시설을 신설 또는 개설할 때
- 비상조명등을 신설 또는 개설할 때
- 소화용수설비를 신설 또는 개설할 때
- 다음에 따른 소화활동설비에 대하여 시공을 할 때
  - 제연설비를 신설·개설하거나 제연구역을 증설할 때
  - 연결송수관설비를 신설 또는 개설할 때
  - 연결살수설비를 신설·개설하거나 송수구역을 증설할 때
  - 비상콘센트설비를 신설·개설하거나 전용회로를 증설할 때
  - 무선통신보조설비를 신설 또는 개설할 때
  - 연소방지설비를 신설·개설하거나 살수구역을 증설할 때

핵심
예제

13 다음 중 상주 공사감리를 하여야 할 대상의 기준으로 옳은 것은? [19년 1회]

① 지하층을 포함한 층수가 16층 이상으로서 300세대 이상인 아파트에 대한 소방시설의 공사

② 지하층을 포함한 층수가 16층 이상으로서 500세대 이상인 아파트에 대한 소방시설의 공사

③ 지하층을 포함하지 않은 층수가 16층 이상으로서 300세대 이상인 아파트에 대한 소방시설의 공사

④ 지하층을 포함하지 않은 층수가 16층 이상으로서 500세대 이상인 아파트에 대한 소방시설의 공사

해설 상주 공사감리 대상
• 연면적 30,000[m²] 이상의 특정소방대상물(아파트는 제외한다)에 대한 소방시설의 공사
• 지하층을 포함한 층수가 16층 이상으로서 500세대 이상인 아파트에 대한 소방시설의 공사

핵심
예제

14 소방시설공사업법령상 상주 공사감리 대상기준 중 다음 (   ) 안에 알맞은 것은? [18년 2회]

> • 연면적 (㉠)[m²] 이상의 특정소방대상물(아파트는 제외)에 대한 소방시설의 공사
> • 지하층을 포함한 층수가 (㉡)층 이상으로서 (㉢) 세대 이상인 아파트에 대한 소방시설의 공사

① ㉠ 10,000, ㉡ 11, ㉢ 600
② ㉠ 10,000, ㉡ 16, ㉢ 500
③ ㉠ 30,000, ㉡ 11, ㉢ 600
④ ㉠ 30,000, ㉡ 16, ㉢ 500

해설 13번 해설 참조

15 행정안전부령으로 정하는 고급감리원 이상의 소방공사감리원의 소방시설공사 배치 현장기준으로 옳은 것은? [17년 1회]

① 연면적 5,000[m²] 이상 30,000[m²] 미만인 특정소방대상물의 공사 현장
② 연면적 30,000[m²] 이상 200,000[m²] 미만인 아파트의 공사 현장
③ 연면적 30,000[m²] 이상 200,000[m²] 미만인 특정소방대상물(아파트는 제외)의 공사 현장
④ 연면적 200,000[m²] 이상인 특정소방대상물의 공사 현장

해설 소방공사 감리원의 배치기준

감리원의 배치기준		소방시설공사 현장의 기준
책임감리원	**보조감리원**	
행정안전부령으로 정하는 고급감리원 이상의 소방공사 감리원(기계분야 및 전기분야)	행정안전부령으로 정하는 초급감리원 이상의 소방공사 감리원(기계분야 및 전기분야)	1) 물분무 등 소화설비(호스릴방식의 소화설비는 제외) 또는 제연설비가 설치되는 특정소방대상물의 공사 현장 2) 연면적 3만[m²] 이상 20만[m²] 미만인 아파트의 공사 현장

핵심 예제

16 지하층을 포함한 층수가 16층 이상 40층 미만인 특정소방대상물의 소방시설 공사현장에 배치하여야 할 소방공사 책임감리원의 배치기준으로 옳은 것은? [17년 2회]

① 행정안전부령으로 정하는 특급감리원 중 소방기술사
② 행정안전부령으로 정하는 특급감리원 이상의 소방공사 감리원(기계분야 및 전기분야)
③ 행정안전부령으로 정하는 고급감리원 이상의 소방공사 감리원(기계분야 및 전기분야)
④ 행정안전부령으로 정하는 중급감리원 이상의 소방공사 감리원(기계분야 및 전기분야)

해설 소방공사 감리원의 배치기준(소방시설법 영 별표 4)

감리원의 배치기준		소방시설공사 현장의 기준
책임감리원	**보조감리원**	
행정안전부령으로 정하는 특급감리원 이상의 소방공사 감리원(기계분야 및 전기분야)	행정안전부령으로 정하는 초급감리원 이상의 소방공사 감리원(기계분야 및 전기분야)	1) 연면적 3만[m²] 이상 20만[m²] 미만인 특정소방대상물(아파트는 제외)의 공사 현장 2) 지하층을 포함한 층수가 16층 이상 40층 미만인 특정소방대상물의 공사 현장

17 소방시설공사업법령상 소방공사감리를 실시함에 있어 용도와 구조에서 특별히 안전성과 보안성이 요구되는 소방대상물로서 소방시설물에 대한 감리를 감리업자가 아닌 자가 감리할 수 있는 장소는? [20년 1·2회]

① 정보기관의 청사
② 교도소 등 교정관련시설
③ 국방 관계시설 설치장소
④ 원자력안전법상 관계시설이 설치되는 장소

해설 감리업자가 아닌 자가 감리할 수 있는 보안성 등이 요구되는 소방대상물 시공 장소 : 원자력안전법 제2조 제10호에 따른 관계시설이 설치되는 장소

18 자동화재탐지설비의 일반 공사 감리 기간으로 포함시켜 산정할 수 있는 항목은? [17년 4회]

① 고정금속구를 설치하는 기간
② 전선관의 매립을 하는 공사 기간
③ 공기유입구의 설치 기간
④ 소화약제 저장용기 설치 기간

해설 소방시설용 배관(전선관을 포함한다)을 설치하거나 매립하는 때부터 소방시설 완공검사증명서를 발급받을 때까지 소방공사감리현장에 감리원을 배치할 것

9 벌 칙

(1) 3년 이하의 징역 또는 3,000만원 이하의 벌금

소방시설업의 등록을 하지 아니하고 영업을 한 자

(2) 1년 이하의 징역 또는 1,000만원 이하의 벌금

① 영업정지처분을 받고 그 영업정지 기간에 영업을 한 자
② 설계업자, 공사업자의 화재안전기준 규정을 위반하여 설계나 시공을 한 자
③ 감리업자의 업무규정을 위반하여 감리를 하거나 거짓으로 감리한 자
④ 감리업자가 공사감리자를 지정하지 아니한 자
⑤ 보고를 거짓으로 한 자
⑥ 공사감리 결과의 통보 또는 공사감리 결과보고서의 제출을 거짓으로 한 자
⑦ 해당 소방시설업자가 아닌 자에게 소방시설공사 등을 도급한 자
⑧ 도급받은 소방시설의 설계, 시공, 감리를 하도급한 자
⑨ 하도급 받은 소방시설공사를 다시 하도급한 자
⑩ 법 또는 명령을 따르지 아니하고 업무를 수행한 자

(3) 300만원 이하의 벌금

① 다른 자에게 자기의 성명이나 상호를 사용하여 소방시설공사 등을 수급 또는 시공하게 하거나 소방시설업의 등록증이나 등록수첩을 빌려준 자
② 소방시설 공사현장에 감리원을 배치하지 아니한 자
③ 소방시설공사가 설계도서 또는 화재안전기준에 적합하지 아니하여 보완하도록 한 감리업자의 요구에 따르지 아니한 자
④ 공사감리계약을 해지하거나, 대가 지급을 거부하거나 지연시키거나 불이익을 준 자
⑤ 소방기술인정 자격수첩 또는 경력수첩을 빌려준 사람
⑥ 소방기술자가 동시에 둘 이상의 업체에 취업한 사람
⑦ 관계인의 정당한 업무를 방해하거나 업무상 알게 된 비밀을 누설한 사람

(4) 100만원 이하의 벌금

① 소방시설업자 및 관계인의 보고 및 자료제출, 관계서류 검사 또는 질문 등 위반하여 보고 또는 자료제출을 하지 아니하거나 거짓으로 한 사람
② 소방시설업자 및 관계인의 보고 및 자료제출, 관계서류 검사 또는 질문 등 규정을 위반하여 정당한 사유 없이 관계공무원의 출입 또는 검사·조사를 거부·방해 또는 기피한 사람

(5) 200만원 이하의 과태료

① 변경, 지위승계, 착공신고 등의 신고를 하지 아니하거나 거짓으로 신고한 자
② 관계인에게 지위승계, 행정처분 또는 휴업·폐업의 사실을 거짓으로 알린 자
③ 관계 서류를 보관하지 아니한 자
④ 소방기술자를 공사 현장에 배치하지 아니한 자
⑤ 완공검사를 받지 아니한 자
⑥ 3일 이내에 하자를 보수하지 아니하거나 하자보수계획을 관계인에게 거짓으로 알린 자
⑦ 감리 관계 서류를 인수·인계하지 아니한 자
⑧ 배치통보 및 변경통보를 하지 아니하거나 거짓으로 통보한 자
⑨ 방염성능기준 미만으로 방염을 한 자
⑩ 방염처리능력 평가에 관한 서류를 거짓으로 제출한 자
⑪ 도급계약 체결 시 의무를 이행하지 아니한 자
⑫ 하도급 등의 통지를 하지 아니한 자
⑬ 시공능력 평가에 관한 서류를 거짓으로 제출한 자
⑭ 사업수행능력 평가에 관한 서류를 위조하거나 변조하는 등 거짓이나 그 밖의 부정한 방법으로 입찰에 참여한 자
⑮ 시·도지사, 소방본부장 또는 소방서장에게 소방시설업자나 관계인이 보고 또는 자료 제출을 하지 아니하거나 거짓으로 보고 또는 자료 제출을 한 자

> 과태료 부과권자 : 관할 시·도지사, 소방본부장, 소방서장

10 소방시설업에 대한 행정처분

위반사항	근거법령	행정처분 기준		
		1차	2차	3차
거짓이나 그 밖의 부정한 방법으로 등록한 경우	법 제9조	등록취소		
등록기준에 미달하게 된 후 30일이 경과한 경우	법 제9조	경고 (시정명령)	영업정지 3개월	등록 취소
법 제5조의 등록 결격사유에 해당하게 된 경우	법 제9조	등록취소		
등록을 한 후 정당한 사유 없이 1년이 지날 때까지 영업을 시작하지 아니하거나 계속하여 1년 이상 휴업한 때	법 제9조	경고 (시정명령)	등록취소	
법 제8조 제1항을 위반하여 다른 자에게 자기의 성명이나 상호를 사용하여 소방시설공사 등을 수급 또는 시공하게 하거나 소방시설업의 등록증 또는 등록수첩을 빌려준 경우	법 제9조	영업정지 6개월	등록취소	
영업정지 기간 중에 소방시설공사 등을 한 경우	법 제9조	등록취소		

위반사항	근거법령	행정처분 기준		
		1차	2차	3차
법 제8조 제3항 또는 제4항을 위반하여 통지를 하지 아니하거나 관계서류를 보관하지 아니한 경우	법 제9조	경고 (시정명령)	영업정지 1개월	등록 취소
화재안전기준 등에 적합하게 설계·시공을 하지 아니하거나, 적합하게 감리를 하지 아니한 경우	법 제9조	영업정지 1개월	영업정지 3개월	등록 취소
소방시설공사 등의 업무수행의무 등을 고의 또는 과실로 위반하여 다른 사람에게 상해를 입히거나 재산피해를 입힌 경우	법 제9조	영업정지 6개월	등록취소	
법 제12조 제2항을 위반하여 소속 소방기술자를 공사현장에 배치하지 아니하거나 거짓으로 한 경우	법 제9조	경고 (시정명령)	영업정지 1개월	등록 취소
착공신고(변경신고를 포함한다)를 하지 아니하거나 거짓으로 한 때 또는 완공검사(부분완공검사를 포함한다)를 받지 아니한 경우	법 제9조	경고 (시정명령)	영업정지 3개월	등록 취소
법 제13조 제2항 후단을 위반하여 착공신고사항 중 중요한 사항에 해당하지 아니하는 변경사항을 같은 항 각 호의 어느 하나에 해당하는 서류에 포함하여 보고하지 아니한 경우	법 제9조	경고 (시정명령)	영업정지 1개월	등록 취소
하자보수 기간 내에 하자보수를 하지 아니하거나 하자보수계획을 통보하지 아니한 경우	법 제9조	경고 (시정명령)	영업정지 1개월	등록 취소
법 제17조 제3항을 위반하여 인수·인계를 거부·방해·기피한 경우	법 제9조	영업정지 1개월	영업정지 3개월	등록 취소
법 제18조 제1항을 위반하여 소속 감리원을 공사현장에 배치하지 아니하거나 거짓으로 한 경우	법 제9조	영업정지 1개월	영업정지 3개월	등록 취소
법 제18조 제3항의 감리원 배치기준을 위반한 경우	법 제9조	경고 (시정명령)	영업정지 1개월	등록 취소
법 제19조 제1항에 따른 요구에 따르지 아니한 경우	법 제9조	영업정지 1개월	영업정지 3개월	등록 취소
법 제19조 제3항을 위반하여 보고하지 아니한 경우	법 제9조	경고 (시정명령)	영업정지 1개월	등록 취소
감리 결과를 알리지 아니하거나 거짓으로 알린 경우 또는 공사감리 결과보고서를 제출하지 아니하거나 거짓으로 제출한 경우	법 제9조	경고 (시정명령)	영업정지 3개월	등록 취소
법 제22조 제1항 본문을 위반하여 도급받은 소방시설의 설계, 시공, 감리를 하도급한 경우	법 제9조	영업정지 3개월	영업정지 6개월	등록 취소
하도급 등에 관한 사항을 관계인과 발주자에게 알리지 아니하거나 거짓으로 알린 경우	법 제9조	경고 (시정명령)	영업정지 1개월	등록 취소
법 제24조를 위반하여 시공과 감리를 함께한 경우	법 제9조	영업정지 3개월	등록 취소	
법 제31조에 따른 명령을 위반하여 보고 또는 자료 제출을 하지 아니하거나 거짓으로 보고 또는 자료 제출을 한 경우	법 제9조	영업정지 3개월	영업정지 6개월	등록 취소
정당한 사유 없이 법 제31조에 따른 관계 공무원의 출입 또는 검사·조사를 거부·방해 또는 기피한 경우	법 제9조	영업정지 3개월	영업정지 6개월	등록 취소

11 소방기술자의 자격의 정지 및 취소에 관한 기준

위반사항	근거법령	행정처분기준		
		1차	2차	3차
거짓이나 그 밖의 부정한 방법으로 자격수첩 또는 경력수첩을 발급받은 경우	법 제28조 제4항	자격취소		
법 제27조제2항을 위반하여 자격수첩 또는 경력수첩을 다른 자에게 빌려준 경우	법 제28조 제4항	자격취소		
법 제27조제3항을 위반하여 동시에 둘 이상의 업체에 취업한 경우	법 제28조 제4항	자격정지 1년	자격취소	
• 법 또는 법에 따른 명령을 위반한 경우 – 법 제27조제1항의 업무수행 중 해당 자격과 관련하여 고의 또는 중대한 과실로 다른 자에게 손해를 입히고 형의 선고를 받은 경우	법 제28조 제4항	자격취소		
– 법 제28조제4항에 따라 자격정지처분을 받고도 같은 기간 내에 자격증을 사용한 경우		자격정지 1년	자격정지 2년	자격취소

01 소방시설공사업법령상 소방시설업 등록을 하지 아니하고 영업을 한 자에 대한 벌칙은?

[21년 1회]

① 500만원 이하의 벌금
② 1년 이하의 징역 또는 1,000만원 이하의 벌금
③ 3년 이하의 징역 또는 3,000만원 이하의 벌금
④ 5년 이하의 징역

> **해설** 3년 이하의 징역 또는 3,000만원 이하의 벌금
> 소방시설업의 등록을 하지 아니하고 영업을 한 자

02 소방시설공사업법상 도급을 받은 자가 제3자에게 소방시설공사의 시공을 하도급한 경우에 대한 벌칙 기준으로 옳은 것은?(단, 대통령령으로 정하는 경우는 제외한다)

[20년 4회]

① 100만원 이하의 벌금
② 300만원 이하의 벌금
③ 1년 이하의 징역 또는 1,000만원 이하의 벌금
④ 3년 이하의 징역 또는 3,000만원 이하의 벌금

> **해설** 1년 이하의 징역 또는 1,000만원 이하의 벌금
> • 영업정지처분을 받고 그 영업정지 기간에 영업을 한 자
> • 설계업자, 공사업자의 화재안전기준 규정을 위반하여 설계나 시공을 한 자
> • 감리업자의 업무규정을 위반하여 감리를 하거나 거짓으로 감리한 자
> • 감리업자가 공사감리자를 지정하지 아니한 자
> • 보고를 거짓으로 한 자
> • 공사감리 결과의 통보 또는 공사감리 결과보고서의 제출을 거짓으로 한 자
> • 해당 소방시설업자가 아닌 자에게 소방시설공사 등을 도급한 자
> • 도급받은 소방시설의 설계, 시공, 감리를 하도급한 자
> • 하도급 받은 소방시설공사를 다시 하도급한 자
> • 법 또는 명령을 따르지 아니하고 업무를 수행한 자

03 다음 중 300만원 이하의 벌금에 해당되지 않는 것은? [19년 2회]

① 등록수첩을 다른 자에게 빌려준 자
② 소방시설공사의 완공검사를 받지 아니한 자
③ 소방기술자가 동시에 둘 이상의 업체에 취업한 사람
④ 소방시설공사 현장에 감리원을 배치하지 아니한 자

해설 **300만원 이하의 벌금**
- 다른 자에게 자기의 성명이나 상호를 사용하여 소방시설공사 등을 수급 또는 시공하게 하거나 소방시설업의 등록증이나 등록수첩을 빌려준 자
- 소방시설 공사현장에 감리원을 배치하지 아니한 자
- 소방시설공사가 설계도서 또는 화재안전기준에 적합하지 아니하여 보완하도록 한 감리업자의 요구에 따르지 아니한 자
- 공사감리계약을 해지하거나, 대가 지급을 거부하거나 지연시키거나 불이익을 준 자
- 소방기술인정 자격수첩 또는 경력수첩을 빌려준 사람
- 소방기술자가 동시에 둘 이상의 업체에 취업한 사람
- 관계인의 정당한 업무를 방해하거나 업무상 알게 된 비밀을 누설한 사람

04 소방시설업의 반드시 등록 취소에 해당하는 경우는? [17년 4회]

① 거짓이나 그 밖의 부정한 방법으로 등록한 경우
② 다른 자에게 등록증 또는 등록수첩을 빌려준 경우
③ 소속 소방기술자를 공사현장에 배치하지 아니하거나 거짓으로 한 경우
④ 등록을 한 후 정당한 사유 없이 1년이 지날 때까지 영업을 시작하지 아니하거나 계속하여 1년 이상 휴업한 경우

해설 **행정처분**

위반사항	근거법령	행정처분 기준		
		1차	2차	3차
거짓이나 그 밖의 부정한 방법으로 등록한 경우	법 제9조	등록취소		
등록기준에 미달하게 된 후 30일이 경과한 경우	법 제9조	경고 (시정명령)	영업정지 3개월	등록 취소
법 제5조의 등록 결격사유에 해당하게 된 경우	법 제9조	등록취소		
등록을 한 후 정당한 사유 없이 1년이 지날 때까지 영업을 시작하지 아니하거나 계속하여 1년 이상 휴업한 때	법 제9조	경고 (시정명령)	등록취소	

05 소방시설업에 대한 행정처분 기준 중 1차 처분이 영업정지 3개월이 아닌 경우는?

[17년 1회]

① 국가, 지방자치단체 또는 공공기관이 발주하는 소방시설의 설계·감리업자 선정에 따른 사업수행능력 평가에 관한 서류를 위조하거나 변조하는 등 거짓이나 그 밖의 부정한 방법으로 입찰에 참여한 경우

② 소방시설업의 감독을 위하여 필요한 보고나 자료제출 명령을 위반하여 보고 또는 자료제출을 하지 아니하거나 거짓으로 보고 또는 자료제출을 한 경우

③ 정당한 사유 없이 출입·검사업무에 따른 관계 공무원의 출입 또는 검사·조사를 거부·방해 또는 기피한 경우

④ 감리업자의 감리 시 소방시설공사가 설계도서에 맞지 아니하여 공사업자에게 공사의 시정 또는 보완 등의 요구를 하였으나 따르지 아니한 경우

해설 감리업자의 감리 시 소방시설공사가 설계도서에 맞지 아니하여 공사업자에게 공사의 시정 또는 보완 등의 요구를 하였으나 따르지 아니한 경우 1차 행정처분 : 영업정지 1개월

핵심
예제

CHAPTER 04 위험물안전관리법

1 목 적

위험물의 저장·취급 및 운반과 이에 따른 안전관리에 관한 사항을 규정함으로써 위험물로 인한 위해를 방지하여 공공의 안전을 확보함을 목적으로 한다.

2 용어 정의

위험물	인화성 또는 발화성 등의 성질을 가지는 것으로서 대통령령으로 정하는 물품
지정수량	위험물의 종류별로 위험성을 고려하여 대통령령으로 정하는 수량(제조소 등의 설치허가 등에 있어서 최저의 기준이 되는 수량)
제조소	위험물을 제조할 목적으로 지정수량 이상의 위험물을 취급하기 위하여 허가받은 장소
저장소	지정수량 이상의 위험물을 저장하기 위한 대통령령으로 정하는 장소(옥내저장소, 옥외탱크저장소, 옥내탱크저장소, 지하탱크저장소, 간이탱크저장소, 이동탱크저장소, 암반탱크저장소, 옥외저장소)
취급소	지정수량 이상의 위험물을 제조 외의 목적으로 취급하기 위한 대통령령으로 정하는 장소 • 주유취급소 : 고정된 주유설비에 의하여 자동차·항공기 또는 선박 등의 연료탱크에 직접 주유하기 위하여 위험물을 취급하는 장소 • 판매취급소 : 점포에서 위험물을 용기에 담아 판매하기 위하여 지정수량의 40배 이하의 위험물을 취급하는 장소 • 이송취급소 : 배관 및 이에 부속된 설비에 의하여 위험물을 이송하는 장소 • 일반취급소 : 주유취급소, 판매취급소, 이송취급소 외의 장소
제조소 등	제조소, 저장소, 취급소
유 황	순도가 60[wt%] 이상
철 분	철의 분말로서 53[μm]의 표준체를 통과하는 것이 50[wt%] 미만인 것은 제외
금속분	알칼리금속·알칼리토류금속·철 및 마그네슘 외의 금속의 분말을 말하고, 구리분·니켈분 및 150[μm]의 체를 통과하는 것이 50[wt%] 미만인 것은 제외
인화성 고체	고형알코올 그 밖에 1기압에서 인화점이 40[℃] 미만인 고체
자연발화성 물질 및 금수성 물질	고체 또는 액체로서 공기 중에서 발화의 위험성이 있거나 물과 접촉하여 발화하거나 가연성가스를 발생하는 위험성이 있는 것
특수인화물	이황화탄소, 다이에틸에테르 그 밖에 1기압에서 발화점이 100[℃] 이하인 것 또는 인화점이 -20[℃] 이하이고 비점이 40[℃] 이하
제1석유류	아세톤, 휘발유 그 밖에 1기압에서 인화점이 21[℃] 미만
알코올류	1분자를 구성하는 탄소원자의 수가 1개부터 3개까지인 포화1가 알코올(변성알코올을 포함)
제2석유류	등유, 경유 그 밖에 1기압에서 인화점이 21[℃] 이상 70[℃] 미만
제3석유류	중유, 크레오소트유 그 밖에 1기압에서 인화점이 70[℃] 이상 200[℃] 미만
제4석유류	기어유, 실린더유 그 밖에 1기압에서 인화점이 200[℃] 이상 250[℃] 미만
과산화수소	순도가 36[wt%] 이상
질 산	비중 1.49 이상

3 위험물안전관리법 정리

소방대상물	• 건축물 • 차 량 • 선박(매어둔 것) • 선박건조구조물 • 인공구조물 • 물 건 • 산 림	
위험물의 저장·운반·취급에 대한 적용 제외	• 항공기 • 선 박 • 철도(기차) • 궤 도	
시·도의 조례	지정수량 미만인 위험물의 저장·취급(지정수량 이상 : 위험물안전관리법)	
	임시로 저장 또는 취급하는 장소에서의 저장 또는 취급의 기준과 임시로 저장 또는 취급하는 장소의 위치·구조 및 설비의 기준 • 관할소방서장의 승인을 받아 지정수량 이상의 위험물을 90일 이내의 기간 동안 임시로 저장 또는 취급하는 경우 • 군부대가 지정수량 이상의 위험물을 군사목적으로 임시로 저장 또는 취급하는 경우	
시·도지사	신 고	제조소 등의 위치·구조 또는 설비의 변경없이 당해 제조소 등에서 저장하 거나 취급하는 위험물의 품명·수량 또는 지정수량의 배수를 변경하고자 하는 자(변경하고자 하는 날의 1일 전까지)
		제조소 등 설치자의 지위승계(승계한 날부터 30일 이내)
		제조소 등의 폐지(폐지한 날부터 14일 이내)
	허 가	제조소 등을 설치하고자 하는 자
	과징금 처분	2억원 이하의 과징금 부과
	협 의	군용위험물시설의 설치 및 변경에 대한 특례(군사목적 또는 군부대시설을 위한 제조소 등을 설치하거나 그 위치·구조 또는 설비를 변경하고자 하는 군부대의 장은 관할 시·도지사와 협의)
	제 출	예방규정(작성자 : 소유자, 점유자, 관리자)
		제조소 등의 재발급 완공검사합격확인증 제출(제출일 : 10일 이내)
• 주택의 난방시설(공동주택의 중앙난방시설을 제외한다)을 위한 저장소 또는 취급소 • 농예용·축산용 또는 수산용으로 필요한 난방시설 또는 건조시설을 위한 지정수량 20배 이하의 저장소는 허가를 받지 아니하고 당해 제조소 등을 설치하거나 그 위치·구조 또는 설비를 변경할 수 있으며, 신고를 하지 아니하고 위험물의 품명·수량 또는 지정수량의 배수를 변경할 수 있는 경우	관계인이 예방규정을 정하여야 할 제조소 등 • 10배 이상의 제조소·일반취급소 • 100배 이상의 옥외저장소 • 150배 이상의 옥내저장소 • 200배 이상의 옥외탱크저장소 • 이송취급소 • 암반탱크저장소	
소방본부장·소방서장에게 신고	소방안전관리자, 위험물안전관리자 선임 14일 이내(안전관리자를 해임하거나, 안전관리자가 퇴직한 때 재선임하고, 대리자가 안전관리자의 직무를 대행하는 기간은 30일 이내)	

		제조소 등의 안전관리자의 자격		
대통령령		날 짜		내 용
		14일 이내		위험물안전관리자의 선임신고
		30일 이내		• 위험물안전관리자의 재선임 • 위험물안전관리자의 직무대행
시 · 도지사, 소방본부장 또는 소방서장		• 제조소 등의 위치 · 구조 및 설비의 수리 · 개조 또는 이전 명령권자 • 위험물 누출 등의 사고 조사 • 탱크시험자에 대한 명령 • 무허가장소의 위험물에 대한 조치명령 • 제조소 등에 대한 긴급 사용정지명령 • 저장 · 취급기준 준수명령		
안전교육 대상자		• 안전관리자로 선임된 자 • 탱크시험자의 기술인력으로 종사하는 자 • 위험물운반자로 종사하는 자 • 위험물운송자로 종사하는 자		
탱크시험자	**등 록**	• 구비사항 : 기술능력 · 시설 및 장비 • 등록 : 시 · 도지사		
	변경신고	첨부 서류	• 영업소 소재지의 변경 : 사무소의 사용을 증명하는 서류와 위험물탱크안전성능시험자 등록증 • 기술능력의 변경 : 변경하는 기술인력의 자격증과 위험물탱크안전성능시험자 등록증 • 대표자의 변경 : 위험물탱크안전성능시험자 등록증 • 상호 또는 명칭의 변경 : 위험물탱크안전성능시험자 등록증	
		기 한	30일 이내	
	등록, 업무에 종사할 수 없는 자	㉠ 피성년후견인 ㉡ 금고 이상의 실형의 선고를 받고 그 집행이 종료(집행이 종료된 것으로 보는 경우를 포함한다)되거나 집행이 면제된 날부터 2년이 지나지 아니한 자 ㉢ 금고 이상의 형의 집행유예 선고를 받고 그 유예기간 중에 있는 자 ㉣ 탱크시험자의 등록이 취소(㉠에 해당하여 자격이 취소된 경우는 제외한다)된 날부터 2년이 지나지 아니한 자		
자체소방대	**설치사업소**	• 제4류 위험물을 취급하는 제조소 또는 일반취급소 • 지정수량의 3,000배 이상(50만배 이상 저장 옥외탱크저장소)		
	제외대상 일반취급소	• 보일러, 버너 그 밖에 이와 유사한 장치로 위험물을 소비하는 일반취급소 • 이동저장탱크 그 밖에 이와 유사한 것에 위험물을 주입하는 일반취급소 • 용기에 위험물을 옮겨 담는 일반취급소 • 유압장치, 윤활유순환장치 그 밖에 이와 유사한 장치로 위험물을 취급하는 일반취급소 • 광산보안법의 적용을 받는 일반취급소		

		사업소의 구분		화학소방자동차	자체소방대원의 수
자체소방대	규 모	제조소 또는 일반취급소에서 취급하는 제4류 위험물의 최대수량의 합이 지정수량의 3,000배 이상 12만배 미만인 사업소		1대	5인
		제조소 또는 일반취급소에서 취급하는 제4류 위험물의 최대수량의 합이 지정수량의 12만배 이상 24만배 미만인 사업소		2대	10인
		제조소 또는 일반취급소에서 취급하는 제4류 위험물의 최대수량의 합이 지정수량의 24만배 이상 48만배 미만인 사업소		3대	15인
		제조소 또는 일반취급소에서 취급하는 제4류 위험물의 최대수량의 합이 지정수량의 48만배 이상인 사업소		4대	20인
	화학소방차	구 분	기 준		
		포수용액 방사차	포수용액의 방사능력이 매분 2,000[L] 이상일 것		
			소화약액탱크 및 소화약액혼합장치를 비치할 것		
			10만[L] 이상의 포수용액을 방사할 수 있는 양의 소화약제를 비치할 것		
		분말 방사차	분말의 방사능력이 매초 35[kg] 이상일 것		
			분말탱크 및 가압용가스설비를 비치할 것		
			1,400[kg] 이상의 분말을 비치할 것		
		할로겐화합물 방사차	할로겐화합물의 방사능력이 매초 40[kg] 이상일 것		
			할로겐화합물탱크 및 가압용가스설비를 비치할 것		
			1,000[kg] 이상의 할로겐화합물을 비치할 것		
		이산화탄소 방사차	이산화탄소의 방사능력이 매초 40[kg] 이상일 것		
			이산화탄소저장용기를 비치할 것		
			3,000[kg] 이상의 이산화탄소를 비치할 것		
		제독차	가성소다 및 규조토를 각각 50[kg] 이상 비치할 것		
위험물 운송	운송자	국가기술자격자 또는 안전교육 받은 자			
	책임자 자격	• 당해 위험물의 취급에 관한 국가기술자격을 취득하고 관련 업무에 1년 이상 종사한 경력이 있는 자 • 위험물의 운송에 관한 안전교육을 수료하고 관련 업무에 2년 이상 종사한 경력이 있는 자			
	운송책임자의 감독·지원을 받는 위험물	• 알킬알루미늄 • 알킬리튬			
완공검사	검사권자	시·도지사(소방본부장 또는 소방서장에게 위임)			
	신청시기	• 지하탱크가 있는 제조소 등의 경우 : 해당 지하탱크를 매설하기 전 • 이동탱크저장소의 경우 : 이동탱크를 완공하고 상시설치장소를 확보한 후 • 이송취급소의 경우 : 이송배관 공사의 전체 또는 일부를 완료한 후(다만, 지하·하천 등에 매설하는 이송배관의 공사의 경우에는 이송배관을 매설하기 전) • 제조소 등의 경우 : 제조소 등의 공사를 완료한 후			

※ 탱크안전성능검사의 대상 및 검사 신청시기

검사 종류	검사 대상	신청시기
기초 · 지반검사	100만[L] 이상인 액체 위험물을 저장하는 옥외탱크저장소	위험물 탱크의 기초 및 지반에 관한 공사의 개시 전
충수 · 수압검사	액체 위험물을 저장 또는 취급하는 탱크	위험물을 저장 또는 취급하는 탱크에 배관 그 밖의 부속설비를 부착하기 전
용접부 검사	100만[L] 이상인 액체 위험물을 저장하는 옥외탱크저장소	탱크 본체에 관한 공사의 개시 전
암반탱크검사	액체 위험물을 저장 또는 취급하는 암반 내의 공간을 이용한 탱크	암반탱크의 본체에 관한 공사의 개시 전

01 위험물안전관리법상 지정수량 미만인 위험물의 저장 또는 취급에 관한 기술상의 기준은 무엇으로 정하는가? 〔17년 1회, 18년 2회〕

① 대통령령
② 총리령
③ 시·도의 조례
④ 행정안전부령

> **해설** 시·도의 조례
> • 지정수량 미만인 위험물의 저장·취급(지정수량 이상 : 위험물안전관리법)
> • 임시로 저장 또는 취급하는 장소에서의 저장 또는 취급의 기준과 임시로 저장 또는 취급하는 장소의 위치·구조 및 설비의 기준
>   - 관할소방서장의 승인을 받아 지정수량 이상의 위험물을 90일 이내의 기간 동안 임시로 저장 또는 취급하는 경우
>   - 군부대가 지정수량 이상의 위험물을 군사목적으로 임시로 저장 또는 취급하는 경우

02 위험물안전관리법령상 제조소 등이 아닌 장소에서 지정수량 이상의 위험물을 취급할 수 있는 경우에 대한 기준으로 맞는 것은?(단, 시·도의 조례가 정하는 바에 따른다) 〔20년 4회〕

① 관할 소방서장의 승인을 받아 지정수량 이상의 위험물을 60일 이내의 기간 동안 임시로 저장 또는 취급하는 경우
② 관할 소방대장의 승인을 받아 지정수량 이상의 위험물을 60일 이내의 기간 동안 임시로 저장 또는 취급하는 경우
③ 관할 소방서장의 승인을 받아 지정수량 이상의 위험물을 90일 이내의 기간 동안 임시로 저장 또는 취급하는 경우
④ 관할 소방대장의 승인을 받아 지정수량 이상의 위험물을 90일 이내의 기간 동안 임시로 저장 또는 취급하는 경우

> **해설** 1번 해설 참조

정답 1 ③ 2 ③

03 위험물안전관리법령상 제조소 등이 아닌 장소에서 지정수량 이상의 위험물을 취급할 수 있는 기준 중 다음 (   ) 안에 알맞은 것은? [19년 4회]

> 시·도의 조례가 정하는 바에 따라 관할 소방서장의 승인을 받아 지정수량 이상의 위험물을 (   )일 이내의 기간 동안 임시로 저장 또는 취급하는 경우

① 15
② 30
③ 60
④ 90

해설 1번 해설 참조

04 제조소 등의 위치·구조 또는 설비의 변경 없이 당해 제조소 등에서 저장하거나 취급하는 위험물의 품명·수량 또는 지정수량의 배수를 변경하고자 할 때는 누구에게 신고해야 하는가? [19년 4회]

① 국무총리
② 시·도지사
③ 소방청장
④ 관할소방서장

해설 시·도지사

신 고	제조소 등의 위치·구조 또는 설비의 변경없이 당해 제조소 등에서 저장하거나 취급하는 위험물의 품명·수량 또는 지정수량의 배수를 변경하고자 하는 자(변경하고자 하는 날의 1일 전까지)
	제조소 등 설치자의 지위승계(승계한 날부터 30일 이내)
	제조소 등의 폐지(폐지한 날부터 14일 이내)
허 가	제조소 등을 설치하고자 하는 자
과징금 처분	2억원 이하의 과징금 부과
협 의	군용위험물시설의 설치 및 변경에 대한 특례(군사목적 또는 군부대시설을 위한 제조소 등을 설치하거나 그 위치·구조 또는 설비를 변경하고자 하는 군부대의 장은 관할 시·도지사와 협의)
제 출	예방규정(작성자 : 소유자, 점유자, 관리자)
	제조소 등의 재발급 완공검사합격확인증 제출(제출일 : 10일 이내)

05 위험물안전관리법령상 위험물 시설의 변경 기준 중 다음 (   ) 안에 알맞은 것은?

[20년 3회]

> 제조소 등의 위치·구조 또는 설비의 변경 없이 당해 제조소 등에서 저장하거나 취급하는 위험물의 품명·수량 또는 지정수량의 배수를 변경하고자 하는 자는 변경하고자 하는 날의 (㉠)일 전까지 행정안전부령이 정하는 바에 따라 (㉡)에게 신고하여야 한다.

① ㉠ 1, ㉡ 소방본부장 또는 소방서장
② ㉠ 1, ㉡ 시·도지사
③ ㉠ 7, ㉡ 소방본부장 또는 소방서장
④ ㉠ 7, ㉡ 시·도지사

해설   4번 해설 참조

핵심
예제

06 위험물안전관리법상 위험물시설의 설치 및 변경 등에 관한 기준 중 다음 (   ) 안에 알맞은 것은?

[18년 2회]

> 제조소 등의 위치·구조 또는 설비의 변경없이 당해 제조소 등에서 저장하거나 취급하는 위험물의 품명·수량 또는 지정수량의 배수를 변경하고자 하는 자는 변경하고자 하는 날의 (㉠)일 전까지 (㉡)이 정하는 바에 따라 (㉢)에게 신고하여야 한다.

① ㉠ 1, ㉡ 행정안전부령, ㉢ 시·도지사
② ㉠ 1, ㉡ 대통령령, ㉢ 소방본부장·소방서장
③ ㉠ 14, ㉡ 행정안전부령, ㉢ 시·도지사
④ ㉠ 14, ㉡ 대통령령, ㉢ 소방본부장·소방서장

해설   4번 해설 참조

07 위험물안전관리법상 시·도지사의 허가를 받지 아니하고 당해 제조소 등을 설치할 수 있는 기준 중 다음 (   ) 안에 알맞은 것은? [18년 1회, 21년 1회]

> 농예용·축산용 또는 수산용으로 필요한 난방시설 또는 건조시설을 위한 지정수량 (   )배 이하의 저장소

① 20   ② 30

③ 40   ④ 50

해설
- 주택의 난방시설(공동주택의 중앙난방시설을 제외한다)을 위한 저장소 또는 취급소
- 농예용·축산용 또는 수산용으로 필요한 난방시설 또는 건조시설을 위한 지정수량 20배 이하의 저장소는 허가를 받지 아니하고 당해 제조소 등을 설치하거나 그 위치·구조 또는 설비를 변경할 수 있으며, 신고를 하지 아니하고 위험물의 품명·수량 또는 지정수량의 배수를 변경할 수 있는 경우

관계인이 예방규정을 정하여야 할 제조소 등
- 10배 이상의 제조소·일반취급소
- 100배 이상의 옥외저장소
- 150배 이상의 옥내저장소
- 200배 이상의 옥외탱크저장소
- 이송취급소
- 암반탱크저장소

08 관계인이 예방규정을 정하여야 하는 제조소 등의 기준이 아닌 것은? [17년 1회]

① 지정수량의 10배 이상의 위험물을 취급하는 제조소

② 지정수량의 50배 이상의 위험물을 취급하는 옥외저장소

③ 지정수량의 150배 이상의 위험물을 취급하는 옥내저장소

④ 지정수량의 200배 이상의 위험물을 취급하는 옥외탱크저장소

해설 7번 해설 참조

09 위험물안전관리법령상 허가를 받지 아니하고 당해 제조소 등을 설치하거나 그 위치·구조 또는 설비를 변경할 수 있으며, 신고를 하지 아니하고 위험물의 품명·수량 또는 지정수량의 배수를 변경할 수 있는 기준으로 옳은 것은? [20년 3회]

① 축산용으로 필요한 건조시설을 위한 지정수량 40배 이하의 저장소
② 수산용으로 필요한 건조시설을 위한 지정수량 30배 이하의 저장소
③ 농예용으로 필요한 난방시설을 위한 지정수량 40배 이하의 저장소
④ 주택의 난방시설(공동주택의 중앙난방시설 제외)을 위한 저장소

해설 7번 해설 참조

핵심 예제

10 위험물안전관리법령상 관계인이 예방규정을 정하여야 하는 위험물을 취급하는 제조소의 지정수량 기준으로 옳은 것은? [20년 4회]

① 지정수량의 10배 이상
② 지정수량의 100배 이상
③ 지정수량의 150배 이상
④ 지정수량의 200배 이상

해설 7번 해설 참조

정답 9 ④ 10 ①

11 위험물 안전관리법령상 제조소 등의 관계인은 위험물의 안전관리에 관한 직무를 수행하게 하기 위하여 제조소 등마다 위험물의 취급에 관한 자격이 있는 자를 위험물안전관리자로 선임하여야 한다. 이 경우 제조소 등의 관계인이 지켜야 할 기준으로 틀린 것은?

[19년 4회]

① 제조소 등의 관계인은 안전관리자를 해임하거나 안전관리자가 퇴직한 때에는 해임하거나 퇴직한 날부터 15일 이내에 다시 안전관리자를 선임하여야 한다.

② 제조소 등의 관계인이 안전관리자를 선임한 경우에는 선임한 날부터 14일 이내에 소방본부장 또는 소방서장에게 신고하여야 한다.

③ 제조소 등의 관계인은 안전관리자가 여행·질병 그 밖의 사유로 인하여 일시적으로 직무를 수행할 수 없는 경우에는 국가기술자격법에 따른 위험물의 취급에 관한 자격취득자 또는 위험물안전에 관한 기본지식과 경험이 있는 자를 대리자로 지정하여 그 직무를 대행하게 하여야 한다. 이 경우 대행하는 기간은 30일을 초과할 수 없다.

④ 안전관리자는 위험물을 취급하는 작업을 하는 때에는 작업자에게 안전관리에 관한 필요한 지시를 하는 등 위험물의 취급에 관한 안전관리와 감독을 하여야 하고, 제조소 등의 관계인은 안전관리자의 위험물 안전관리에 안전관리와 감독을 하여야 하고, 제조소 등의 관한 의견을 존중하고 그 권고에 따라야 한다.

해설	날 짜	내 용
	14일 이내	위험물안전관리자의 선임신고
	30일 이내	• 위험물안전관리자의 재선임 • 위험물안전관리자의 직무대행

12 위험물안전관리법령에 따라 위험물안전관리자를 해임하거나 퇴직한 때에는 해임하거나 퇴직한 날부터 며칠 이내에 다시 안전관리자를 선임하여야 하는가?

[20년 1·2회]

① 30일
② 35일
③ 40일
④ 55일

해설 11번 해설 참조

13 위험물안전관리법령상 위험물의 안전관리와 관련된 업무를 수행하는 자로서 소방청장이 실시하는 안전교육대상자가 아닌 것은? [18년 2회]

① 안전관리자로 선임된 자

② 탱크시험자의 기술인력으로 종사하는 자

③ 위험물운송자로 종사하는 자

④ 제조소 등의 관계인

해설 안전교육 대상자
• 안전관리자로 선임된 자
• 탱크시험자의 기술인력으로 종사하는 자
• 위험물운반자로 종사하는 자
• 위험물운송자로 종사하는 자

14 위험물안전관리법령상 제조소 또는 일반취급소에서 취급하는 제4류 위험물의 최대수량의 합이 지정수량의 48만배 이상인 사업소의 자체소방대에 두는 화학소방자동차 및 인원기준으로 다음 (   )안에 알맞은 것은? [21년 2회]

화학소방자동차	자체소방대원의 수
(㉠)	(㉡)

① ㉠ 1대, ㉡ 5인

② ㉠ 2대, ㉡ 10인

③ ㉠ 3대, ㉡ 15인

④ ㉠ 4대, ㉡ 20인

해설 자체소방대

규 모		
사업소의 구분	화학소방자동차	자체소방대원의 수
제조소 또는 일반취급소에서 취급하는 제4류 위험물의 최대수량의 합이 지정수량의 3,000배 이상 12만배 미만인 사업소	1대	5인
제조소 또는 일반취급소에서 취급하는 제4류 위험물의 최대수량의 합이 지정수량의 12만배 이상 24만배 미만인 사업소	2대	10인
제조소 또는 일반취급소에서 취급하는 제4류 위험물의 최대수량의 합이 지정수량의 24만배 이상 48만배 미만인 사업소	3대	15인
제조소 또는 일반취급소에서 취급하는 제4류 위험물의 최대수량의 합이 지정수량의 48만배 이상인 사업소	4대	20인

15 위험물안전관리법령상 제조소 또는 일반 취급소에서 취급하는 제4류 위험물의 최대 수량의 합이 지정수량의 24만배 이상 48만배 미만인 사업소의 관계인이 두어야 하는 화학소방자동차와 자체소방대원의 수의 기준으로 옳은 것은?(단, 화재나 그 밖의 재난발생 시 다른 사업소 등과 상호응원에 관한 협정을 체결하고 있는 사업소는 제외한다) [17년 2회]

① 화학소방자동차 : 2대, 자체소방대원의 수 : 10인
② 화학소방자동차 : 3대, 자체소방대원의 수 : 10인
③ 화학소방자동차 : 3대, 자체소방대원의 수 : 15인
④ 화학소방자동차 : 4대, 자체소방대원의 수 : 20인

해설 14번 해설 참조

핵심
예제

16 위험물안전관리법령상 제조소 등의 완공검사 신청시기 기준으로 틀린 것은? [17년 2회]

① 지하탱크가 있는 제조소 등의 경우에는 당해 지하탱크를 매설하기 전
② 이동탱크저장소의 경우에는 이동저장탱크를 완공하고 상치장소를 확보한 후
③ 이송취급소의 경우에는 이송배관공사의 전체 또는 일부 완료한 후
④ 배관을 지하에 설치하는 경우에는 소방서장이 지정하는 부분을 매몰하고 난 직후

해설 완공검사

검사권자	시·도지사(소방본부장 또는 소방서장에게 위임)
신청시기	• 지하탱크가 있는 제조소 등의 경우 : 해당 지하탱크를 매설하기 전 • 이동탱크저장소의 경우 : 이동탱크를 완공하고 상시설치장소를 확보한 후 • 이송취급소의 경우 : 이송배관 공사의 전체 또는 일부를 완료한 후(다만, 지하·하천 등에 매설하는 이송배관의 공사의 경우에는 이송배관을 매설하기 전) • 제조소 등의 경우 : 제조소 등의 공사를 완료한 후

4 위험물 및 지정수량

유별	성질	품명		위험등급	지정수량
		위험물			
제1류	산화성 고체	아염소산염류, 염소산염류, 과염소산염류, 무기과산화물		I	50[kg]
		브롬산염류, 질산염류, 아이오딘(요오드)산염류		II	300[kg]
		과망간산염류, 다이크롬산염류		III	1,000[kg]
제2류	가연성 고체	황화인, 적린, 유황(순도 60[wt%] 이상)		II	100[kg]
		철분(53[μm]의 표준체통과 50[wt%] 미만은 제외), 금속분, 마그네슘		III	500[kg]
		인화성 고체(고형알코올)		III	1,000[kg]
제3류	자연발화성 물질 및 금수성 물질	칼륨, 나트륨, 알킬알루미늄, 알킬리튬		I	10[kg]
		황 린		I	20[kg]
		알칼리금속 및 알칼리토금속, 유기금속화합물		II	50[kg]
		금속의 수소화물, 금속의 인화물, 칼슘 또는 알루미늄의 탄화물		III	300[kg]
제4류	인화성 액체	특수인화물		I	50[L]
		제1석유류(아세톤, 휘발유 등)	비수용성 액체	II	200[L]
			수용성 액체	II	400[L]
		알코올류(탄소원자의 수가 1~3개로서 농도가 60[%] 이상)		II	400[L]
		제2석유류(등유, 경유 등)	비수용성 액체	III	1,000[L]
			수용성 액체	III	2,000[L]
		제3석유류(중유, 크레오소트유 등)	비수용성 액체	III	2,000[L]
			수용성 액체	III	4,000[L]
		제4석유류(기어유, 실린더유 등)		III	6,000[L]
		동식물유류		III	10,000[L]
제5류	자기반응성 물질	유기과산화물, 질산에스테르류		I	10[kg]
		하이드록실아민, 하이드록실아민염류		II	100[kg]
		나이트로화합물, 나이트로소화합물, 아조화합물, 다이아조화합물, 하이드라진유도체		II	200[kg]
제6류	산화성 액체	과염소산, 질산(비중 1.49 이상) 과산화수소(농도 36[wt%] 이상)		I	300[kg]

5 위험물

분류	구분	주의사항
제1류 위험물	알칼리금속의 과산화물	• 화기・충격주의 • 물기엄금 • 가연물 접촉주의
	기 타	• 화기・충격주의 • 가연물 접촉주의

분 류	구 분	주의사항
제2류 위험물	철분 · 금속분 · 마그네슘	• 화기주의 • 물기엄금
	인화성 고체	화기엄금
	기 타	화기주의
제3류 위험물	자연발화성 물질	• 화기엄금 • 공기접촉엄금
	금수성 물질	물기엄금
제4류 위험물		화기엄금
제5류 위험물	금속의 아지화합물	• 화기엄금 • 충격주의
제6류 위험물	할로겐간화합물(질산)	가연물 접촉주의

※ 위험물 탱크 안전성능시험자의 기술능력 · 시설 · 장비

기술능력(필수인력)	시 설	장비(필수장비)
• 위험물기능장 · 산업기사 · 기능사 1명 이상 • 비파괴검사기술사 1명 이상 · 초음파비파괴검사 · 자기비파괴검사 · 침투비파괴검사별로 기사 또는 산업기사 각 1명 이상	전용 사무실	• 영상초음파탐상시험기 ─┐ • 방사선투과시험기 및 초음파 탐상시험기 ─┘ 택 1 • 자기탐상시험기 • 초음파두께측정기

※ 위험물운반 적재방법
- 고체위험물 : 운반용기 내용적의 95[%] 이하의 수납률
- 액체위험물 : 운반용기 내용적의 98[%] 이하의 수납률, 55[℃]의 온도에서 누설되지 아니하도록 충분한 공간용적
- 알킬알루미늄 등 : 운반용기의 내용적의 90[%] 이하의 수납률로 수납하되, 50[℃]의 온도에서 5[%] 이상의 공간용적

6 **정기점검 및 정기검사** → 관계인은 기록을 보존해야 한다.

정기점검 대상 (연 1회 이상)	• 예방규정을 정하여야 하는 제조소 등	
	제조소, 일반취급소	지정수량의 10배 이상
	옥외저장소	지정수량의 100배 이상
	옥내저장소	지정수량의 150배 이상
	옥외탱크저장소	지정수량의 200배 이상
	• 지하탱크저장소 • 이동탱크저장소 • 위험물을 취급하는 탱크로서 지하에 매설된 탱크가 있는 제조소, 주유취급소, 일반취급소 • 50만[L] 이상의 옥외탱크저장소(소방본부장 또는 소방서장으로부터 정기검사를 받아야 한다)	

정기검사 시기	• 정밀정기검사 : 다음의 어느 하나에 해당하는 기간 내에 1회 – 특정·준특정옥외탱크저장소의 설치허가에 따른 완공검사합격확인증을 발급받은 날부터 12년 – 최근의 정밀정기검사를 받은 날부터 11년 • 중간정기검사 : 다음의 어느 하나에 해당하는 기간 내에 1회 – 특정·준특정옥외탱크저장소의 설치허가에 따른 완공검사합격확인증을 발급받은 날부터 4년 – 최근의 정밀정기검사 또는 중간정기검사를 받은 날부터 4년
구조안전점검의 시기	• 특정·준특정옥외탱크저장소의 설치허가에 따른 완공검사합격확인증을 발급받은 날부터 12년 • 최근의 정밀정기검사를 받은 날부터 11년 • 특정·준특정옥외저장탱크에 안전조치를 한 후 구조안전점검시기 연장신청을 하여 해당 안전조치가 적정한 것으로 인정받은 경우에는 최근의 정밀정기검사를 받은 날부터 13년

7 위험물제조소

(1) 제조소 등의 안전거리, 보유공지

건축물	안전거리
사용전압 7,000[V] 초과 35,000[V] 이하의 특고압가공전선	3[m] 이상
사용전압 35,000[V] 초과의 특고압가공전선	5[m] 이상
주거용으로 사용되는 것(제조소가 설치된 부지 내에 있는 것을 제외)	10[m] 이상
고압가스, 액화석유가스, 도시가스를 저장 또는 취급하는 시설	20[m] 이상
학교, 병원(병원급 의료기관), 극장, 공연장, 영화상영관 및 그 밖에 이와 유사한 시설로서 수용인원 300명 이상의 인원을 수용할 수 있는 것, 아동복지시설, 노인복지시설, 장애인복지시설, 한부모가족복지시설, 어린이집, 성매매피해자 등을 위한 지원시설, 정신건강증진시설, 가정폭력방지 및 피해자보호시설 및 그 밖에 이와 유사한 시설로서 수용인원 20명 이상의 인원을 수용할 수 있는 것	30[m] 이상
유형문화재, 지정문화재	50[m] 이상

취급하는 위험물의 최대수량		제조소 보유공지의 너비
지정수량의 10배 이하		3[m] 이상
지정수량의 10배 초과		5[m] 이상
방유제의 용량	1기의 탱크	방유제 용량 = 탱크용량 × 0.5
	2기 이상의 탱크	방유제 용량 = 최대탱크용량 × 0.5 + 기타 탱크용량의 합 × 0.1

(2) 제조소, 주유취급소 표지 및 게시판

위험물 제조소	• 표지 : 한 변의 길이가 0.3[m] 이상, 다른 한 변의 길이가 0.6[m] 이상 • 표지의 바탕 : 백색, 문자 : 흑색
게시판	• 한 변의 길이가 0.3[m] 이상, 다른 한 변의 길이가 0.6[m] 이상 • 게시판 기재사항 : 위험물의 유별·품명 및 저장최대수량 또는 취급최대수량, 지정수량의 배수 및 안전관리자의 성명 또는 직명 • 게시판의 바탕은 백색으로, 문자는 흑색으로

안심Touch

주의사항	물기엄금	• 제1류 위험물 중 알칼리금속의 과산화물 또는 제3류 위험물 중 금수성 물질 • 청색바탕에 백색문자
	화기주의	제2류 위험물(인화성 고체를 제외)
	화기엄금	• 제2류 위험물 중 인화성 고체, 제3류 위험물 중 자연발화성 물질, 제4류 위험물 또는 제5류 위험물 • 적색바탕에 백색문자
주유취급소 주유 중 엔진정지		황색바탕에 흑색문자

	구 분	표시방식
표시방식	옥외탱크저장소 · 컨테이너식 이동탱크저장소	백색바탕에 흑색문자
	주유취급소	황색바탕에 흑색문자
	물기엄금	청색바탕에 백색문자
	화기엄금 · 화기주의	적색바탕에 백색문자

(3) 건축물

구 조	• 지하층이 없도록 하여야 한다. • 벽 · 기둥 · 바닥 · 보 · 서까래 및 계단 : 불연재료 (연소 우려가 있는 외벽 : 출입구 외의 개구부가 없는 내화구조의 벽) • 지붕은 폭발력이 위로 방출될 정도의 가벼운 불연재료로 덮어야 한다. • 액체의 위험물을 취급하는 건축물의 바닥 : 적당한 경사를 두고 그 최저부에 집유설비를 할 것

채광 · 조명 및
환기설비
	• 채광설비 : 불연재료로 하고 연소의 우려가 없는 장소에 설치하되 채광면적을 최소로 할 것
	• 조명설비는 다음의 기준에 적합하게 설치할 것
	  – 가연성 가스 등이 체류할 우려가 있는 장소의 조명등은 방폭등으로 할 것
	  – 전선은 내화 · 내열전선으로 할 것
	  – 점멸스위치는 출입구 바깥부분에 설치할 것. 다만, 스위치의 스파크로 인한 화재 · 폭발의 우려가 없을
	    경우에는 그러하지 아니하다.
	• 환기설비
	  – 환기 : 자연배기방식
	  – 급기구는 해당 급기구가 설치된 실의 바닥면적 150$[m^2]$마다 1개 이상으로 하되 급기구의 크기는
	    800$[cm^2]$ 이상으로 할 것
	 [바닥면적 150$[m^2]$ 미만인 경우의 급기구의 크기]
	<table><tr><th>바닥면적</th><th>급기구의 면적</th></tr><tr><td>60$[m^2]$ 미만</td><td>150$[cm^2]$ 이상</td></tr><tr><td>60$[m^2]$ 이상 90$[m^2]$ 미만</td><td>300$[cm^2]$ 이상</td></tr><tr><td>90$[m^2]$ 이상 120$[m^2]$ 미만</td><td>450$[cm^2]$ 이상</td></tr><tr><td>120$[m^2]$ 이상 150$[m^2]$ 미만</td><td>600$[cm^2]$ 이상</td></tr></table>
	  – 급기구 : 낮은 곳에 설치, 인화방지망을 설치
	  – 환기구 : 지붕 위 또는 지상 2[m] 이상의 높이
	• 배출설비
	  – 배출설비 : 국소방식
	  – 배출능력 : 1시간당 배출장소의 용적의 20배 이상, 전역방식의 경우 : 바닥면적 1$[m^2]$당 18$[m^3]$ 이상

정전기 제거설비	• 접지에 의한 방법 • 공기 중의 상대습도를 70[%] 이상으로 하는 방법 • 공기를 이온화하는 방법
피뢰설비	지정수량의 10배 이상의 위험물을 취급하는 제조소(제6류 위험물 제외)

01 산화성 고체인 제1류 위험물에 해당되는 것은? [19년 2회]

① 질산염류
② 특수인화물
③ 과염소산
④ 유기과산화물

해설 **제1류 위험물**

위험물		
유 별	성 질	품 명
제1류	산화성 고체	아염소산염류, 염소산염류, 과염소산염류, 무기과산화물
		브롬산염류, 질산염류, 아이오딘(요오드)산염류
		과망간산염류, 다이크롬산염류

02 위험물안전관리법령상 위험물 중 제1석유류에 속하는 것은? [20년 4회]

① 경 유
② 등 유
③ 중 유
④ 아세톤

해설

위험물				위험등급	지정수량
유 별	성 질	품 명			
제4류	인화성 액체	특수인화물		I	50[L]
		제1석유류(아세톤, 휘발유 등)	비수용성 액체	II	200[L]
			수용성 액체	II	400[L]
		알코올류(탄소원자의 수가 1~3개로서 농도가 60[%] 이상)		II	400[L]
		제2석유류(등유, 경유 등)	비수용성 액체	III	1,000[L]
			수용성 액체	III	2,000[L]
		제3석유류(중유, 크레오소트유 등)	비수용성 액체	III	2,000[L]
			수용성 액체	III	4,000[L]
		제4석유류(기어유, 실린더유 등)		III	6,000[L]
		동식물유류		III	10,000[L]

03 위험물로서 제1석유류에 속하는 것은? [17년 4회]

① 중 유

② 휘발유

③ 실린더유

④ 등 유

해설 2번 해설 참조

04 위험물안전관리법령상 제4류 위험물별 지정수량 기준의 연결이 틀린 것은? [20년 4회]

① 특수인화물 – 50[L]

② 알코올류 – 400[L]

③ 동식물유류 – 1,000[L]

④ 제4석유류 – 6,000[L]

해설 2번 해설 참조

05 위험물안전관리법령상 위험물별 성질로서 틀린 것은? [21년 2회]

① 제1류 : 산화성 고체

② 제2류 : 가연성 고체

③ 제4류 : 인화성 액체

④ 제6류 : 인화성 고체

해설 유별 성질

종 류	성 질
제1류 위험물	산화성 고체
제2류 위험물	가연성 고체
제3류 위험물	자연발화성 및 금수성 물질
제4류 위험물	인화성 액체
제5류 위험물	자기반응성 물질
제6류 위험물	산화성 액체

3 ② 4 ③ 5 ④ 정답

06 제6류 위험물에 속하지 않는 것은? [19년 II회]

① 질 산
② 과산화수소
③ 과염소산
④ 과염소산염류

해설 제6류 위험물

위험물			위험등급	지정수량
유 별	성 질	품 명		
제6류	산화성 액체	과염소산, 질산(비중 1.49 이상) 과산화수소(농도 36[wt%] 이상)	I	300[kg]

07 경유의 저장량이 2,000[L], 중유의 저장량이 4,000 [L], 등유의 저장량이 2,000[L]인 저장소에 있어서 지정수량의 배수는? [19년 I회]

① 동 일
② 6배
③ 3배
④ 2배

해설 지정수량의 배수(비수용성)

구 분	경 유	중 유	등 유
지정수량	1,000[L]	2,000[L]	1,000[L]

$$지정수량의\ 배수 = \frac{저장수량}{지정수량} + \frac{저장수량}{지정수량} + \cdots$$

$$= \frac{2,000[L]}{1,000[L]} + \frac{4,000[L]}{2,000[L]} + \frac{2,000[L]}{1,000[L]}$$

$$= 6배$$

08 위험물안전관리법령상 위험물의 유별 저장·취급의 공통기준 중 다음 (   ) 안에 알맞은 것은? [21년 1회]

> (   ) 위험물은 산화제와의 접촉·혼합이나 불티·불꽃·고온체와의 접근 또는 과열을 피하는 한편, 철분·금속분·마그네슘 및 이를 함유한 것에 있어서는 물이나 산과의 접촉을 피하고 인화성 고체에 있어서는 함부로 증기를 발생시키지 아니하여야 한다.

① 제1류
② 제2류
③ 제3류
④ 제4류

해설 제2류 위험물

분 류	구 분	주의사항
제2류 위험물	철분·금속분·마그네슘	• 화기주의 • 물기엄금
	인화성 고체	화기엄금
	기 타	화기주의

※ 제2류 위험물은 산화제와의 접촉·혼합이나 불티·불꽃·고온체와의 접근 또는 과열을 피하는 한편, 철분·금속분·마그네슘 및 이를 함유한 것에 있어서는 물이나 산과의 접촉을 피하고 인화성 고체에 있어서는 함부로 증기를 발생시키지 아니하여야 한다.

09 제3류 위험물 중 금수성 물품에 적응성이 있는 소화약제는? [19년 1회]

① 물
② 강화액
③ 팽창질석
④ 인산염류분말

해설 제3류 위험물

분 류	구 분	주의사항
제3류 위험물	자연발화성 물질	• 화기엄금 • 공기접촉엄금
	금수성 물질	물기엄금

※ 금수성 물질 소화약제 : 팽창질석, 팽창진주암

10 문화재보호법의 규정에 의한 유형문화재와 지정문화재에 있어서는 제조소 등과의 수평거리를 몇 [m] 이상 유지하여야 하는가? [19년 1회]

① 20 ② 30
③ 50 ④ 70

해설 제조소 등의 안전거리

건축물	안전거리
사용전압 7,000[V] 초과 35,000[V] 이하의 특고압가공전선	3[m] 이상
사용전압 35,000[V] 초과의 특고압가공전선	5[m] 이상
주거용으로 사용되는 것(제조소가 설치된 부지 내에 있는 것을 제외)	10[m] 이상
고압가스, 액화석유가스, 도시가스를 저장 또는 취급하는 시설	20[m] 이상
학교, 병원(병원급 의료기관), 극장, 공연장, 영화상영관 및 그 밖에 이와 유사한 시설로서 수용인원 300명 이상의 인원을 수용할 수 있는 것, 아동복지시설, 노인복지시설, 장애인복지시설, 한부모가족복지시설, 어린이집, 성매매피해자 등을 위한 지원시설, 정신건강증진시설, 가정폭력방지 및 피해자보호시설 및 그 밖에 이와 유사한 시설로서 수용인원 20명 이상의 인원을 수용할 수 있는 것	30[m] 이상
유형문화재, 지정문화재	50[m] 이상

핵심
예제

11 위험물안전관리법령상 제조소의 기준에 따라 건축물의 외벽 또는 이에 상당하는 공작물의 외측으로부터 제조소의 외벽 또는 이에 상당하는 공작물의 외측까지의 안전거리 기준으로 틀린 것은?(단, 제6류 위험물을 취급하는 제조소를 제외하고, 건축물에 불연재료로 된 방화상 유효한 담 또는 벽을 설치하지 않는 경우이다) [20년 3회]

① 의료법에 의한 종합병원에 있어서는 30[m] 이상
② 도시가스사업법에 의한 가스공급시설에 있어서는 20[m] 이상
③ 사용전압 35,000[V]를 초과하는 특고압가공전선에 있어서는 5[m] 이상
④ 문화재보호법에 의한 유형문화재와 기념물 중 지정문화재에 있어서는 30[m] 이상

해설 10번 해설 참조

12 위험물안전관리법령상 제조소의 위치·구조 및 설비의 기준 중 위험물을 취급하는 건축물 그 밖의 시설의 주위에는 그 취급하는 위험물의 최대수량이 지정수량의 10배 이하인 경우 보유하여야 할 공지의 너비는 몇 [m] 이상이어야 하는가? [18년 1회]

① 3   ② 5

③ 8   ④ 10

해설 위험물 최대수량에 따른 공지의 너비

취급하는 위험물의 최대 수량		제조소 보유공지의 너비
지정수량의 10배 이하		3[m] 이상
지정수량의 10배 초과		5[m] 이상
방유제의 용량	1기의 탱크	방유제 용량 = 탱크용량 × 0.5
	2기 이상의 탱크	방유제 용량 = 최대탱크용량 × 0.5 + 기타 탱크용량의 합 × 0.1

**핵심
예제**

13 위험물안전관리법령에 따른 위험물제조소의 옥외에 있는 위험물취급탱크 용량이 100[m³] 및 180[m³]인 2개의 취급탱크 주위에 하나의 방유제를 설치하는 경우 방유제의 최소용량은 몇 [m³]이어야 하는가? [18년 4회]

① 100   ② 140

③ 180   ④ 280

해설 12번 해설 참조
옥외에 있는 위험물취급탱크 방유제의 용량
방유제의 용량 = (최대용량 × 0.5) + (나머지 탱크용량 합계 × 0.1)
= (180[m³] × 0.5) + (100[m³] × 0.1) = 100[m³]

12 ① 13 ① 정답

14 위험물안전관리법령상 정기검사를 받아야 하는 특정·준특정옥외탱크저장소의 관계인은 특정·준특정옥외탱크저장소의 설치허가에 따른 완공검사합격확인증을 발급받은 날부터 몇 년 이내에 정기검사를 받아야 하는가?

[20년 1·2회]

① 9
② 10
③ 11
④ 12

해설 정기검사 시기
- 정밀정기검사 : 다음의 어느 하나에 해당하는 기간 내에 1회
 - 특정·준특정옥외탱크저장소의 설치허가에 따른 완공검사합격확인증을 발급받은 날부터 12년
 - 최근의 정밀정기검사를 받은 날부터 11년
- 중간정기검사 : 다음의 어느 하나에 해당하는 기간 내에 1회
 - 특정·준특정옥외탱크저장소의 설치허가에 따른 완공검사합격확인증을 발급받은 날부터 4년
 - 최근의 정밀정기검사 또는 중간정기검사를 받은 날부터 4년

핵심
예제

15 정기점검의 대상이 되는 제조소 등이 아닌 것은?

[17년 4회]

① 옥내탱크저장소
② 지하탱크저장소
③ 이동탱크저장소
④ 이송취급소

해설 정기점검 대상(연 1회 이상)
- 예방규정을 정하여야 하는 제조소 등

제조소, 일반취급소	지정수량의 10배 이상
옥외저장소	지정수량의 100배 이상
옥내저장소	지정수량의 150배 이상
옥외탱크저장소	지정수량의 200배 이상

- 지하탱크저장소
- 이동탱크저장소
- 위험물을 취급하는 탱크로서 지하에 매설된 탱크가 있는 제조소, 주유취급소, 일반취급소
- 50만[L] 이상의 옥외탱크저장소(소방본부장 또는 소방서장으로부터 정기검사를 받아야 한다)

안심Touch

16 제4류 위험물을 저장·취급하는 제조소에 "화기엄금"이란 주의사항을 표시하는 게시판을 설치할 경우 게시판의 색상은?

[19년 2회]

① 청색바탕에 백색문자
② 적색바탕에 백색문자
③ 백색바탕에 적색문자
④ 백색바탕에 흑색문자

해설 화기엄금
• 제2류 위험물 중 인화성 고체, 제3류 위험물 중 자연발화성 물질, 제4류 위험물 또는 제5류 위험물
• 적색바탕에 백색문자

17 제조소 등의 위치·구조 및 설비의 기준 중 위험물을 취급하는 건축물의 환기설비 설치기준으로 다음 (   ) 안에 알맞은 것은?

[17년 2회]

급기구는 당해 급기구가 설치된 실의 바닥면적 (㉠)[m²]마다 1개 이상으로 하되, 급기구의 크기는 (㉡)[cm²] 이상으로 할 것

① ㉠ 100, ㉡ 800
② ㉠ 150, ㉡ 800
③ ㉠ 100, ㉡ 1,000
④ ㉠ 150, ㉡ 1,000

해설 환기설비
• 환기 : 자연배기방식
• 급기구는 해당 급기구가 설치된 실의 바닥면적 150[m²]마다 1개 이상으로 하되 급기구의 크기는 800[cm²] 이상으로 할 것

18 옥내저장소의 위치·구조 및 설비의 기준 중 지정수량의 몇 배 이상의 저장창고(제6류 위험물의 저장창고 제외)에 피뢰침을 설치해야 하는가?(단, 저장창고 주위의 상황이 안전상 지장이 없는 경우는 제외한다)

[17년 1회]

① 10배   ② 20배
③ 30배   ④ 40배

해설 피뢰설비
지정수량의 10배 이상의 위험물을 취급하는 제조소(제6류 위험물 제외)

8 위험물저장소

옥내 저장소	안전거리, 표지, 게시판	제조소와 동일		
	안전거리 제외대상	• 옥내저장소의 안전거리, 표지 및 게시판 : 제조소와 동일함 • 옥내저장소의 안전거리 제외대상 – 제4석유류 또는 동식물유류의 위험물을 저장 또는 취급하는 옥내저장소로서 지정수량의 20배 미만인 것 – 제6류 위험물을 저장 또는 취급하는 옥내저장소 – 지정수량의 20배(하나의 저장창고의 바닥면적이 150[m²] 이하인 경우에는 50배) 이하의 위험물을 저장 또는 취급하는 옥내저장소 ⓐ 저장창고의 벽·기둥·바닥·보 및 지붕이 내화구조인 것 ⓑ 저장창고의 출입구에 수시로 열 수 있는 자동폐쇄방식의 갑종방화문이 설치되어 있을 것 ⓒ 저장창고에 창을 설치하지 아니할 것		

보유공지	저장 또는 취급하는 위험물의 최대수량	공지의 너비	
		벽·기둥 및 바닥이 내화구조로 된 건축물	그 밖의 건축물
	지정수량의 5배 이하	–	0.5[m] 이상
	지정수량의 5배 초과 10배 이하	1[m] 이상	1.5[m] 이상
	지정수량의 10배 초과 20배 이하	2[m] 이상	3[m] 이상
	지정수량의 20배 초과 50배 이하	3[m] 이상	5[m] 이상
	지정수량의 50배 초과 200배 이하	5[m] 이상	10[m] 이상
	지정수량의 200배 초과	10[m] 이상	15[m] 이상

지정과산화물 보유공지	저장 또는 취급하는 위험물의 최대수량	공지의 너비	
		저장창고의 주위에 담 또는 토제를 설치하는 경우	기타의 경우
	5배 이하	3.0[m] 이상	10[m] 이상
	6~10배 이하	5.0[m] 이상	15[m] 이상
	11~20배 이하	6.5[m] 이상	20[m] 이상
	21~40배 이하	8.0[m] 이상	25[m] 이상
	41~60배 이하	10.0[m] 이상	30[m] 이상
	61~90배 이하	11.5[m] 이상	35[m] 이상
	91~150배 이하	13.0[m] 이상	40[m] 이상
	151~300배 이하	15.0[m] 이상	45[m] 이상
	300배 초과	16.5[m] 이상	50[m] 이상

옥내 저장소	저장창고	• 저장창고는 지면에서 처마까지의 높이(처마높이)가 6[m] 미만인 단층 건물로 하고 그 바닥을 지반면보다 높게 하여야 한다. • 저장창고의 바닥면적

위험물을 저장하는 창고의 종류	바닥면적
㉠ 제1류 위험물 중 아염소산염류, 염소산염 류, 과염소산염류, 무기과산화물 그 밖에 지정수량이 50[kg]인 위험물 ㉡ 제3류 위험물 중 칼륨, 나트륨, 알킬알루 미늄, 알킬리튬 그 밖에 지정수량이 10[kg] 인 위험물 및 황린 ㉢ 제4류 위험물 중 특수인화물, 제1석유류 및 알코올류 ㉣ 제5류 위험물 중 유기과산화물, 질산에 스테르류 그 밖에 지정수량이 10[kg]인 위 험물 ㉤ 제6류 위험물	1,000[m²] 이하
㉠~㉣의 위험물 외의 위험물을 저장하는 창고	2,000[m²] 이하

• 저장창고의 벽・기둥 및 바닥은 내화구조로 하고, 보와 서까래는 불연재료로 하여야 한다.
• 저장창고는 지붕을 폭발력이 위로 방출될 정도의 가벼운 불연재료로 하고, 천장을 만들지 아니하여야 한다[지붕을 내화구조로 할 수 있는 것 : 제2류 위험물(분말상태의 것, 인화성 고체 제외), 제6류 위험물].
• 저장창고의 출입구에는 갑종방화문 또는 을종방화문을 설치하되, 연소의 우려가 있는 외벽에 있는 출입구에는 수시로 열 수 있는 자동폐쇄식의 갑종방화문을 설치하여야 한다.
• 저장창고에 물의 침투를 막는 구조로 하여야 하는 위험물
  − 제1류 위험물 중 알칼리금속의 과산화물
  − 제2류 위험물 중 철분, 금속분, 마그네슘
  − 제3류 위험물 중 금수성 물질
  − 제4류 위험물
• 피뢰침 설치 : 지정수량의 10배 이상의 저장창고(제6류 위험물은 제외)

옥외 저장소	기 준	• 선반 : 불연재료 • 선반의 높이 : 6[m]를 초과하지 말 것 • 과산화수소, 과염소산을 저장하는 옥외저장소 : 불연성 또는 난연성의 천막 등을 설치하여 햇빛을 가릴 것

	보유공지		

저장 또는 취급하는 위험물의 최대 수량	공지의 너비
지정수량의 10배 이하	3[m] 이상
지정수량의 10배 초과 20배 이하	5[m] 이상
지정수량의 20배 초과 50배 이하	9[m] 이상
지정수량의 50배 초과 200배 이하	12[m] 이상
지정수량의 200배 초과	15[m] 이상

※ 제4류 위험물 중 제4석유류와 제6류 위험물 : 보유공지의 1/3로 할 수 있다.

	저장할 수 있는 위험물	• 제2류 위험물 중 유황, 인화성 고체(인화점이 0[℃] 이상인 것에 한함) • 제4류 위험물 중 제1석유류(인화점이 0[℃] 이상인 것에 한함), 제2석유류, 제3석유류, 제4석유 류, 알코올류, 동식물유류 • 제6류 위험물

	안전거리, 표지, 게시판	제조소와 동일	
옥외탱크 저장소	**보유공지**	저장 또는 취급하는 위험물의 최대 수량	공지의 너비
		지정수량의 500배 이하	3[m] 이상
		지정수량의 500배 초과 1,000배 이하	5[m] 이상
		지정수량의 1,000배 초과 2,000배 이하	9[m] 이상
		지정수량의 2,000배 초과 3,000배 이하	12[m] 이상
		지정수량의 3,000배 초과 4,000배 이하	15[m] 이상
		지정수량의 4,000배 초과	해당 탱크의 수평단면의 최대지름(가로형은 긴변)과 높이 중 큰 것과 같은 거리 이상(단, 30[m] 초과 시 30[m] 이상으로, 15[m] 미만 시 15[m] 이상으로 할 것)
	방유제	• 방유제의 용량 　– 탱크가 하나일 때 : 탱크 용량의 110[%] 이상(인화성이 없는 액체 위험물은 100[%]) 　– 탱크가 2기 이상일 때 : 탱크 중 용량이 최대인 것의 용량의 110[%] 이상(인화성이 없는 액체 위험물은 100[%]) • 방유제의 높이 0.5[m] 이상 3[m] 이하, 두께 0.2[m] 이상, 지하매설깊이 1[m] 이상 • 방유제의 면적 : 80,000[m²] 이하 • 방유제 내에 설치하는 옥외저장탱크의 수는 10(방유제 내에 설치하는 모든 옥외저장탱크의 용량이 20만[L] 이하이고, 위험물의 인화점이 70[℃] 이상 200[℃] 미만인 경우에는 20) 이하로 할 것(단, 인화점이 200[℃] 이상인 옥외저장탱크는 제외) 　– 제1석유류, 제2석유류 : 10기 이하 　– 제3석유류 : 20기 이하 • 방유제 외면의 1/2 이상은 자동차 등이 통행할 수 있는 3[m] 이상의 노면폭을 확보한 구내도로에 직접 접하도록 할 것 • 방유제는 탱크의 옆판으로부터 일정 거리를 유지할 것(단, 인화점이 200[℃] 이상인 위험물은 제외) 　– 지름이 15[m] 미만인 경우 : 탱크 높이의 1/3 이상 　– 지름이 15[m] 이상인 경우 : 탱크 높이의 1/2 이상 • 방유제의 재질 : 철근콘크리트 • 방유제에는 배수구를 설치하고 개폐밸브를 방유제 밖에 설치할 것 • 높이가 1[m] 이상이면 계단 또는 경사로를 약 50[m]마다 설치할 것	
	특정옥외탱크저 장소 등	• 특정옥외저장탱크 : 액체 위험물의 최대수량이 100만[L] 이상의 옥외저장탱크 • 준특정옥외저장탱크 : 액체 위험물의 최대수량이 50만[L] 이상 100만[L] 미만의 옥외저장탱크 • 압력탱크 : 최대상용압력이 부압 또는 정압 5[kPa]을 초과하는 탱크	
	외부구조 및 설비	• 옥외저장탱크 　– 특정옥외저장탱크 및 준특정옥외저장탱크 외의 두께 : 3.2[mm] 이상의 강철판 　– 시험방법 　　ⓐ 압력탱크 : 최대상용압력의 1.5배의 압력으로 10분간 실시하는 수압시험에서 이상이 없을 것 　　ⓑ 압력탱크 외의 탱크 : 충수시험 • 통기관 　– 밸브 없는 통기관 　　ⓐ 지름은 30[mm] 이상일 것 　　ⓑ 끝부분은 수평면보다 45도 이상 구부려 빗물 등의 침투를 막는 구조로 할 것	

통기관을 45도 이상 구부린 이유 : 빗물 등의 침투를 막기 위하여

옥외탱크 저장소	외부구조 및 설비	• 인화점이 38[℃] 미만인 위험물만을 저장 또는 취급하는 탱크에 설치하는 통기관에는 화염방지장치를 설치하고, 그 외의 탱크에 설치하는 통기관에서 40메시(mesh) 이상의 구리망 또는 동등 이상의 성능을 가진 인화방지장치를 설치할 것. 다만, 인화점이 70[℃] 이상인 위험물만을 해당 위험물의 인화점 미만의 온도로 저장 또는 취급하는 탱크에 설치하는 통기관에는 인화방지장치를 설치하지 않을 수 있다. 　－ 가연성 증기를 회수하는 밸브를 통기관에 설치하는 경우 항상 개방되는 구조로 하고 폐쇄 시 10[kPa] 이하의 압력에서 개방되는 구조로 할 것 　－ 대기밸브부착 통기관 　　ⓐ 5[kPa] 이하의 압력 차이로 작동할 수 있을 것 　　ⓑ 인화점이 38[℃] 미만인 위험물만을 저장 또는 취급하는 탱크에 설치하는 통기관에는 화염방지장치를 설치하고, 그 외의 탱크에 설치하는 통기관에서 40메시(mesh) 이상의 구리망 또는 동등 이상의 성능을 가진 인화방지장치를 설치할 것. 다만, 인화점이 70[℃] 이상인 위험물만을 해당 위험물의 인화점 미만의 온도로 저장 또는 취급하는 탱크에 설치하는 통기관에는 인화방지장치를 설치하지 않을 수 있다. • 인화점이 21[℃] 미만인 위험물의 옥외저장탱크의 주입구 　－ 게시판의 크기 : 한 변이 0.3[m] 이상, 다른 한 변이 0.6[m] 이상 　－ 게시판의 기재사항 : 옥외저장탱크 주입구, 위험물의 유별, 품명, 주의사항 　－ 게시판의 색상 : 백색바탕에 흑색문자(주의사항은 적색문자) 　－ 주입구 주위에는 방유턱이나 집유설비 등의 장치를 설치할 것 • 옥외저장탱크의 펌프설비 　－ 펌프설비의 주위에는 너비 3[m] 이상의 공지를 보유할 것(제6류 위험물, 지정수량의 10배 이하 위험물은 제외) 　－ 펌프실의 바닥의 주위에는 높이 0.2[m] 이상의 턱을 만들고 그 최저부에는 집유설비를 설치할 것 • 기타 설치기준 　－ 피뢰침 설치 : 지정수량의 10배 이상(단, 제6류 위험물은 제외) 　－ 이황화탄소의 옥외저장탱크는 벽 및 바닥의 두께가 0.2[m] 이상이고 철근콘크리트의 수조에 넣어 보관한다.
옥내탱크 저장소	표시 및 게시판	제조소와 동일
	구 조	• 옥내저장탱크의 탱크전용실은 단층건축물에 설치할 것 • 옥내저장탱크와 탱크전용실의 벽과의 사이 및 옥내저장탱크의 상호 간에는 0.5[m] 이상의 간격을 유지할 것 • 옥내저장탱크의 용량(동일한 탱크전용실에 2 이상 설치하는 경우에는 각 탱크의 용량의 합계)은 지정수량의 40배(제4석유류 및 동식물유류 외의 제4류 위험물 : 20,000[L]를 초과할 때에는 20,000[L]) 이하일 것 • 옥내저장탱크 　－ 압력탱크(최대 상용압력이 부압 또는 정압 5[kPa]를 초과하는 탱크) 외의 탱크 : 밸브 없는 통기관 설치 　－ 통기관의 끝부분은 건축물의 창·출입구 등의 개구부로부터 1[m] 이상 떨어진 옥외의 장소에 지면으로부터 4[m] 이상의 높이로 설치하되, 인화점이 40[℃] 미만인 위험물의 탱크에 설치하는 통기관에 있어서는 부지경계선으로부터 1.5[m] 이상 거리를 둘 것) 　－ 압력탱크 : 압력계 및 안전장치(안전밸브, 감압밸브, 안전밸브 경보장치, 파괴판) 설치 　－ 탱크전용실을 건축물의 1층 또는 지하층에 설치하는 위험물 : 황화인, 적린, 덩어리 유황, 황린, 질산 　－ 탱크전용실의 벽, 기둥, 바닥은 내화구조, 보, 지붕은 불연재료

옥내탱크
저장소
	탱크전용실이
	단층 건축물 외에
	설치하는 것
		• 탱크전용실에 펌프설비를 설치하는 경우에는 불연재료로 된 턱을 0.2[m] 이상의 높이로 설치할 것
		• 옥내저장탱크의 용량(동일한 탱크전용실에 옥내저장탱크를 2 이상 설치하는 경우에는 각 탱크의 용량의 합계)
		  – 1층 이하의 층 : 지정수량의 40배(제4석유류, 동식물유류 외의 제4류 위험물은 해당수량이 20,000[L] 초과 시 20,000[L]) 이하
		  – 2층 이상의 층 : 지정수량의 10배(제4석유류, 동식물유류 외의 제4류 위험물은 해당수량이 5,000[L] 초과 시 5,000[L]) 이하

지하탱크
저장소
	기 준	• 탱크전용실은 지하의 가장 가까운 벽・피트・가스관 등의 시설물 및 대지경계선으로부터 0.1[m] 이상 떨어진 곳에 설치하고, 지하저장탱크와 탱크전용실의 안쪽과의 사이는 0.1[m] 이상의 간격을 유지하도록 하며, 해당 탱크의 주위에 마른모래 또는 습기 등에 의하여 응고되지 아니하는 입자지름 5[mm] 이하의 마른 자갈분을 채워야 한다.
		• 지하저장탱크의 윗부분은 지면으로부터 0.6[m] 이상 아래에 있어야 한다.
		• 지하저장탱크를 2 이상 인접해 설치하는 경우에는 그 상호 간에 1[m](해당 2 이상의 지하저장탱크의 용량의 합계가 지정수량의 100배 이하인 때에는 0.5[m]) 이상의 간격을 유지하여야 한다.
		• 지하저장탱크의 재질은 두께 3.2[mm] 이상의 강철판으로 할 것
		• 수압시험
		  – 압력탱크(최대상용압력이 46.7[kPa] 이상인 탱크) 외의 탱크 : 70[kPa]의 압력으로 10분간 실시
		  – 압력탱크 : 최대상용압력의 1.5배의 압력으로 각각 10분간 실시
		• 지하저장탱크의 주위에는 해당 탱크로부터의 액체 위험물의 누설을 검사하기 위한 관을 4개소 이상 적당한 위치에 설치하여야 한다.
		• 지하저장탱크에는 과충전방지장치를 설치할 것
		  – 탱크용량을 초과하는 위험물이 주입될 때 자동으로 그 주입구를 폐쇄하거나 위험물의 공급을 자동으로 차단하는 방법
		  – 탱크용량의 90[%]가 찰 때 경보음을 울리는 방법

간이탱크 저장소	설치장소	옥외에 설치
	하나의 간이탱크저장소	• 간이저장탱크 수 : 3 이하 • 동일한 품질의 위험물의 간이저장탱크를 2 이상 설치하지 아니하여야 한다.
	간이저장탱크의 용량	600[L] 이하
	간이저장탱크의 두께	3.2[mm] 이상의 강판으로 흠이 없도록 제작하여야 하며, 70[kPa]의 압력으로 10분간의 수압시험을 실시하여 새거나 변형되지 아니하여야 한다.
	간이저장탱크의 밸브 없는 통기관의 설치기준	• 통기관의 지름은 25[mm] 이상으로 할 것 • 통기관은 옥외에 설치하되, 그 끝부분의 높이는 지상 1.5[m] 이상으로 할 것 • 통기관의 끝부분은 수평면에 대하여 아래로 45도 이상 구부려 빗물 등이 침투하지 아니하도록 할 것 • 가는 눈의 구리망 등으로 인화방지장치를 할 것

이동탱크
저장소
	표지 및 게시판	• 표지의 설치기준
		  – 크기 : 한 변의 길이가 0.6[m] 이상, 다른 한 변의 길이가 0.3[m] 이상의 직사각형
		  – 표시내용 : "위험물"
		  – 표시색상 : 흑색바탕에 황색의 반사도료
		  – 설치장소 : 차량의 전면 및 후면의 보기 쉬운 장소
		• 게시판의 설치
		  – 게시판의 기재 내용 : 유별, 품명, 최대 수량, 적재중량
		  – 문자의 크기 : 가로 40[mm] 이상, 세로 45[mm] 이상(여러 품명이 혼재 시 품명별 문자의 크기 : 가로 20[mm] 이상, 세로 20[mm] 이상)

이동탱크 저장소	상치장소	• 옥외에 있는 상치장소는 화기를 취급하는 장소 또는 인근의 건축물로부터 5[m] 이상(인근의 건축물이 1층인 경우에는 3[m] 이상)의 거리를 확보하여야 한다. • 옥내에 있는 상치장소는 벽·바닥·보·서까래 및 지붕이 내화구조 또는 불연재료로 된 건축물의 1층에 설치하여야 한다.

	구 조	• 탱크의 두께 : 3.2[mm] 이상의 강철판
		• 수압시험
		  – 압력탱크(최대상용압력이 46.7[kPa] 이상인 탱크) 외의 탱크 : 70[kPa]의 압력으로 10분간
		  – 압력탱크 : 최대상용압력의 1.5배의 압력으로 10분간
		• 이동저장탱크는 그 내부에 4,000[L] 이하마다 3.2[mm] 이상의 강철판 또는 이와 동등 이상의 강도·내열성 및 내식성이 있는 금속성의 것으로 칸막이를 설치하여야 한다.
		• 칸막이로 구획된 각 부분에 설치 : 맨홀, 안전장치, 방파판을 설치(용량이 2,000[L] 미만 : 방파판설치 제외)
		  – 안전장치의 작동 압력
		    ⓐ 상용압력이 20[kPa] 이하인 탱크 : 20[kPa] 이상 24[kPa] 이하의 압력
		    ⓑ 상용압력이 20[kPa]를 초과 : 상용압력의 1.1배 이하의 압력<hr>• 방호틀 : 탱크 전복 시 부속장치(주입구, 맨홀, 안전장치) 보호(2.3[mm])
		• 측면틀 : 탱크 전복 시 탱크 본체 파손 방지(3.2[mm])
		• 방파판 : 위험물 운송 중 내부의 위험물의 출렁임, 쏠림 등을 완화하여 차량의 안전 확보(1.6[mm])
		• 칸막이 : 탱크 전복 시 탱크의 일부가 파손되더라도 전량의 위험물의 누출방지(3.2[mm])

위험물
취급소
① 주유
② 판매
③ 이송
④ 일반
	주유취급소	① 주유취급소의 주유공지
		  ㉠ 주유공지 : 너비 15[m] 이상, 길이 6[m] 이상
		  ㉡ 공지의 바닥 : 주위 지면보다 높게 하고, 적당한 기울기, 배수구, 집유설비, 유분리장치를 설치
		② 주유취급소의 표지 및 게시판

위험물 주유취급소	
화기엄금(적색바탕에 백색문자)	
위험물의 유별	제4류 위험물
품 명	제1석유류(휘발유)
취급최대수량	50,000[L]
지정수량의 배수	250배
안전관리자의 성명 또는 직명	홍 길 동
주유 중 엔진정지 (황색바탕에 흑색문자)	

③ 주유취급소의 저장 또는 취급 가능한 탱크
  ㉠ 자동차 등에 주유하기 위한 고정주유설비에 직접 접속하는 전용탱크로서 50,000[L] 이하의 것
  ㉡ 고정급유설비에 직접 접속하는 전용탱크로서 50,000[L] 이하의 것
  ㉢ 보일러 등에 직접 접속하는 전용탱크로서 10,000[L] 이하의 것
  ㉣ 자동차 등을 점검·정비하는 작업장 등(주유취급소 안에 설치된 것에 한한다)에서 사용하는 폐유·윤활유 등의 위험물을 저장하는 탱크로서 용량(2 이상 설치하는 경우에는 각 용량의 합계를 말한다)이 2,000[L] 이하인 탱크(이하 "폐유탱크 등"이라 한다)
  ㉤ 고정주유설비 또는 고정급유설비에 직접 접속하는 3기 이하의 간이탱크

위험물
취급소
① 주유
② 판매
③ 이송
④ 일반
	주유취급소	④ 고정주유설비 등
		   ㉠ 고정주유설비 또는 고정급유설비의 주유관의 길이(끝부분의 개폐밸브를 포함) : 5[m](현수식의 경우에는 지면 위 0.5[m]의 수평면에 수직으로 내려 만나는 점을 중심으로 반경 3[m]) 이내로 하고 그 끝부분에는 축적된 정전기를 유효하게 제거할 수 있는 장치를 설치할 것
		   ㉡ 고정주유설비 또는 고정급유설비의 설치기준
		    • 고정주유설비(중심선을 기점으로 하여)
		     – 도로경계선까지 : 4[m] 이상
		     – 부지경계선·담 및 건축물의 벽까지 : 2[m] 이상(개구부가 없는 벽까지는 1[m] 이상)
		    • 고정급유설비(중심선을 기점으로 하여)
		     – 도로경계선까지 : 4[m] 이상
		     – 부지경계선·담까지 : 1[m] 이상
		     – 건축물의 벽까지 : 2[m] 이상(개구부가 없는 벽까지는 1[m] 이상)
		⑤ 주유취급소에 설치할 수 있는 건축물
		   ㉠ 주유 또는 등유·경유를 옮겨담기 위한 작업장
		   ㉡ 주유취급소의 업무를 행하기 위한 사무소
		   ㉢ 자동차 등의 점검 및 간이정비를 위한 작업장
		   ㉣ 자동차 등의 세정을 위한 작업장
		   ㉤ 주유취급소에 출입하는 사람을 대상으로 한 점포·휴게음식점 또는 전시장
		   ㉥ 주유취급소의 관계자가 거주하는 주거시설
		   ㉦ 전기자동차용 충전설비(전기를 동력원으로 하는 자동차에 직접 전기를 공급하는 설비)
		    ※ ㉡, ㉢, ㉤의 면적의 합은 1,000[m²]을 초과하지 아니할 것
		⑥ 펌프실 등의 구조
		   ㉠ 펌프실 등의 표지 및 게시판
		    • "위험물 펌프실", "위험물 취급실"이라는 표지를 설치
		     – 표지의 크기 : 한 변의 길이 0.3[m] 이상, 다른 한 변의 길이 0.6[m] 이상
		     – 표지의 색상 : 백색바탕에 흑색문자
		    • 방화에 관하여 필요한 사항을 게시한 게시판 : 제조소와 동일함
		   ㉡ 출입구 바닥으로부터 0.1[m] 이상의 턱을 설치할 것
		⑦ 고속국도 주유취급소의 특례 : 고속국도의 도로변에 설치된 주유취급소의 탱크의 용량 : 60,000[L] 이하

	판매취급소	• 제1종 판매취급소의 기준
		  – 제1종 판매취급소는 건축물의 1층에 설치할 것
		  – 위험물 배합실의 기준
		    ⓐ 바닥면적은 6[m²] 이상 15[m²] 이하일 것
		    ⓑ 내화구조 또는 불연재료로 된 벽으로 구획할 것
		    ⓒ 출입구에는 수시로 열 수 있는 자동폐쇄식의 갑종방화문을 설치할 것
		    ⓓ 출입구 문턱의 높이는 바닥면으로부터 0.1[m] 이상으로 할 것
		• 제2종 판매취급소의 기준
		  – 제1종 판매취급소 : 지정수량의 20배 이하 저장 또는 취급
		  – 제2종 판매취급소 : 지정수량의 40배 이하 저장 또는 취급

※ 하이드록실아민 등을 취급하는 제조소의 안전거리

> 안전거리 $D = 51.1 \sqrt[3]{N}$

여기서, N : 지정수량의 배수

※ 방화상 유효한 담의 높이
  ① $H \leq pD^2 + a$인 경우 $h = 2$
  ② $H > pD^2 + a$인 경우 $h = H - p(D^2 - d^2)$

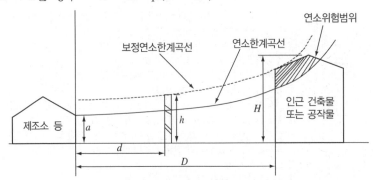

여기서, D : 제조소 등과 인근 건축물 또는 공작물과의 거리[m]
        H : 인근 건축물 또는 공작물과의 높이[m]
        a : 제조소 등의 외벽의 높이[m]
        d : 제조소 등과 방화상 유효한 담과의 거리[m]
        h : 방화상 유효한 담의 높이[m]
        p : 상수

※ 위에서 산출한 수치가 2 미만일 때에는 담의 높이를 2[m]로, 4 이상일 때에는 담의 높이를 4[m]로 하고 다음의 소화설비를 보강하여야 한다.(생략)

01 위험물안전관리법령상 인화성액체위험물(이황화탄소를 제외)의 옥외탱크저장소의 탱크 주위에 설치하여야 하는 방유제의 기준 중 틀린 것은? [21년 1회]

① 방유제의 용량은 방유제 안에 설치된 탱크가 하나인 때에는 그 탱크 용량의 110[%] 이상으로 할 것

② 방유제의 용량은 방유제 안에 설치된 탱크가 2기 이상인 때에는 그 탱크 중 용량이 최대인 것의 용량의 110[%] 이상으로 할 것

③ 방유제는 높이 1[m] 이상 2[m] 이하, 두께 0.2[m] 이상, 지하매설깊이 0.5[m] 이상으로 할 것

④ 방유제 내의 면적은 80,000[m²] 이하로 할 것

해설 방유제
- 방유제의 용량
  - 탱크가 하나일 때 : 탱크 용량의 110[%] 이상(인화성이 없는 액체 위험물은 100[%])
  - 탱크가 2기 이상일 때 : 탱크 중 용량이 최대인 것의 용량의 110[%] 이상(인화성이 없는 액체 위험물은 100[%])
- 방유제의 높이 0.5[m] 이상 3[m] 이하, 두께 0.2[m] 이상, 지하매설깊이 1[m] 이상
- 방유제의 면적 : 80,000[m²] 이하
- 방유제 내에 설치하는 옥외저장탱크의 수는 10(방유제 내에 설치하는 모든 옥외저장탱크의 용량이 20만[L] 이하이고, 위험물의 인화점이 70[℃] 이상 200[℃] 미만인 경우에는 20) 이하로 할 것(단, 인화점이 200[℃] 이상인 옥외저장탱크는 제외)
  - 제1석유류, 제2석유류 : 10기 이하
  - 제3석유류 : 20기 이하
- 방유제 외면의 1/2 이상은 자동차 등이 통행할 수 있는 3[m] 이상의 노면폭을 확보한 구내도로에 직접 접하도록 할 것
- 방유제는 탱크의 옆판으로부터 일정 거리를 유지할 것(단, 인화점이 200[℃] 이상인 위험물은 제외)
  - 지름이 15[m] 미만인 경우 : 탱크 높이의 1/3 이상
  - 지름이 15[m] 이상인 경우 : 탱크 높이의 1/2 이상
- 방유제의 재질 : 철근콘크리트
- 방유제에는 배수구를 설치하고 개폐밸브를 방유제 밖에 설치할 것
- 높이가 1[m] 이상이면 계단 또는 경사로를 약 50[m]마다 설치할 것

02 위험물안전관리법령상 인화성액체위험물(이황화탄소를 제외)의 옥외탱크저장소의 탱크 주위에 설치하여야 하는 방유제의 설치기준 중 틀린 것은? [18년 1회]

① 방유제 내의 면적은 60,000[m²] 이하로 하여야 한다.

② 방유제는 높이 0.5[m] 이상 3[m] 이하, 두께 0.2[m] 이상, 지하매설깊이 1[m] 이상으로 할 것. 다만, 방유제와 옥외저장탱크 사이의 지반면 아래에 불침윤성 구조물을 설치하는 경우에는 지하매설깊이를 해당 불침윤성 구조물까지로 할 수 있다.

③ 방유제의 용량은 방유제 안에 설치된 탱크가 하나인 때에는 그 탱크 용량의 110[%] 이상, 2기 이상인 때에는 그 탱크 중 용량이 최대인 것의 용량의 110[%] 이상으로 하여야 한다.

④ 방유제는 철근콘크리트로 하고, 방유제와 옥외저장탱크 사이의 지표면은 불연성과 불침윤성이 있는 구조(철근콘크리트 등)로 할 것. 다만, 누출된 위험물을 수용할 수 있는 전용유조 및 펌프 등의 설비를 갖춘 경우에는 방유제와 옥외저장탱크 사이의 지표면을 흙으로 할 수 있다.

> **해설** 1번 해설 참조

**핵심
예제**

03 위험물안전관리법령에 따른 인화성액체 위험물(이황화탄소를 제외)의 옥외탱크저장소의 탱크 주위에 설치하는 방유제의 설치기준 중 옳은 것은? [18년 4회]

① 방유제의 높이는 0.5[m] 이상 2.0[m] 이하로 할 것

② 방유제 내의 면적은 100,000[m²] 이하로 할 것

③ 방유제의 용량은 방유제 안에 설치된 탱크가 2기 이상인 때에는 그 탱크 중 용량이 최대인 것의 용량의 120[%] 이상으로 할 것

④ 높이가 1[m]를 넘는 방유제 및 칸막이 둑의 안팎에는 방유제 내에 출입하기 위한 계단 또는 경사로를 약 50[m]마다 설치할 것

> **해설** 1번 해설 참조

04 위험물안전관리법령상 위험물취급소의 구분에 해당하지 않는 것은? [20년 3회]

① 이송취급소   ② 관리취급소

③ 판매취급소   ④ 일반취급소

> **해설** 위험물취급소 종류
> 주유취급소, 판매취급소, 이송취급소, 일반취급소

9 제조소 등의 소화난이도, 저장, 운반기준

(1) 제조소 등의 소화난이도등급

① 소화난이도등급 I

㉠ 소화난이도등급 I 에 해당하는 제조소 등

제조소 등의 구분	제조소 등의 규모, 저장 또는 취급하는 위험물의 품명 및 최대수량 등
제조소 일반취급소	연면적 1,000[m²] 이상인 것
	지정수량의 100배 이상인 것(고인화점위험물만을 100[℃] 미만의 온도에서 취급하는 것 및 제48조의 위험물을 취급하는 것은 제외)
	지반면으로 부터 6[m] 이상의 높이에 위험물 취급설비가 있는 것(고인화점위험물만을 100[℃] 미만의 온도에서 취급하는 것은 제외)
주유취급소	별표 13. V 제2호에 따른 면적의 합이 500[m²]를 초과하는 것
옥내저장소	지정수량의 150배 이상인 것(고인화점위험물만을 저장하는 것 및 제48조의 위험물을 저장하는 것은 제외)
	연면적 150[m²]을 초과하는 것(150[m²] 이내마다 불연재료로 개구부 없이 구획된 것 및 인화성 고체 외의 제2류 위험물 또는 인화점 70[℃] 이상의 제4류 위험물만을 저장하는 것은 제외)
	처마높이가 6[m] 이상인 단층건물의 것
옥외 탱크저장소	액표면적이 40[m²] 이상인 것(제6류 위험물을 저장하는 것 및 고인화점위험물만을 100[℃] 미만의 온도에서 저장하는 것은 제외)
	지반면으로부터 탱크 옆판의 상단까지 높이가 6[m] 이상인 것(제6류 위험물을 저장하는 것 및 고인화점위험물만을 100[℃] 미만의 온도에서 저장하는 것은 제외)
	지중탱크 또는 해상탱크로서 지정수량의 100배 이상인 것(제6류 위험물을 저장하는 것 및 고인화점위험물만을 100[℃] 미만의 온도에서 저장하는 것은 제외)
	고체 위험물을 저장하는 것으로서 지정수량의 100배 이상인 것
옥내 탱크저장소	액표면적이 40[m²] 이상인 것(제6류 위험물을 저장하는 것 및 고인화점위험물만을 100[℃] 미만의 온도에서 저장하는 것은 제외)
	바닥면으로부터 탱크 옆판의 상단까지 높이가 6[m] 이상인 것(제6류 위험물을 저장하는 것 및 고인화점위험물만을 100[℃] 미만의 온도에서 저장하는 것은 제외)
	탱크전용실이 단층건물 외의 건축물에 있는 것으로서 인화점 38[℃] 이상 70[℃] 미만의 위험물을 지정수량의 5배 이상 저장하는 것(내화구조로 개구부 없이 구획된 것은 제외)

ⓛ 소화난이도등급Ⅰ의 제조소 등에 설치하여야 하는 소화설비

제조소 등의 구분			소화설비
제조소 및 일반취급소			옥내소화전설비, 옥외소화전설비, 스프링클러설비 또는 물분무 등 소화설비(화재발생 시 연기가 충만할 우려가 있는 장소에는 스프링클러설비 또는 이동식 외의 물분무 등 소화설비에 한한다)
주유취급소			스프링클러설비(건축물에 한한다), 소형수동식소화기 등
옥내저장소	처마높이가 6[m] 이상인 단층건물 또는 다른 용도의 부분이 있는 건축물에 설치한 옥내저장소		스프링클러설비 또는 이동식 외의 물분무 등 소화설비
	그 밖의 것		옥외소화전설비, 스프링클러설비, 이동식 외의 물분무 등 소화설비 또는 이동식 포소화설비(포소화전을 옥외에 설치하는 것에 한한다)
옥외탱크 저장소	지중탱크 또는 해상탱크 외의 것	유황만을 저장 취급하는 것	물분무소화설비
		인화점 70[℃] 이상의 제4류 위험물만을 저장 취급하는 것	물분무소화설비 또는 고정식 포소화설비
		그 밖의 것	고정식 포소화설비(포소화설비가 적응성이 없는 경우에는 분말소화설비)
	지중탱크		고정식 포소화설비, 이동식 이외의 불활성가스소화설비 또는 이동식 이외의 할로겐화합물소화설비
	해상탱크		고정식 포소화설비, 물분무소화설비, 이동식 이외의 불활성가스소화설비 또는 이동식 이외의 할로겐화합물소화설비
옥내탱크 저장소	유황만을 저장 취급하는 것		물분무소화설비
	인화점 70[℃] 이상의 제4류 위험물만을 저장 취급하는 것		물분무소화설비, 고정식 포소화설비, 이동식 이외의 불활성가스소화설비, 이동식 이외의 할로겐화합물소화설비 또는 이동식 이외의 분말소화설비
	그 밖의 것		고정식 포소화설비, 이동식 이외의 불활성가스소화설비, 이동식 이외의 할로겐화합물소화설비 또는 이동식 이외의 분말소화설비

② 소화난이도등급Ⅱ

㉠ 소화난이도등급Ⅱ에 해당하는 제조소 등

제조소 등의 구분	제조소 등의 규모, 저장 또는 취급하는 위험물의 품명 및 최대수량 등
제조소 일반취급소	연면적 600[m²] 이상인 것
	지정수량의 10배 이상인 것(고인화점위험물만을 100[℃] 미만의 온도에서 취급하는 것 및 제48조의 위험물을 취급하는 것은 제외)
	별표 16 Ⅱ·Ⅲ·Ⅳ·Ⅴ·Ⅷ·Ⅸ·Ⅹ 또는 Ⅹ의2의 일반취급소로서 소화난이도등급Ⅰ의 제조소 등에 해당하지 아니하는 것(고인화점위험물만을 100[℃] 미만의 온도에서 취급하는 것은 제외)
주유취급소	옥내주유취급소로서 소화난이도등급Ⅰ의 제조소 등에 해당하지 아니하는 것
판매취급소	제2종 판매취급소

ㄴ 소화난이도등급Ⅱ의 제조소 등에 설치하여야 하는 소화설비

제조소 등의 구분	소화설비
제조소, 옥내저장소, 옥외저장소, 주유취급소, 판매취급소, 일반취급소	방사능력범위 내에 당해 건축물, 그 밖의 공작물 및 위험물이 포함되도록 대형수동식소화기를 설치하고, 해당 위험물의 소요단위의 1/5 이상에 해당하는 능력단위의 소형수동식소화기 등을 설치할 것
옥외탱크저장소, 옥내탱크저장소	대형수동식소화기 및 소형수동식소화기 등을 각각 1개 이상 설치할 것

③ 소화난이도등급Ⅲ

ㄱ 소화난이도등급Ⅲ에 해당하는 제조소 등

제조소 등의 구분	제조소 등의 규모, 저장 또는 취급하는 위험물의 품명 및 최대수량 등
제조소, 일반취급소	제48조의 위험물을 취급하는 것
	제48조의 위험물 외의 것을 취급하는 것으로서 소화난이도등급Ⅰ 또는 소화난이도등급Ⅱ의 제조소 등에 해당하지 아니하는 것
옥내저장소	제48조의 위험물을 취급하는 것
	제48조의 위험물 외의 것을 취급하는 것으로서 소화난이도등급Ⅰ 또는 소화난이도등급Ⅱ의 제조소 등에 해당하지 아니하는 것
지하탱크저장소, 간이 탱크저장소, 이동탱크저장소	모든 대상
주유취급소	옥내주유취급소 외의 것으로서 소화난이도등급Ⅰ의 제조소 등에 해당하지 않는 것
제1종 판매취급소	모든 대상

ㄴ 소화난이도등급Ⅲ의 제조소 등에 설치하여야 하는 소화설비

제조소 등의 구분	소화설비	설치기준	
지하탱크저장소	소형수동식소화기 등	능력단위의 수치가 3 이상	2개 이상
이동탱크저장소	자동차용 소화기	무상의 강화액 8[L] 이상	2개 이상
		이산화탄소 3.2[kg] 이상	
		일브롬화일염화이플루오르화메탄(CF_2ClBr) 2[L] 이상	
		일브롬화삼플루오르화메탄(CF_3Br) 2[L] 이상	
		이브롬화사플루오르화에탄($C_2F_4Br_2$) 1[L] 이상	
		소화분말 3.3[kg] 이상	
	마른모래 및 팽창질석 또는 팽창진주암	마른모래 150[L] 이상	
		팽창질석 또는 팽창진주암 640[L] 이상	
그 밖의 제조소 등	소형수동식소화기 등	능력단위의 수치가 건축물 및 그 밖의 공작물 및 위험물의 소요단위의 수치에 이르도록 설치할 것. 다만, 옥내소화전설비, 옥외소화전설비, 스프링클러설비, 물분무 등 소화설비 또는 대형수동식소화기를 설치한 경우에는 당해 소화설비의 방사능력범위 내의 부분에 대하여는 수동식소화기 등을 그 능력단위의 수치가 당해 소요단위의 수치의 1/5 이상이 되도록 하는 것으로 족하다.	

(2) 경보설비

① 제조소 등별로 설치하여야 하는 경보설비의 종류

제조소 등의 구분	제조소 등의 규모, 저장 또는 취급하는 위험물의 종류 및 최대수량 등	경보설비
가. 제조소 및 일반취급소	• 연면적이 500[m²] 이상인 것 • 옥내에서 지정수량의 100배 이상을 취급하는 것(고인화점위험물만을 100[℃] 미만의 온도에서 취급하는 것은 제외) • 일반취급소로 사용되는 부분 외의 부분이 있는 건축물에 설치된 일반취급소(일반취급소와 일반취급소 외의 부분이 내화구조의 바닥 또는 벽으로 개구부 없이 구획된 것은 제외)	자동화재탐지설비
나. 옥내저장소	• 지정수량의 100배 이상을 저장 또는 취급하는 것(고인화점위험물만을 저장 또는 취급하는 것은 제외) • 저장창고의 연면적이 150[m²]를 초과하는 것[연면적 150[m²] 이내마다 불연재료의 격벽으로 개구부 없이 완전히 구획된 저장창고와 제2류 위험물(인화성 고체는 제외) 또는 제4류 위험물(인화점이 70[℃] 미만인 것은 제외)만을 저장 또는 취급하는 저장창고는 그 연면적이 500[m²] 이상인 것을 말한다] • 처마 높이가 6[m] 이상인 단층 건물의 것 • 옥내저장소로 사용되는 부분 외의 부분이 있는 건축물에 설치된 옥내저장소[옥내저장소와 옥내저장소 외의 부분이 내화구조의 바닥 또는 벽으로 개구부 없이 구획된 것과 제2류(인화성 고체는 제외) 또는 제4류의 위험물(인화점이 70[℃] 미만인 것은 제외)만을 저장 또는 취급하는 것은 제외]	
다. 옥내탱크저장소	단층 건물 외의 건축물에 설치된 옥내탱크저장소로서 소화난이도등급 I 에 해당하는 것	
라. 주유취급소	옥내주유취급소	
마. 옥외탱크저장소	특수인화물, 제1석유류 및 알코올류를 저장 또는 취급하는 탱크의 용량이 1,000만[L] 이상인 것	• 자동화재탐지설비 • 자동화재속보설비
바. 가목부터 마목까지의 규정에 따른 자동화재탐지설비 설치 대상 제조소 등에 해당하지 않는 제조소 등(이송취급소는 제외)	지정수량의 10배 이상을 저장 또는 취급하는 것	자동화재탐지설비, 비상경보설비, 확성장치 또는 비상방송설비 중 1종 이상

② 자동화재탐지설비의 설치기준

㉠ 하나의 경계구역의 면적 : 600[m²] 이하

㉡ 한 변의 길이 : 50[m](광전식분리형감지기를 설치할 경우에는 100[m]) 이하로 할 것

㉢ 건축물 그 밖의 공작물의 주요한 출입구에서 그 내부의 전체를 볼 수 있는 경우에 있어서는 그 면적을 1,000[m²] 이하로 할 수 있다.

10 위험물안전관리자

(1) 위험물안전관리자의 자격

제조소 등의 종류 및 규모		안전관리자의 자격
제조소	1. 제4류 위험물만을 취급하는 것으로서 지정수량 5배 이하의 것	위험물기능장, 위험물산업기사, 위험물기능사, 안전관리자교육이수자 또는 소방공무원경력자
	2. 제1호에 해당하지 아니하는 것	위험물기능장, 위험물산업기사 또는 2년 이상의 실무경력이 있는 위험물기능사
저장소	1. 옥내저장소 · 제4류 위험물만을 저장하는 것으로서 지정수량 5배 이하의 것 / 제4류 위험물 중 알코올류 · 제2석유류 · 제3석유류 · 제4석유류 · 동식물유류만을 저장하는 것으로서 지정수량 40배 이하의 것	위험물기능장, 위험물산업기사, 위험물기능사, 안전관리자교육이수자, 소방공무원경력자
	2. 옥외탱크저장소 · 제4류 위험물만을 저장하는 것으로서 지정수량 5배 이하의 것 / 제4류 위험물 중 제2석유류 · 제3석유류 · 제4석유류 · 동식물유류만을 저장하는 것으로서 지정수량 40배 이하의 것	
	3. 옥내탱크저장소 · 제4류 위험물만을 저장하는 것으로서 지정수량 5배 이하의 것 / 제4류 위험물 중 제2석유류 · 제3석유류 · 제4석유류 · 동식물유류만을 저장하는 것	
	4. 지하탱크저장소 · 제4류 위험물만을 저장하는 것으로서 지정수량 40배 이하의 것 / 제4류 위험물 중 제1석유류 · 알코올류 · 제2석유류 · 제3석유류 · 제4석유류 · 동식물유류만을 저장하는 것으로서 지정수량 250배 이하의 것	
	5. 간이탱크저장소로서 제4류 위험물만을 저장하는 것	
	6. 옥외저장소 중 제4류 위험물만을 저장하는 것으로서 지정수량 40배 이하의 것	
	7. 보일러, 버너 그 밖에 이와 유사한 장치에 공급하기 위한 위험물을 저장하는 탱크저장소	
	8. 선박주유취급소, 철도주유취급소 또는 항공기주유취급소의 고정주유설비에 공급하기 위한 위험물을 저장하는 탱크저장소로서 지정수량의 250배(제1석유류의 경우에는 지정수량의 100배)이하의 것	
	9. 제1호 내지 제8호에 해당하지 아니하는 저장소	위험물기능장, 위험물산업기사 또는 2년 이상의 실무경력이 있는 위험물기능사

제조소 등의 종류 및 규모			안전관리자의 자격
취급소	1. 주유취급소		위험물기능장, 위험물산업기사, 위험물기능사, 안전관리자 교육이수자, 소방공무원경력자
	2. 판매취급소	제4류 위험물만을 저장하는 것으로서 지정수량 5배 이하의 것	
		제4류 위험물 중 제1석유류·알코올류·제2석유류·제3석유류·제4석유류·동식물유류만을 취급하는 것	
	3. 제4류 위험물 중 제1석유류·알코올류·제2석유류·제3석유류·제4석유류·동식물유류만을 지정수량 50배 이하로 취급하는 일반취급소(제1석유류·알코올류의 취급량이 지정수량의 10배 이하인 경우에 한한다)로서 다음의 어느 하나에 해당하는 것 　가. 보일러, 버너 그 밖에 이와 유사한 장치에 의하여 위험물을 소비하는 것 　나. 위험물을 용기 또는 차량에 고정된 탱크에 주입하는 것		
	4. 제4류 위험물만을 취급하는 일반취급소로서 지정수량 10배 이하의 것		
	5. 제4류 위험물 중 제2석유류·제3석유류·제4석유류·동식물유류만을 취급하는 일반취급소로서 지정수량 20배 이하의 것		
	6. 농어촌전기공급사업촉진법에 의하여 설치된 자가발전시설용 위험물을 이송하는 이송취급소		
	7. 제1호 내지 제6호에 해당하지 아니하는 취급소		위험물기능장, 위험물산업기사 또는 2년 이상의 실무경력이 있는 위험물기능사

(2) 위험물취급자격자의 자격

위험물취급자격자의 구분	취급할 수 있는 위험물
국가기술자격법에 따라 위험물기능장, 위험물산업기사, 위험물기능사 자격을 취득한 사람	별표 1의 모든 위험물
안전관리교육이수자	제4류 위험물
소방공무원경력자(근무경력 3년 이상)	제4류 위험물

(3) 위험물안전관리자의 책무

① 위험물의 취급 작업에 참여하여 저장 또는 취급에 관한 기술기준과 예방규정에 적합하도록 해당 작업자에 대하여 지시 및 감독하는 업무
② 화재 등의 재난이 발생한 경우 응급조치 및 소방관서 등에 대한 연락업무
③ 제조소 등의 위치·구조 및 설비를 기술기준에 적합하도록 유지하기 위한 점검과 점검상황의 기록·보존
④ 제조소 등의 구조 또는 설비의 이상을 발견한 경우 관계자에 대한 연락 및 응급조치
⑤ 제조소 등의 계측장치·제어장치 및 안전장치 등의 적정한 유지·관리
⑥ 제조소 등의 위치·구조 및 설비에 관한 설계도서 등의 정비·보존 및 제조소 등의 구조 및 설비의 안전에 관한 사무의 관리
⑦ 위험물의 취급에 관한 일지의 작성·기록

(4) 위험물시설의 유지 · 관리

① 유지 · 관리권자 : 관계인
② 제조소 등의 위치, 구조, 설비의 수리, 개조, 이전명령권자 : 시 · 도지사, 소방본부장 또는 소방서장

(5) 위험물의 중요기준과 세부기준의 내용 : 용기, 적재방법, 운반방법

(6) 1인의 안전관리자를 중복하여 선임할 수 있는 저장소 등

① 10개 이하의 옥내저장소
② 30개 이하의 옥외탱크저장소
③ 옥내탱크저장소
④ 지하탱크저장소
⑤ 간이탱크저장소
⑥ 10개 이하의 옥외저장소
⑦ 10개 이하의 암반탱크저장소

11 위험물

위험물의 저장 · 취급에 관한 사항(위험물안전관리법에 따라 예방규정을 정하는 제조소 등은 제외한다)은 소방계획서의 포함사항이다.

저장기준	• 옥내저장소 또는 옥외저장소에는 있어서 유별을 달리하는 위험물을 저장하는 경우 1[m] 이상 간격을 두고 아래 유별을 저장할 수 있다. – 제1류 위험물(알칼리금속의 과산화물은 제외)과 제5류 위험물을 저장하는 경우 – 제1류 위험물과 제6류 위험물을 저장하는 경우 – 제1류 위험물과 자연발화성 물품(황린 포함)을 저장하는 경우 – 제2류 위험물 중 인화성 고체와 제4류 위험물을 저장하는 경우 – 제3류 위험물 중 알킬알루미늄 등과 제4류 위험물(알킬알루미늄 또는 알킬리튬을 함유한 것에 한함)을 저장하는 경우

위험물의 구분	제1류	제2류	제3류	제4류	제5류	제6류
제1류		×	×	×	×	○
제2류	×		×	○	○	×
제3류	×	×		○	×	×
제4류	×	○	○		○	×
제5류	×	○	×	○		×
제6류	○	×	×	×	×	

저장기준

- 제4류 위험물 중 유기과산화물과 제5류 위험물 중 유기과산화물을 저장하는 경우

[운반 시 위험물의 혼재 가능]

1. "×"표시는 혼재할 수 없음을 표시한다.
2. "○"표시는 혼재할 수 있음을 표시한다.
3. 이 표는 지정수량의 $\frac{1}{10}$ 이하의 위험물에 대하여는 적용하지 아니한다.

- 옥내저장소에서 동일 품명의 위험물이더라도 자연발화할 우려가 있는 위험물 또는 재해가 현저하게 증대할 우려가 있는 위험물을 다량 저장하는 경우에는 지정수량의 10배 이하마다 구분하여 상호 간 0.3[m] 이상의 간격을 두어 저장하여야 한다.
- 옥외저장소, 옥내저장소에 저장 시 높이(아래 높이를 초과하지 말 것)
 - 기계에 의하여 하역하는 구조로 된 용기만을 겹쳐 쌓는 경우 : 6[m]
 - 제4류 위험물 중 제3석유류, 제4석유류, 동식물유류를 수납하는 용기만을 겹쳐 쌓는 경우 : 4[m]
 - 그 밖의 경우 : 3[m]

온도정리

15[℃] 이하	압력탱크 외의 아세트알데하이드의 온도
30[℃] 이하	압력탱크 외의 다이에틸에테르·산화프로필렌의 온도
40[℃] 이하	• 압력탱크의 다이에틸에테르·아세트알데하이드의 온도 • 보랭장치가 없는 다이에틸에테르·아세트알데하이드의 온도
55[℃] 이하	옥내저장소의 용기수납 저장온도
21[℃] 미만	• 옥외저장탱크의 주입구 게시판 설치 • 옥외저장탱크의 펌프 설비 게시판 설치
40[℃] 미만	이동탱크저장소의 원동기 정지
70[℃] 미만	옥내저장소 저장창고의 배출설비 구비
38[℃] 이상	보일러 등으로 위험물을 소비하는 일반취급소
40[℃] 이상	• 지하탱크저장소의 배관 윗부분 설치 제외 • 세정작업의 일반취급소(위험물 규칙) • 이동저장탱크의 주입구 주입호스 결합 제외
70[℃] 이상	• 옥내저장탱크의 외벽·기둥·바닥을 불연재료로 할 수 있는 경우(위험물 규칙 별표 7) • 열처리작업 등의 일반취급소(위험물 규칙 별표 16)
100[℃] 이상	고인화점위험물(위험물 규칙 별표 4)
200[℃] 이상	옥외저장탱크의 방유제 거리확보 제외(위험물 규칙 별표 6)

운반기준	• 운반용기의 재질 강판, 알루미늄판, 양철판, 유리, 금속판, 종이, 플라스틱, 섬유판, 고무류, 합성섬유, 삼, 짚, 나무 • 적재방법 **[제3류 위험물 운반용기의 수납기준]** • 자연발화성 물질에 있어서는 불활성기체를 봉입하여 밀봉하는 등 공기와 접하지 아니하도록 할 것 • 자연발화성 물질 외의 물품에 있어서는 파라핀·경유·등유 등의 보호액으로 채워 밀봉하거나 불활성기체를 봉입하여 밀봉하는 등 수분과 접하지 아니하도록 할 것 • 자연발화성 물질 중 알킬알루미늄 등은 운반용기의 내용적의 90[%] 이하의 수납률로 수납하되, 50[℃]의 온도에서 5[%] 이상의 공간용적을 유지하도록 할 것 – 고체 위험물 : 운반용기 내용적의 95[%] 이하의 수납률로 수납할 것 – 액체 위험물 : 운반용기 내용적의 98[%] 이하의 수납률로 수납하되, 55[℃]의 온도에서 누설되지 아니하도록 충분한 공간용적을 유지하도록 할 것 • 적재위험물에 따른 조치 – 차광성이 있는 것으로 피복 ⓐ 제1류 위험물 ⓑ 제3류위험물 중 자연발화성 물질 ⓒ 제4류 위험물 중 특수인화물 ⓓ 제5류 위험물 ⓔ 제6류 위험물 – 방수성이 있는 것으로 피복 ⓐ 제1류 위험물 중 알칼리금속의 과산화물 ⓑ 제2류 위험물 중 철분·금속분·마그네슘 ⓒ 제3류 위험물 중 금수성 물질 • 운반용기의 외부 표시 사항 – 위험물의 품명, 위험등급, 화학명 및 수용성(제4류 위험물의 수용성인 것에 한함) – 위험물의 수량 • 운반방법(지정수량 이상 운반 시) – 한 변의 길이가 0.3[m] 이상, 다른 한 변의 길이가 0.6[m] 이상인 직사각형의 판으로 할 것 – 흑색바탕에 황색의 반사도료 그 밖의 반사성이 있는 재료로 "위험물"이라고 표시할 것 소요단위 = 저장(운반)수량 ÷ (지정수량 × 10) [참고] 위험물은 지정수량의 10배를 1소요단위로 한다.

위험등급	Ⅰ 위험물	• 제1류 위험물 중 아염소산염류, 염소산염류, 과염소산염류, 무기과산화물, 그 밖에 지정수량이 50[kg]인 위험물 • 제3류 위험물 중 칼륨, 나트륨, 알킬알루미늄, 알킬리튬, 황린, 그 밖에 지정수량이 10[kg] 또는 20[kg]인 위험물 • 제4류 위험물 중 특수인화물 • 제5류 위험물 중 유기과산화물, 질산에스테르류, 그 밖에 지정수량이 10[kg]인 위험물 • 제6류 위험물
	Ⅱ 위험물	• 제1류 위험물 중 브롬산염류, 질산염류, 아이오딘산염류, 그 밖에 지정수량이 300[kg]인 위험물 • 제2류 위험물 중 황화인, 적린, 유황, 그 밖에 지정수량이 100[kg]인 위험물 • 제3류 위험물 중 알칼리금속(칼륨, 나트륨 제외) 및 알칼리토금속, 유기금속화합물(알킬알루미늄 및 알킬리튬은 제외), 그 밖에 지정수량이 50[kg]인 위험물 • 제4류 위험물 중 제1석유류, 알코올류 • 제5류 위험물 중 위험등급 Ⅰ에 정하는 위험물 외의 것
	Ⅲ 위험물	Ⅰ, Ⅱ에 정하지 아니한 위험물

01 위험물안전관리법령에 따른 소화난이도등급 I 의 옥내탱크저장소에서 유황만을 저장·취급할 경우 설치하여야 하는 소화설비로 옳은 것은? [18년 4회, 21년 2회]

① 물분무소화설비
② 스프링클러설비
③ 포소화설비
④ 옥내소화전설비

해설 소화난이도등급 I 의 제조소 등에 설치하여야 하는 소화설비

제조소 등의 구분		소화설비
옥내탱크저장소	유황만을 저장 취급하는 것	물분무소화설비
	인화점 70[℃] 이상의 제4류 위험물만을 저장 취급하는 것	물분무소화설비, 고정식 포소화설비, 이동식 이외의 불활성가스소화설비, 이동식 이외의 할로겐화합물소화설비 또는 이동식 이외의 분말소화설비
	그 밖의 것	고정식 포소화설비, 이동식 이외의 불활성가스소화설비, 이동식 이외의 할로겐화합물소화설비 또는 이동식 이외의 분말소화설비

02 소화난이도등급 Ⅲ인 지하탱크저장소에 설치하여야 하는 소화설비의 설치기준으로 옳은 것은? [17년 1회]

① 능력단위 수치가 3 이상의 소형수동식소화기 등 1개 이상
② 능력단위 수치가 3 이상의 소형수동식소화기 등 2개 이상
③ 능력단위 수치가 2 이상의 소형수동식소화기 등 1개 이상
④ 능력단위 수치가 2 이상의 소형수동식소화기 등 2개 이상

해설 소화난이도등급Ⅲ의 제조소 등에 설치하여야 하는 소화설비

제조소 등의 구분	소화설비	설치기준	
지하탱크저장소	소형수동식소화기 등	능력단위의 수치가 3 이상	2개 이상

03 위험물안전관리법령상 제조소 등의 경보설비 설치기준에 대한 설명으로 틀린 것은?

[20년 1·2회]

① 제조소 및 일반취급소의 연면적이 500[m²] 이상인 것에는 자동화재탐지설비를 설치한다.
② 자동신호장치를 갖춘 스프링클러설비 또는 물분무 등 소화설비를 설치한 제조소 등에 있어서는 자동화재탐지설비를 설치한 것으로 본다.
③ 경보설비는 자동화재탐지설비·비상경보설비(비상벨장치 또는 경종 포함)·확성장치 (휴대용확성기 포함) 및 비상방송설비로 구분한다.
④ 지정수량의 10배 이상의 위험물을 저장 또는 취급하는 제조소 등(이동탱크저장소를 포함한다)에는 화재 발생 시 이를 알릴 수 있는 경보설비를 설치하여야 한다.

해설 제조소 등의 경보설비 설치기준

제조소 등의 구분	제조소 등의 규모, 저장 또는 취급하는 위험물의 종류 및 최대수량 등	경보설비
가. 제조소 및 일 반취급소	• 연면적이 500[m²] 이상인 것 • 옥내에서 지정수량의 100배 이상을 취급하는 것(고인화점위험물만을 100 [℃] 미만의 온도에서 취급하는 것은 제외) • 일반취급소로 사용되는 부분 외의 부분이 있는 건축물에 설치된 일반취급 소(일반취급소와 일반취급소 외의 부분이 내화구조의 바닥 또는 벽으로 개구부 없이 구획된 것은 제외)	자동화재 탐지설비

핵심
예제

04 위험물안전관리자로 선임할 수 있는 위험물취급자격자가 취급할 수 있는 위험물의 기준으로 틀린 것은?

[17년 4회]

① 위험물기능장 자격 취득자 : 모든 위험물
② 안전관리교육이수자 : 위험물 중 제4류 위험물
③ 소방공무원으로 근무한 경력이 3년 이상인 자 : 위험물 중 제4류 위험물
④ 위험물산업기사 자격 취득자 : 위험물 중 제4류 위험물

해설 위험물취급자격자와 취급할 수 있는 위험물

위험물취급자격자의 구분	취급할 수 있는 위험물
국가기술자격법에 따라 위험물기능장, 위험물산업기사, 위험물기능사 자격을 취득한 사람	별표 1의 모든 위험물
안전관리교육이수자	제4류 위험물
소방공무원경력자(근무경력 3년 이상)	제4류 위험물

05 화재예방, 소방시설 설치·유지 및 안전관리에 관한 법령상 소방안전관리대상물의 소방계획서에 포함되어야 하는 사항이 아닌 것은? [18년 2회, 21년 1회]

① 예방규정을 정하는 제조소 등의 위험물 저장·취급에 관한 사항
② 소방시설·피난시설 및 방화시설의 점검·정비계획
③ 특정소방대상물의 근무자 및 거주자의 자위소방대 조직과 대원의 임무에 관한 사항
④ 방화구획, 제연구획, 건축물의 내부 마감 재료(불연재료·준불연재료 또는 난연재료로 사용된 것) 및 방염물품의 사용현황과 그 밖의 방화구조 및 설비의 유지·관리계획

해설 위험물의 저장·취급에 관한 사항(위험물안전관리법에 따라 예방규정을 정하는 제조소 등은 제외한다)은 소방계획서의 포함사항이다.

핵심
예제

12 감독 및 조치명령 등

시·도지사, 소방본부장 또는 소방서장은 관계인에 대하여 필요한 보고 또는 자료제출을 명할 수 있으며, 관계공무원으로 하여금 해당 장소에 출입하여 그 장소의 위치·구조·설비 및 위험물의 저장·취급상황에 대하여 검사하게 하거나 관계인에게 질문을 할 수 있다.

① 개인의 주거는 관계인의 승낙을 얻은 경우 또는 화재발생의 우려가 커서 긴급한 필요가 있는 경우가 아니면 출입할 수 없다.

② 출입·검사 등은 그 장소의 공개시간이나 근무시간 내 또는 해가 뜬 후부터 해가 지기 전까지의 시간 내에 행하여야 한다(다만, 건축물 그 밖의 공작물의 관계인의 승낙을 얻은 경우 또는 화재발생의 우려가 커서 긴급한 필요가 있는 경우에는 예외).

③ 출입·검사 등을 행하는 관계공무원은 관계인의 정당한 업무를 방해하거나 출입·검사 등을 수행하면서 알게 된 비밀을 다른 자에게 누설하여서는 아니 된다.

④ 출입·검사 등을 하는 관계공무원은 그 권한을 표시하는 증표를 지니고 관계인에게 이를 내보여야 한다.

⑤ 제조소 등의 관계인은 해당 제조소 등에서 위험물의 유출 그 밖의 사고가 발생한 때에는 사태를 발견한 자는 즉시 그 사실을 소방서, 경찰서 또는 그 밖의 관계기간에 통보하여야 한다.

※ 무허가장소의 위험물에 대한 조치, 제조소 등의 사용일시정지, 사용제한권자, 과태료부과권자(시·도지사, 소방본부장 또는 소방서장)

※ 국가기술자격증 또는 교육수료증의 제시 요구권자 : 소방공무원 또는 경찰공무원

※ 청문실시내용(제조소 등 설치허가의 취소, 탱크시험자의 등록취소)

13 행정처분기준

(1) 제조소 등에 대한 행정처분기준

위반사항	행정처분기준		
	1차	2차	3차
변경허가를 받지 않고, 제조소 등의 위치·구조 또는 설비를 변경한 경우	경고 또는 사용정지 15일	사용정지 60일	허가취소
완공검사를 받지 않고 제조소 등을 사용한 경우	사용정지 15일	사용정지 60일	허가취소
안전조치 이행명령을 따르지 않은 경우	경 고	허가취소	–
수리·개조 또는 이전의 명령에 위반한 경우	사용정지 30일	사용정지 90일	허가취소
위험물안전관리자를 선임하지 아니한 경우	사용정지 15일	사용정지 60일	허가취소
대리자를 지정하지 아니한 경우	사용정지 10일	사용정지 30일	허가취소
정기점검을 하지 아니한 경우	사용정지 10일	사용정지 30일	허가취소
정기검사를 받지 아니한 경우	사용정지 10일	사용정지 30일	허가취소
저장·취급기준 준수명령을 위반한 경우	사용정지 30일	사용정지 60일	허가취소

(2) 탱크시험자에 대한 행정처분기준

위반사항	행정처분기준		
	1차	2차	3차
허위 그 밖의 부정한 방법으로 등록을 한 경우	등록취소		
등록의 결격사유에 해당하게 된 경우	등록취소		
다른 자에게 등록증을 빌려 준 경우	등록취소		
등록기준에 미달하게 된 경우	업무정지 30일	업무정지 60일	등록취소
탱크안전성능시험 또는 점검을 허위로 하거나 이 법에 의한 기준에 맞지 아니하게 탱크안전성능시험 또는 점검을 실시하는 경우 등 탱크시험자로서 적합하지 아니하다고 인정되는 경우	업무정지 30일	업무정지 90일	등록취소

14 벌 칙

(1) 1년 이상 10년 이하의 징역

제조소 등에서 위험물을 유출·방출 또는 확산시켜 사람의 생명·신체 또는 재산에 대하여 위험을 발생시킨 자

(2) 무기 또는 5년 이상의 징역

제조소 등에서 위험물을 유출·방출 또는 확산시켜 사람을 사망에 이르게 한 때

(3) 무기 또는 3년 이상의 징역

제조소 등에서 위험물을 유출·방출 또는 확산시켜 사람을 상해(傷害)에 이르게 한 때

(4) 10년 이하의 징역 또는 금고나 1억원 이하의 벌금

업무상 과실로 제조소 등에서 위험물을 유출·방출 또는 확산시켜 사람을 사상(死傷)에 이르게 한 자

(5) 7년 이하의 금고 또는 7,000만원 이하의 벌금

업무상 과실로 제조소 등에서 위험물을 유출·방출 또는 확산시켜 사람의 생명·신체 또는 재산에 대하여 위험을 발생시킨 자

(6) 5년 이하의 징역 또는 1억원 이하의 벌금

제6조 제1항 전단을 위반하여 제조소 등의 설치허가를 받지 아니하고 제조소 등을 설치한 자

(7) 3년 이하의 징역 또는 3,000만원 이하의 벌금

제5조 제1항을 위반하여 저장소 또는 제조소 등이 아닌 장소에서 지정수량 이상의 위험물을 저장 또는 취급한 자

(8) 1년 이하의 징역 또는 1,000만원 이하의 벌금

① 탱크 시험자로 등록하지 아니하고 탱크 시험자의 업무를 한 자
② 정기점검을 하지 아니하거나 점검기록을 허위로 작성한 관계인으로서 허가를 받은 자
③ 정기검사를 받지 아니한 관계인으로서 허가를 받은 자
④ 자체소방대를 두지 아니한 관계인으로서 허가를 받은 자
⑤ 운반용기에 대한 검사를 받지 아니하고 운반용기를 사용하거나 유통한 자

⑥ 관계공무원에 대하여 필요한 보고 또는 자료제출을 하지 아니하거나 허위의 보고 또는 자료제출을 한 자 또는 관계공무원의 출입·검사 또는 수거를 거부·방해 또는 기피한 자

⑦ 제조소 등에 대한 긴급 사용정지·제한명령을 위반한 자

(9) 1,500만원 이하의 벌금

① 위험물의 저장 또는 취급에 관한 중요기준에 따르지 아니한 자
② 변경허가를 받지 아니하고 제조소 등을 변경한 자
③ 제조소 등의 완공검사를 받지 아니하고 위험물을 저장·취급한 자
④ 제조소 등의 사용정지명령을 위반한 자
⑤ 수리·개조 또는 이전의 명령에 따르지 아니한 자
⑥ 안전관리자를 선임하지 아니한 관계인으로서 허가를 받은 자
⑦ 대리자를 지정하지 아니한 관계인으로서 허가를 받은 자
⑧ 업무정지명령을 위반한 자
⑨ 탱크 안전성능시험 또는 점검에 관한 업무를 허위로 하거나 그 결과를 증명하는 서류를 허위로 교부한 자
⑩ 예방규정을 제출하지 아니하거나 변경명령을 위반한 관계인으로서 허가를 받은 자
⑪ 정지지시를 거부하거나 국가기술자격증, 교육수료증·신원확인을 위한 증명서의 제시 요구 또는 신원확인을 위한 질문에 응하지 아니한 자
⑫ 탱크시험자에 대하여 필요한 보고 또는 자료제출을 하지 아니하거나 허위의 보고 또는 자료제출을 한 자 및 관계공무원의 출입 또는 조사·검사를 거부·방해 또는 기피한 자
⑬ 탱크시험자에 대한 감독상 명령에 따르지 아니한 자
⑭ 무허가장소의 위험물에 대한 조치명령에 따르지 아니한 자
⑮ 저장·취급기준 준수명령 또는 응급조치명령을 위반한 자

(10) 1,000만원 이하의 벌금

① 위험물의 취급에 관한 안전관리와 감독을 하지 아니한 자
② 안전관리자 또는 그 대리자가 참여하지 아니한 상태에서 위험물을 취급한 자
③ 변경한 예방규정을 제출하지 아니한 관계인으로서 허가를 받은 자
④ 위험물의 운반에 관한 중요기준에 따르지 아니한 자
⑤ 국가기술자격자 또는 안전교육을 받지 않고 위험물을 운송하는 자
⑥ 관계인의 정당한 업무를 방해하거나 출입·검사 등을 수행하면서 알게 된 비밀을 누설한 자

(11) 500만원 이하의 과태료

① 임시저장기간의 승인을 받지 아니한 자
② 위험물의 저장 또는 취급에 관한 세부기준을 위반한 자
③ 위험물의 품명 등의 변경신고를 기간 이내에 하지 아니하거나 허위로 한 자
④ 위험물제조소 등의 지위승계신고를 기간 이내에 하지 아니하거나 허위로 한 자
⑤ 제조소 등의 폐지신고, 안전관리자의 선임신고를 기간 이내에 하지 아니하거나 허위로 한 자
⑥ 제조소 등의 사용 중지신고 또는 재개신고를 기간 이내에 하지 아니하거나 거짓으로 한 자
⑦ 등록사항의 변경신고를 기간 이내에 하지 아니하거나 허위로 한 자
⑧ 위험물제조소 등의 정기 점검결과를 기록·보존하지 아니한 자
⑨ 기간 이내에 정기 점검결과를 제출하지 아니한 자
⑩ 위험물의 운반에 관한 세부기준을 위반한 자
⑪ 위험물의 운송에 관한 기준을 따르지 아니한 자

(12) 과태료 부과기준

(단위 : 만원)

위반행위	근거 법조문	과태료 금액
가. 법 제5조 제2항 제1호에 따른 승인을 받지 않은 경우	법 제39조 제1항 제1호	
1) 승인기한(임시저장 또는 취급개시일의 전날)의 다음날을 기산일로 하여 30일 이내에 승인을 신청한 경우		250
2) 승인기한(임시저장 또는 취급개시일의 전날)의 다음날을 기산일로 하여 31일 이후에 승인을 신청한 경우		400
3) 승인을 받지 않은 경우		500
나. 법 제5조 제3항 제2호에 따른 위험물의 저장 또는 취급에 관한 세부기준을 위반한 경우	법 제39조 제1항 제2호	
1) 1차 위반 시		250
2) 2차 위반 시		400
3) 3차 이상 위반 시		500
다. 법 제6조 제2항에 따른 품명 등의 변경신고를 기간 이내에 하지 않거나 허위로 한 경우	법 제39조 제1항 제3호	
1) 신고기한(변경한 날의 1일 전날)의 다음날을 기산일로 하여 30일 이내에 신고한 경우		250
2) 신고기한(변경한 날의 1일 전날)의 다음날을 기산일로 하여 31일 이후에 신고한 경우		350
3) 허위로 신고한 경우		500
4) 신고를 하지 않은 경우		500

위반행위	근거 법조문	과태료 금액
라. 법 제10조 제3항에 따른 지위승계신고를 기간 이내에 하지 않거나 허위로 한 경우	법 제39조 제1항 제4호	
1) 신고기한(지위승계일의 다음날을 기산일로 하여 30일이 되는 날)의 다음날을 기산일로 하여 30일 이내에 신고한 경우		250
2) 신고기한(지위승계일의 다음날을 기산일로 하여 30일이 되는 날)의 다음날을 기산일로 하여 31일 이후에 신고한 경우		350
3) 허위로 신고한 경우		500
4) 신고를 하지 않은 경우		500
마. 법 제11조에 따른 제조소등의 폐지신고를 기간 이내에 하지 않거나 허위로 한 경우	법 제39조 제1항 제5호	
1) 신고기한(폐지일의 다음날을 기산일로 하여 14일이 되는 날)의 다음날을 기산일로 하여 30일 이내에 신고한 경우		250
2) 신고기한(폐지일의 다음날을 기산일로 하여 14일이 되는 날)의 다음날을 기산일로 하여 31일 이후에 신고한 경우		350
3) 허위로 신고한 경우		500
4) 신고를 하지 않은 경우		500
바. 법 제11조의2 제2항을 위반하여 사용 중지신고 또는 재개신고를 기간 이내에 하지 않거나 거짓으로 한 경우	법 제39조 제1항 제5호의2	
1) 신고기한(중지 또는 재개한 날의 14일 전날)의 다음날을 기산일로 하여 30일 이내에 신고한 경우		250
2) 신고기한(중지 또는 재개한 날의 14일 전날)의 다음날을 기산일로 하여 31일 이후에 신고한 경우		350
3) 거짓으로 신고한 경우		500
4) 신고를 하지 않은 경우		500
사. 법 제15조 제3항에 따른 안전관리자의 선임신고를 기간 이내에 하지 않거나 허위로 한 경우	법 제39조 제1항 제5호	
1) 신고기한(선임한 날의 다음날을 기산일로 하여 14일이 되는 날)의 다음날을 기산일로 하여 30일 이내에 신고한 경우		250
2) 신고기한(선임한 날의 다음날을 기산일로 하여 14일이 되는 날)의 다음날을 기산일로 하여 31일 이후에 신고한 경우		350
3) 허위로 신고한 경우		500
4) 신고를 하지 않은 경우		500
아. 법 제16조 제3항을 위반하여 등록사항의 변경신고를 기간 이내에 하지 않거나 허위로 한 경우	법 제39조 제1항 제6호	
1) 신고기한(변경일의 다음날을 기산일로 하여 30일이 되는 날)의 다음날을 기산일로 하여 30일 이내에 신고한 경우		250
2) 신고기한(변경일의 다음날을 기산일로 하여 30일이 되는 날)의 다음날을 기산일로 하여 31일 이후에 신고한 경우		350
3) 허위로 신고한 경우		500
4) 신고를 하지 않은 경우		500

위반행위	근거 법조문	과태료 금액
자. 법 제18조 제1항을 위반하여 점검결과를 기록하지 않거나 보존하지 않은 경우	법 제39조 제1항 제7호	
1) 1차 위반 시		250
2) 2차 위반 시		400
3) 3차 이상 위반 시		500
차. 법 제18조 제2항을 위반하여 기간 이내에 점검 결과를 제출하지 않은 경우	법 제39조 제1항 제7호의2	
1) 제출기한(점검일의 다음날을 기산일로 하여 30일이 되는 날)의 다음날을 기산일로 하여 30일 이내에 제출한 경우		250
2) 제출기한(점검일의 다음날을 기산일로 하여 30일이 되는 날)의 다음날을 기산일로 하여 31일 이후에 제출한 경우		400
3) 제출하지 않은 경우		500
카. 법 제20조 제1항 제2호에 따른 위험물의 운반에 관한 세부기준을 위반한 경우	법 제39조 제1항 제8호	
1) 1차 위반 시		250
2) 2차 위반 시		400
3) 3차 이상 위반 시		500
타. 법 제21조 제3항을 위반하여 위험물의 운송에 관한 기준을 따르지 않은 경우	법 제39조 제1항 제9호	
1) 1차 위반 시		250
2) 2차 위반 시		400
3) 3차 이상 위반 시		500

01 위험물안전관리법상 청문을 실시하여 처분해야 하는 것은? [19년 2회]

① 제조소 등 설치허가의 취소
② 제조소 등 영업정지 처분
③ 탱크시험자의 영업정지 처분
④ 과징금 부과 처분

> **해설** 청문실시내용
> 제조소 등 설치허가의 취소, 탱크시험자의 등록취소

02 위험물안전관리법령상 업무상 과실로 제조소 등에서 위험물을 유출·방출 또는 확산시켜 사람의 생명·신체 또는 재산에 대하여 위험을 발생시킨 자에 대한 벌칙기준으로 옳은 것은? [18년 1회, 21년 1회]

① 10년 이하의 징역 또는 금고나 1억원 이하의 벌금
② 7년 이하의 금고 또는 7,000만원 이하의 벌금
③ 5년 이하의 징역 또는 1억원 이하의 벌금
④ 3년 이하의 징역 또는 3,000만원 이하의 벌금

> **해설** • 10년 이하의 징역 또는 금고나 1억원 이하의 벌금
>   – 업무상 과실로 제조소 등에서 위험물을 유출·방출 또는 확산시켜 사람을 사상(死傷)에 이르게 한 자
> • 7년 이하의 금고 또는 7,000만원 이하의 벌금
>   – 업무상 과실로 제조소 등에서 위험물을 유출·방출 또는 확산시켜 사람의 생명·신체 또는 재산에 대하여 위험을 발생시킨 자
> • 5년 이하의 징역 또는 1억원 이하의 벌금
>   – 제6조 제1항 전단을 위반하여 제조소 등의 설치허가를 받지 아니하고 제조소 등을 설치한 자
> • 3년 이하의 징역 또는 3,000만원 이하의 벌금
>   – 제5조 제1항을 위반하여 저장소 또는 제조소 등이 아닌 장소에서 지정수량 이상의 위험물을 저장 또는 취급한 자

03 위험물운송자 자격을 취득하지 아니한 자가 위험물 이동탱크저장소 운전 시의 벌칙으로 옳은 것은? [19년 1회]

① 100만원 이하의 벌금
② 300만원 이하의 벌금
③ 500만원 이하의 벌금
④ 1,000만원 이하의 벌금

> **해설** **1,000만원 이하의 벌금**
> • 위험물의 취급에 관한 안전관리와 감독을 하지 아니한 자
> • 안전관리자 또는 그 대리자가 참여하지 아니한 상태에서 위험물을 취급한 자
> • 변경한 예방규정을 제출하지 아니한 관계인으로서 허가를 받은 자
> • 위험물의 운반에 관한 중요기준에 따르지 아니한 자
> • 국가기술자격자 또는 안전교육을 받지 않고 위험물을 운송하는 자
> • 관계인의 정당한 업무를 방해하거나 출입·검사 등을 수행하면서 알게 된 비밀을 누설한 자

04 위험물안전관리법령상 다음의 규정을 위반하여 위험물의 운송에 관한 기준을 따르지 아니한 자에 대한 과태료 기준은? [20년 1·2회]

> 위험물운송자는 이동탱크저장소에 의하여 위험물을 운송하는 때에는 행정안전부령으로 정하는 기준을 준수하는 등 해당 위험물의 안전확보를 위하여 세심한 주의를 기울여야 한다.

① 50만원 이하
② 100만원 이하
③ 200만원 이하
④ 300만원 이하

핵심예제

> **해설** 관련 법령 개정으로 정답없음
>
> **500만원 이하의 과태료(21. 10. 19. 개정)**
> • 임시저장기간의 승인을 받지 아니한 자
> • 위험물의 저장 또는 취급에 관한 세부기준을 위반한 자
> • 위험물의 품명 등의 변경신고를 기간 이내에 하지 아니하거나 허위로 한 자
> • 위험물제조소 등의 지위승계신고를 기간 이내에 하지 아니하거나 허위로 한 자
> • 제조소 등의 폐지신고, 안전관리자의 선임신고를 기간 이내에 하지 아니하거나 허위로 한 자
> • 제조소 등의 사용 중지신고 또는 재개신고를 기간 이내에 하지 아니하거나 거짓으로 한 자
> • 등록사항의 변경신고를 기간 이내에 하지 아니하거나 허위로 한 자
> • 위험물제조소 등의 정기 점검결과를 기록·보존하지 아니한 자
> • 기간 이내에 정기점검결과를 제출하지 아니한 자
> • 위험물의 운반에 관한 세부기준을 위반한 자
> • 위험물의 운송에 관한 기준을 따르지 아니한 자

MEMO

Engineer Fire Protection System

소방설비기사(필기) 기본서 시리즈

소방관계법규
최근 기출문제

Engineer Fire
Protection System

소방설비기사(필기) 기본서 시리즈

소방관계법규

2021년 4회   최근 기출문제

혼자 공부하기 힘드시다면 방법이 있습니다.
시대에듀의 동영상강의를 이용하시면 됩니다.
www.sdedu.co.kr ➔ 회원가입(로그인) ➔ 강의 살펴보기

최근 기출문제

01 다음 위험물안전관리법령의 자체소방대 기준에 대한 설명으로 틀린 것은?

> 다량의 위험물을 저장·취급하는 제조소 등으로서 <u>대통령령으로 정하는 제조소 등</u>이 있는 동일한 사업소에서 <u>대통령령으로 정하는 수량 이상의 위험물</u>을 저장 또는 취급하는 경우 당해 사업소의 관계인은 대통령령으로 정하는 바에 따라 당해 사업소에 자체소방대를 설치하여야 한다.

① "대통령령으로 정하는 제조소 등"은 제4류 위험물을 취급하는 제조소를 포함한다.
② "대통령령이 정하는 제조소 등"은 제4류 위험물을 취급하는 일반취급소를 포함한다.
③ "대통령령이 정하는 수량 이상의 위험물"은 제4류 위험물의 최대수량의 합이 지정수량의 3천배 이상인 것을 포함한다.
④ "대통령령이 정하는 제조소 등"은 보일러로 위험물을 소비하는 일반취급소를 포함한다.

02 위험물안전관리법령상 제조소 등에 설치하여야 할 자동화재탐지설비의 설치기준 중 ( ) 안에 알맞은 내용은?(단, 광전식 분리형 감지기 설치는 제외한다)

> 하나의 경계구역의 면적은 (㉠)[m²] 이하로 하고 그 한 변의 길이는 (㉡)[m] 이하로 할 것. 다만, 당해 건축물 그 밖의 공작물의 주요한 출입구에서 그 내부의 전체를 볼 수 있는 경우에 있어서는 그 면적은 1,000[m²] 이하로 할 수 있다.

① ㉠ 300, ㉡ 20
② ㉠ 400, ㉡ 30
③ ㉠ 500, ㉡ 40
④ ㉠ 600, ㉡ 50

03 소방시설공사업법령상 전문 소방시설공사업의 등록기준 및 영업범위의 기준에 대한 설명으로 틀린 것은?

① 법인인 경우 자본금은 최소 1억원 이상이다.
② 개인인 경우 자산평가액은 최소 1억원 이상이다.
③ 주된 기술인력 최소 1명 이상, 보조기술인력 최소 3명 이상을 둔다.
④ 영업범위는 특정소방대상물에 설치되는 기계분야 및 전기분야 소방시설의 공사·개설·이전 및 정비이다.

04 화재예방, 소방시설 설치·유지 및 안전관리에 관한 법령상 특정소방대상물의 관계인이 특정소방대상물의 규모·용도 및 수용인원 등을 고려하여 갖추어야 하는 소방시설의 종류에 대한 기준 중 다음 (   ) 안에 알맞은 것은?

> 화재안전기준에 따라 소화기구를 설치하여야 하는 특정소방대상물은 연면적 (㉠)[m²] 이상인 것. 다만, 노유자시설의 경우에는 투척용 소화용구 등을 화재안전기준에 따라 산정된 소화기 수량의 (㉡) 이상으로 설치할 수 있다.

① ㉠ 33, ㉡ $\frac{1}{2}$　　　　　　② ㉠ 33, ㉡ $\frac{1}{5}$

③ ㉠ 50, ㉡ $\frac{1}{2}$　　　　　　④ ㉠ 50, ㉡ $\frac{1}{5}$

05 화재예방, 소방시설 설치·유지 및 안전관리에 관한 법령상 천재지변 및 그 밖에 대통령령으로 정하는 사유로 소방특별조사를 받기 곤란하여 소방특별조사의 연기를 신청하려는 자는 소방특별조사 시작 최대 며칠 전까지 연기신청서 및 증명서류를 제출해야 하는가?

① 3
② 5
③ 7
④ 10

06 위험물안전관리법령상 정기점검의 대상인 제조소 등의 기준으로 틀린 것은?

① 지하탱크저장소
② 이동탱크저장소
③ 지정수량의 10배 이상의 위험물을 취급하는 제조소
④ 지정수량의 20배 이상의 위험물을 저장하는 옥외탱크저장소

07 위험물안전관리법령상 제4류 위험물 중 경유의 지정수량은 몇 리터인가?

① 500
② 1,000
③ 1,500
④ 2,000

08 화재예방, 소방시설 설치·유지 및 안전관리에 관한 법령상 1급 소방안전관리대상물의 소방안전관리자 선임대상 기준 중 (   ) 안에 알맞은 내용은?

산업안전기사 또는 산업안전산업기사의 자격을 취득한 후 (   ) 2급 소방안전관리대상물 또는 3급 소방안전관리대상물의 소방안전관리자로 근무한 실무경력이 있는 사람

① 1년 이상
② 2년 이상
③ 3년 이상
④ 5년 이상

09 화재예방, 소방시설 설치·유지 및 안전관리에 관한 법령상 용어의 정의 중 (   ) 안에 알맞은 것은?

특정소방대상물이란 소방시설을 설치하여야 하는 소방대상물로서 (   )으로 정하는 것을 말한다.

① 대통령령
② 국토교통부령
③ 행정안전부령
④ 고용노동부령

10 소방기본법 제1장 총칙에서 정하는 목적의 내용으로 거리가 먼 것은?

① 구조, 구급 활동 등을 통하여 공공의 안녕 및 질서 유지
② 풍수해의 예방, 경계, 진압에 관한 계획, 예산 지원 활동
③ 구조, 구급 활동 등을 통하여 국민의 생명, 신체, 재산 보호
④ 화재, 재난, 재해 그 밖의 위급한 상황에서의 구조, 구급 활동

11 소방기본법령상 소방본부 종합상황실의 실장이 서면·팩스 또는 컴퓨터통신 등으로 소방청 종합상황실에 보고하여야 하는 화재의 기준이 아닌 것은?

① 이재민이 100인 이상 발생한 화재
② 재산피해액이 50억원 이상 발생한 화재
③ 사망자가 3인 이상 발생하거나 사상자가 5인 이상 발생한 화재
④ 층수가 5층 이상이거나 병상이 30개 이상인 종합병원에서 발생한 화재

12 화재예방, 소방시설 설치·유지 및 안전관리에 관한 법령상 관리업자가 소방시설 등의 점검을 마친 후 점검기록표에 기록하고 이를 해당 특정소방대상물에 부착하여야 하나 이를 위반하고 점검기록표를 거짓으로 작성하거나 해당 특정소방대상물에 부착하지 아니하였을 경우 벌칙 기준은?

① 100만원 이하의 벌금
② 200만원 이하의 벌금
③ 300만원 이하의 벌금
④ 500만원 이하의 벌금

13 화재예방, 소방시설 설치 · 유지 및 안전관리에 관한 법령상 분말형태의 소화약제를 사용하는 소화기의 내용연수로 옳은 것은?(단, 소방용품의 성능을 확인받아 그 사용기한을 연장하는 경우는 제외한다)

① 3년   ② 5년
③ 7년   ④ 10년

14 소방시설공사업법령상 소방시설공사업자가 소속 소방기술자를 소방시설공사 현장에 배치하지 않았을 경우의 과태료 기준은?

① 100만원 이하
② 200만원 이하
③ 300만원 이하
④ 400만원 이하

15 소방기본법령상 위험물 또는 물건의 보관기간은 소방본부 또는 소방서의 게시판에 공고하는 기간의 종료일 다음날부터 며칠로 하는가?

① 3   ② 4
③ 5   ④ 7

16 소방기본법령상 소방활동장비와 설비의 구입 및 설치 시 국고보조의 대상이 아닌 것은?

① 소방자동차
② 사무용 집기
③ 소방헬리콥터 및 소방정
④ 소방전용통신설비 및 전산설비

17 화재예방, 소방시설 설치·유지 및 안전관리에 관한 법령상 특정소방대상물의 관계인은 소방안전관리자를 기준일로부터 30일 이내에 선임하여야 한다. 다음 중 기준일로 틀린 것은?

① 소방안전관리자를 해임한 경우 : 소방안전관리자를 해임한 날
② 특정소방대상물을 양수하여 관계인의 권리를 취득한 경우 : 해당 권리를 취득한 날
③ 신축으로 해당 특정소방대상물의 소방안전관리자를 신규로 선임하여야 하는 경우 : 해당 특정소방대상물의 완공일
④ 증축으로 인하여 특정소방대상물이 소방안전관리대상물로 된 경우 : 증축공사의 개시일

18 위험물안전관리법령상 위험물을 취급함에 있어서 정전기가 발생할 우려가 있는 설비에 설치할 수 있는 정전기 제거설비 방법이 아닌 것은?

① 접지에 의한 방법
② 공기를 이온화하는 방법
③ 자동적으로 압력의 상승을 정지시키는 방법
④ 공기 중의 상대습도를 70[%] 이상으로 하는 방법

19 소방기본법령상 특수가연물의 수량 기준으로 옳은 것은?

① 면화류 : 200[kg] 이상
② 가연성 고체류 : 500[kg] 이상
③ 나무껍질 및 대팻밥 : 300[kg] 이상
④ 넝마 및 종이부스러기 : 400[kg] 이상

20 화재예방, 소방시설 설치·유지 및 안전관리에 관한 법령상 소방청장, 소방본부장 또는 소방서장이 소방특별조사를 하려면 관계인에게 조사대상, 조사기간 및 조사사유 등을 최대 며칠 전에 서면으로 알려야 하는가?(단, 긴급하게 조사할 필요가 있는 경우와 사전에 통지하면 조사목적을 달성할 수 없다고 인정되는 경우는 제외한다)

① 7
② 10
③ 12
④ 14

www.sdedu.co.kr

2021년 제4회 정답 및 해설

01	02	03	04	05	06	07	08	09	10	11	12	13	14	15	16	17	18	19	20
④	④	③	①	①	④	②	②	①	②	③	③	④	②	④	②	④	③	①	①

01 자체소방대

설치사업소	• 제4류 위험물을 취급하는 제조소 또는 일반취급소 • 지정수량의 3,000배 이상(50만배 이상 저장 옥외탱크저장소)
제외대상 일반취급소	• 보일러, 버너 그 밖에 이와 유사한 장치로 위험물을 소비하는 일반취급소 • 이동저장탱크 그 밖에 이와 유사한 것에 위험물을 주입하는 일반취급소 • 용기에 위험물을 옮겨 담는 일반취급소 • 유압장치, 윤활유순환장치 그 밖에 이와 유사한 장치로 위험물을 취급하는 일반취급소 • 광산보안법의 적용을 받는 일반취급소

02 자동화재탐지설비의 설치기준

- 하나의 경계구역의 면적 : 600[m^2] 이하
- 한 변의 길이 : 50[m](광전식분리형감지기를 설치할 경우에는 100[m]) 이하로 할 것
- 건축물 그 밖의 공작물의 주요한 출입구에서 그 내부의 전체를 볼 수 있는 경우에 있어서는 그 면적을 1,000[m^2] 이하로 할 수 있다.

03 전문 소방시설공사업의 등록기준 및 영업범위

업종별 \ 항 목	기술인력	자본금(자산평가액)	영업범위
전문 소방시설 공사업	• 주된 기술인력 : 소방기술사 또는 기계분야와 전기분야의 소방설비기사 각 1명(기계·전기분야의 자격을 함께 취득한 사람 1명) 이상 • 보조기술인력 : 2명 이상	• 법인 : 1억원 이상 • 개인 : 자산평가액 1억원 이상	• 특정소방대상물에 설치되는 기계분야 및 전기분야 소방시설의 공사·개설·이전 및 정비

04 소화기구 및 자동소화장치
- 소화기구 : 연면적 33[m²] 이상(노유자시설인 경우 투척용 소화용구는 산정된 소화기 수의 1/2 이상 설치), 가스시설, 발전시설 중 전기저장 시설 및 지정문화재, 터널, 지하구
- 주거용 주방자동소화장치 : 아파트 등 및 30층 이상 오피스텔의 모든 층

05 소방특별조사 시작 3일 전까지 소방특별조사 연기신청서(전자문서로 된 신청서를 포함)에 소방특별조사를 받기가 곤란함을 증명할 수 있는 서류(전자문서로 된 서류를 포함)를 첨부하여 소방청장, 소방본부장 또는 소방서장에게 제출하여야 한다.

06 정기점검 대상(연 1회 이상)
- 예방규정을 정하여야 하는 제조소 등

제조소, 일반취급소	지정수량의 10배 이상
옥외저장소	지정수량의 100배 이상
옥내저장소	지정수량의 150배 이상
옥외탱크저장소	지정수량의 200배 이상

- 지하탱크저장소
- 이동탱크저장소
- 위험물을 취급하는 탱크로서 지하에 매설된 탱크가 있는 제조소, 주유취급소, 일반취급소
- 50만[L] 이상의 옥외탱크저장소(소방본부장 또는 소방서장으로부터 정기검사를 받아야 한다)

07 제4류 위험물

위험물			위험등급	지정수량
유 별	성 질	품 명		
제4류	인화성 액체	특수인화물	I	50[L]
		제1석유류(아세톤, 휘발유 등) · 비수용성 액체	II	200[L]
		제1석유류(아세톤, 휘발유 등) · 수용성 액체	II	400[L]
		알코올류(탄소원자의 수가 1~3개로서 농도가 60[%] 이상)	II	400[L]
		제2석유류(등유, 경유 등) · 비수용성 액체	III	1,000[L]
		제2석유류(등유, 경유 등) · 수용성 액체	III	2,000[L]
		제3석유류(중유, 크레오소트유 등) · 비수용성 액체	III	2,000[L]
		제3석유류(중유, 크레오소트유 등) · 수용성 액체	III	4,000[L]
		제4석유류(기어유, 실린더유 등)	III	6,000[L]
		동식물유류	III	10,000[L]

08 1급 소방안전관리대상물의 소방안전관리자 선임자격

대상물	자격
동·식물원, 철강 등 불연성 물품을 저장·취급하는 창고, 위험물제조소 등, 지하구와 특급소방안전관리대상물을 제외한 것 • 30층 이상(지하층은 제외)이거나 지상으로부터 높이가 120[m] 이상인 아파트 • 연면적 15,000[m²] 이상인 특정소방대상물(아파트는 제외) • 층수가 11층 이상인 특정소방대상물(아파트는 제외) • 가연성 가스를 1,000[t] 이상 저장·취급하는 시설	• 소방설비기사 또는 소방설비산업기사의 자격이 있는 사람 • 산업안전기사 또는 산업안전산업기사 + 2년 이상 2급 소방안전관리대상물 또는 3급 소방안전관리대상물의 소방안전관리자로 근무한 실무경력 • 소방공무원으로 7년 이상 근무한 경력이 있는 사람 • 위험물기능장·위험물산업기사 또는 위험물기능사 자격을 가진 사람으로서 위험물안전관리자로 선임된 사람 • 가스안전관리자로 선임된 사람 • 전기안전관리자로 선임된 사람 • 1급 소방안전관리대상물의 소방안전관리에 관한 시험에 합격한 사람

09 **특정소방대상물** : 소방시설을 설치하여야 하는 소방대상물로서 대통령령으로 정하는 것

10 • 화재를 예방·경계하거나 진압하고
• 화재, 재난·재해, 그 밖의 위급한 상황에서의 구조·구급활동 등을 통하여
• 국민의 생명·신체 및 재산을 보호함으로써
• 공공의 안녕 및 질서유지와 복리증진에 이바지함을 목적으로 한다.

11 **종합상황실 실장의 보고발생 사유**
• 다음 각 목의 1에 해당하는 화재
  - 사망자가 5인 이상 발생하거나 사상자가 10인 이상 발생한 화재
  - 이재민이 100인 이상 발생한 화재
  - 재산피해액이 50억원 이상 발생한 화재
  - 관공서·학교·정부미도정공장·문화재·지하철 또는 지하구의 화재
  - 관광호텔, 층수가 11층 이상인 건축물, 지하상가, 시장, 백화점, 지정수량의 3,000배 이상의 위험물의 제조소·저장소·취급소, 층수가 5층 이상이거나 객실이 30실 이상인 숙박시설, 층수가 5층 이상이거나 병상이 30개 이상인 종합병원·정신병원·한방병원·요양소, 연면적 15,000[m²] 이상인 공장 또는 화재경계지구에서 발생한 화재
  - 철도차량, 항구에 매어둔 총 톤수가 1,000[t] 이상인 선박, 항공기, 발전소 또는 변전소에서 발생한 화재
  - 가스 및 화약류의 폭발에 의한 화재
  - 다중이용업소의 화재
• 통제단장의 현장지휘가 필요한 재난상황
• 언론에 보도된 재난상황
• 그 밖에 소방청장이 정하는 재난상황

12 벌칙

10년 이하의 징역 또는 1억원 이하의 벌금	소방시설 폐쇄·차단 등의 행위를 하여 사람을 사망에 이르게 한 자
7년 이하의 징역 또는 7,000만원 이하의 벌금	소방시설 폐쇄·차단 등의 행위를 하여 사람을 상해에 이르게 한 자
5년 이하의 징역 또는 5,000만원 이하의 벌금	소방시설 폐쇄·차단 등의 행위를 한 자
3년 이하의 징역 또는 3,000만원 이하의 벌금	• 소방시설의 화재안전기준, 피난시설 및 방화시설의 유지·관리의 필요한 조치, 임시소방시설의 필요한 조치, 방염성능기준 미달 및 방염대상물품 제거, 소방용품의 회수·교환·폐기, 판매중지 등 규정에 따른 명령을 정당한 사유 없이 위반한 자 • 관리업의 등록을 하지 아니하고 영업을 한 자 • 소방용품의 형식승인을 받지 아니하고 소방용품을 제조하거나 수입한 자 • 소방용품의 제품검사를 받지 아니한 자
1년 이하의 징역 또는 1,000만원 이하의 벌금	• 관계인의 정당한 업무를 방해한 자, 조사·검사 업무를 수행하면서 알게 된 비밀을 제공 또는 누설하거나 목적 외의 용도로 사용한 자 • 관리업의 등록증이나 등록수첩을 다른 자에게 빌려준 자 • 영업정지처분을 받고 그 영업정지기간 중에 관리업의 업무를 한 자 • 소방시설 등에 대한 자체점검을 하지 아니하거나 관리업자 등으로 하여금 정기적으로 점검하게 하지 아니한 자 • 소방시설관리사증을 다른 자에게 빌려주거나 동시에 둘 이상의 업체에 취업한 사람 • 제품검사에 합격하지 아니한 제품에 합격표시를 하거나 합격표시를 위조 또는 변조하여 사용한 자 • 형식승인의 변경승인을 받지 아니한 자

13 소방용품의 내용연수

소방용품	분말형태의 소화약제를 사용하는 소화기
소방용품의 내용연수	10년
소방용품의 성능확인 검사	소방용품의 내용연한이 도래한 날의 다음 달부터 1년 이내
성능확인 검사에 합격한 소방용품	3년 동안 사용 후 교체

14 200만원 이하의 과태료
• 변경, 지위승계, 착공신고 등의 신고를 하지 아니하거나 거짓으로 신고한 자
• 관계인에게 지위승계, 행정처분 또는 휴업·폐업의 사실을 거짓으로 알린 자
• 관계 서류를 보관하지 아니한 자
• 소방기술자를 공사 현장에 배치하지 아니한 자
• 완공검사를 받지 아니한 자
• 3일 이내에 하자를 보수하지 아니하거나 하자보수계획을 관계인에게 거짓으로 알린 자

15

위험물 또는 물건을 보관하는 경우 게시판에 공고 기간	14일
게시판에 공고 기간 종료일 다음날부터 보관 기간	7일
매각되거나 폐기된 위험물 또는 물건의 소유자가 보상을 요구 시 보상권자	소방본부장 또는 소방서장

16 **국고보조대상**
- 소방활동장비와 설비의 구입 및 설치
  - 소방자동차
  - 소방헬리콥터 및 소방정
  - 소방전용통신설비 및 전산설비
  - 그 밖의 방열복 또는 방화복 등 소방활동에 필요한 소방장비
- 소방관서용 청사의 건축
  ※ 소방의(소방복장)는 국고보조대상이 아니다.

17 **소방안전관리자 선임**

선임권자	관계인
선임기간	30일 이내 선임
신 고	선임한 날로부터 14일 이내에 소방본부장 또는 소방서장에게 신고
선임기준	• 신축·증축·개축·재축·대수선 또는 용도 변경으로 신규로 선임하는 경우 : 완공일 • 증축 또는 용도변경으로 특급, 1급 또는 2급 소방안전관리대상물로 된 경우 : 증축공사의 완공일 또는 용도변경사실을 건축물관리대장에게 기재한 날 • 양수, 경매, 환가, 매각 등 관계인이 권리를 취득한 경우 : 해당 권리를 취득한 날 또는 관할 소방서장으로부터 소방안전관리자 선임안내를 받은 날 • 공동소방안전관리 특정소방대상물의 경우 : 소방본부장 또는 소방서장이 공동소방안전관리 대상으로 지정한 날 • 소방안전관리자 해임한 경우 : 소방안전관리자를 해임한 날

18 **정전기의 방지대책**
- 접지할 것
- 상대습도 70[%] 이상 유지할 것
- 공기를 이온화할 것

19 특수가연물 종류 및 지정수량

품 명		수 량
면화류		200[kg] 이상
나무껍질 및 대팻밥		400[kg] 이상
넝마 및 종이부스러기		1,000[kg] 이상
사 류		1,000[kg] 이상
볏짚류		1,000[kg] 이상
가연성 고체류		3,000[kg] 이상
석탄 · 목탄류		10,000[kg] 이상
가연성 액체류		$2[m^3]$ 이상
목재가공품 및 나무부스러기		$10[m^3]$ 이상
합성수지류	발포시킨 것	$20[m^3]$ 이상
	그 밖의 것	3,000[kg] 이상

20 소방특별조사 시 관계인에게 서면통보

7일 전(소방청장, 소방본부장 또는 소방서장은 소방특별조사를 하려면 7일 전에 관계인에게 조사대상, 조사기간 및 조사사유 등을 서면으로 알려야 한다)

좋은 책을 만드는 길
독자님과 함께하겠습니다.

도서나 동영상에 궁금한 점, 아쉬운 점, 만족스러운 점이
있으시다면 어떤 의견이라도 말씀해 주세요.
시대고시기획은 독자님의 의견을 모아 더 좋은 책으로 보답하겠습니다.

www.sidaegosi.com

소방설비기사 필기 소방관계법규

초 판 발 행	2022년 03월 10일 (인쇄 2021년 12월 29일)
발 행 인	박영일
책 임 편 집	이해욱
편 저	류승헌
편 집 진 행	윤진영 · 김경숙
표 지 디 자 인	권은경 · 길전홍선
편 집 디 자 인	심혜림 · 조준영
발 행 처	(주)시대고시기획
출 판 등 록	제10-1521호
주 소	서울시 마포구 큰우물로 75 [도화동 538 성지 B/D] 9F
전 화	1600-3600
팩 스	02-701-8823
홈 페 이 지	www.sidaegosi.com
I S B N	979-11-383-1622-4 (14500)
정 가	16,000원

단기학습을 위한
완전학습서

합격에 윙크(Win-Q)하다!

[Win-Q^ 시리즈]

기술 자격증 도전에 승리하다

핵심이론
핵심만 쉽게
설명하니까

핵심예제
꼭 알아야 할 내용을
다시 한번
짚어 주니까

과년도 기출문제
시험에 나오는
문제유형을
알 수 있으니까

최근 기출문제
상세한 해설을
담고 있으니까

 NAVER 카페 │ 대자격시대 – 기술자격 학습카페
cafe.naver.com/sidaestudy / 최신기출문제 제공 및 응시료 지원 이벤트

기술직 공무원 전기이론
별판 | 21,000원

기술직 공무원 전기기기
별판 | 21,000원

기술직 공무원 기계일반
별판 | 21,000원

기술직 공무원 환경공학개론
별판 | 21,000원

기술직 공무원 재배학개론+식용작물
별판 | 35,000원

기술직 공무원 기계설계
별판 | 21,000원

기술직 공무원 임업경영
별판 | 20,000원

기술직 공무원 조림
별판 | 20,000원

※도서의 이미지와 가격은 변경될 수 있습니다.

25년 합격의 노하우!
NO.1
합격의 공식

소방설비 기사 필기

소방관계법규

시대교육그룹

(주)시대고시기획 시대교육(주)	고득점 합격 노하우를 집약한 최고의 전략 수험서 www.sidaegosi.com
시대에듀	자격증 · 공무원 · 취업까지 분야별 BEST 온라인 강의 www.sdedu.co.kr
이슈&시사상식	한 달간의 주요 시사이슈 논술 · 면접 등 취업 필독서 **매달 25일 발간**
	외국어 · IT · 취미 · 요리 생활 밀착형 교육 연구 **실용서 전문 브랜드**

꿈을 지원하는 행복…

여러분이 구입해 주신 도서 판매수익금의 일부가
국군장병 1인 1자격 취득 및 학점취득 지원사업과
낙도 도서관 지원사업에 쓰이고 있습니다.

SD에듀
(주)시대고시기획

발행일 2022년 3월 10일(초판인쇄일 2021 · 12 · 29)
발행인 박영일
책임편집 이해욱
편저 류승헌
발행처 (주)시대고시기획
등록번호 제10-1521호
주소 서울시 마포구 큰우물로 75 [도화동 538 성지B/D] 9F
대표전화 1600-3600
팩스 (02)701-8823
학습문의 www.sidaegosi.com

항균+ 99.9%

정가 16,000원

ISBN
979-11-383-1622-4

14500

9 791138 316224

합격의 공식
시대에듀 **2022**
최 / 신 / 판

소방설비 기사 필기

전기 분야

류승헌 편저

소방전기시설의 구조 및 원리

최근 **5개년 기출문제 + 상세해설** 수록

● 출제기준에 따른 단원별 핵심이론 수록
● 최근 5개년 기사 기출문제 수록

베테랑이 전하는
합격 노하우
동영상 강의
www.**sdedu**.co.kr
유료

SD에듀
(주)시대고시기획

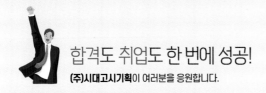

합격도 취업도 한 번에 성공!

(주)시대고시기획이 여러분을 응원합니다.

Profile 편·저·자·약·력

류승헌

現 베스트 전기기술학원 원장
現 경동솔라 기술고문
現 일렉소프트 기술고문
H전기아카데미 부원장
A전기공과학원 부원장
기아자동차 외부강사
삼천리 자격증과정 강의
대림대학 · 오산대학 자격증과정 강의
카보텍 기술고문
인텍트 기술고문
거성이엔지 건축사무소 감리
대성전기공사 감리

SD 에듀 도서 및 동영상 강의 문의 **1600-3600**

책 출간 이후에도 끝까지 최선을 다하는 시대고시기획!
도서 출간 이후에 발견되는 오류와 바뀌는 시험정보, 기출문제, 도서 업데이트 자료 등을 홈페이지 자료실 및 시대북 통합서비스 앱을 통해 알려 드리고 있습니다. 또한, 도서가 파본인 경우에는 구입하신 곳에서 교환해 드립니다.

편집진행 윤진영 · 김경숙 | **표지디자인** 권은경 · 길전홍선 | **본문디자인** 심혜림 · 조준영